비상 독해路

수능 국어 1등급

예비 고등~고등3

수능 개념을 바탕으로 실전 감각을 길러요

기출 개념을 익히고 학습하는 수능 예상 문제집

독서 기본, 독서

기출로 실전 감각을 키우는 기출문제집

예비 중등~중등3

영역별 독해 전략을 바탕으로 독해력을 강화해요

비문학 1~3권

독해력을 단계별로 단련하는 중등 독해

어휘편 1~3권

중등 전 과목 교과서 필수 어휘 학습

문학편 1~3권

감상 스킬을 단련하는 필수 작품 독해

초등3~예비 중등

본격적으로 학습 독해 실력을 쌓아요

비문학 시작편 1~2권

초등에서 처음 만나는 수능 독해의 기본

비문학 1~2권

초등 독해의 넥스트레벨 고급 독해

문학 1~3권

시험에 꼭 나오는 작품 독해

중등수능독해 「어휘편」 기획에 도움을 주신 선생님

김두환 국풍2000 국어학원
김민영 압구정 정보학원
김선희 김선희 국어
김소희 한올국어학원
김석우 하제입시학원
김여송 라미학원
김영숙 정명학원
김윤범 효현스마트국어논술학원
김은영 혜윰국어논술학원
김재현 갈무리 국어학원
김현 내일의창 국어학원
문선희 쌤이콕학원
박미진 열정과 의지
박시현 정진학원
백지은 정음국어학원
변다영 SNU학원
서주홍 서주홍 국어 학원
성부경 이룸국어영어전문학원
신승지 뿌리깊은학원
이진협 마루학원
임대규 세일학원
최재하 해오름 국어학원
최지은 류연우논리수학 LS논리 속독국어학원
한동희 한동희 국어학원
홍경란 홍쌤 에프엠 국어학원
황지혜 갈무리 국어학원

※ 선생님들의 재직처는 발간 시점을 기준으로 하였습니다. 변동 사항은 선생님의 요청이 있을 경우 재쇄 시 반영하겠습니다.

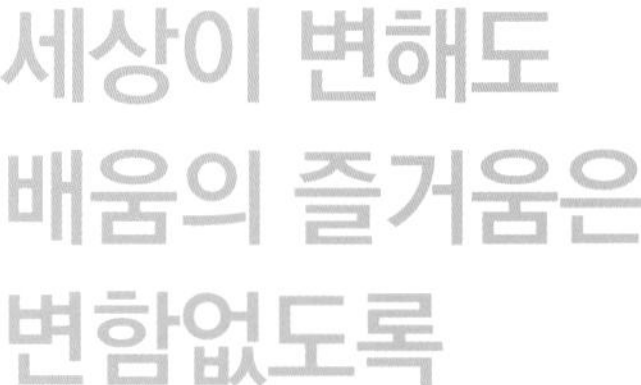

시대는 빠르게 변해도
배움의 즐거움은
변함없어야 하기에

어제의 비상은
남다른 교재부터
결이 다른 콘텐츠
전에 없던 교육 플랫폼까지

변함없는 혁신으로
교육 문화 환경의 새로운 전형을
실현해왔습니다.

비상은 오늘, 다시 한번
새로운 교육 문화 환경을 실현하기 위한
또 하나의 혁신을 시작합니다.

오늘의 내가 어제의 나를 초월하고
오늘의 교육이 어제의 교육을 초월하여
배움의 즐거움을 지속하는 혁신,

바로, 메타인지학습을.

상상을 실현하는 교육 문화 기업 비상

메타인지학습

초월을 뜻하는 meta와 생각을 뜻하는 인지가 결합된 메타인지는 자신이 알고 모르는 것을 스스로 구분하고 학습계획을 세우도록 하는 궁극의 학습 능력입니다. 비상의 메타인지학습은 메타인지를 키워주어 공부를 100% 내 것으로 만들도록 합니다.

중등

수능 독해

2 발전

중2 필수 어휘편

이 책의 어휘 구성

"중등 수능독해 어휘편"은 중등 교과서의 어휘, 문제의 난이도, 기출문제 등을 학생들의 수준에 맞게 단계별로 제시하였습니다.

"중등 수능독해 어휘편"을 처음 접하는 학생은 1권을, 어휘력 수준을 한 단계 올리고 싶은 학생은 2권을, 어휘력을 심화 수준까지 완성하고 싶은 학생은 3권을 선택하여 학습합니다.

중등 국어 교과서의 필수 어휘 수록

중학교 국어 교과서를 모두 분석하여 학생들이 꼭 알아야 할 개념어와 주제어를 정리하였습니다. 국어 교과서에서 선별한 필수 어휘들은 수능 국어 영역 문학의 바탕이 됩니다.

■ **개념어** 교과서에 수록된 개념어를 구조적으로 제시하였습니다. 개념어란 추상적인 생각을 나타내는 말로, 개념어를 정확하게 알고 있어야 지식을 제대로 습득할 수 있고 문제 해결 능력을 기를 수 있습니다.

■ **주제어** 국어 교과서에 수록된 필수 어휘들을 뽑아, 수능 문학 영역에서 자주 출제되는 주제들로 묶어 제시하였습니다. 의미의 연상을 통한 주제별 어휘 제시는 어휘 학습을 더욱 효율적으로 할 수 있도록 합니다.

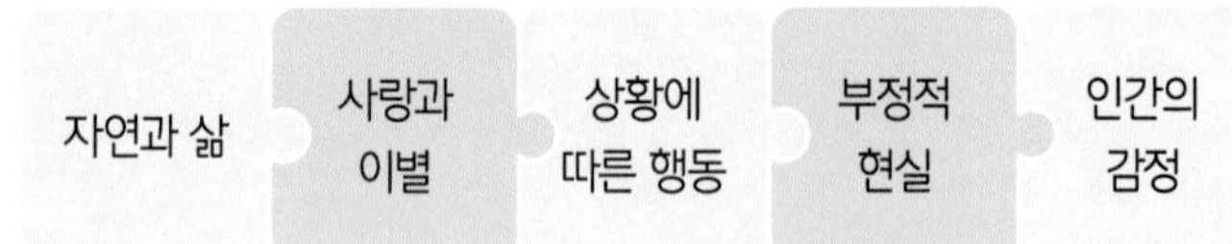

▲ 문학 영역에서 자주 출제되는 주제

중1 필수 어휘 (예비 중1 ~ 중1)	• 중학교 1학년 주요 과목 교과서에서 핵심 개념어와 연관된 개념어를 선별하여 구성 • 중학교 1학년 주요 과목 교과서에서 선별한 핵심 어휘를 주제별로 재구성하여 제시
중2 필수 어휘 (중1 ~ 중2)	• 중학교 2학년 주요 과목 교과서에서 핵심 개념어와 연관된 개념어를 선별하여 구성 • 중학교 2학년 주요 과목 교과서에서 선별한 핵심 어휘를 주제별로 재구성하여 제시
중3 필수 어휘 (중3 ~ 예비 고1)	• 중학교 3학년 주요 과목 교과서에서 핵심 개념어와 연관된 개념어를 선별하여 구성 • 중학교 3학년 주요 과목 교과서에서 선별한 핵심 어휘를 주제별로 재구성하여 제시

"어휘가 탄탄해야 글을 읽을 때 내용을 정확하게 이해할 수 있습니다. 교과서에 수록된 어휘를 알아야 교과서의 내용을 파악할 수 있고 학습에 흥미도 생깁니다."

중등 주요 과목 교과서의 필수 어휘 수록

사회, 역사, 도덕, 과학 등 중학교 주요 과목 교과서에서 학생들이 꼭 알아야 할 필수 어휘들을 선별하여, 수능 국어 영역 독서에 자주 출제되는 주제에 따라 재구성하여 제시하였습니다.

인문	사회	과학	기술	예술
역사, 철학, 윤리, 심리, 사상	정치, 경제, 법률, 언론	지구 과학, 물리, 화학, 의학, 생물	전기, 전자, 의료, 에너지, 기계, 소재	음악, 미술, 영화, 영상, 공연, 건축

▲ 독서 영역에서 자주 출제되는 주제

책의 용어 알기

유	뜻이 비슷한 말인 '유의어'
반	뜻이 서로 정반대되는 관계에 있는 말인 '반의어'
속	예로부터 민간에 전하여 오는 쉬운 격언이나 잠언을 일컫는 '속담'
한	교훈이나 유래를 담고 있는 한자로 이루어진 말인 '한자 성어'
관	두 개 이상의 단어로 이루어져 특수한 의미를 나타내는 어구인 '관용 표현'
참	어휘의 의미를 이해하는 데 도움이 될 수 있는 어휘를 제시한 '참고 어휘'

이 책의 구성과 사용법

1 전 과목 필수 어휘의 구조화

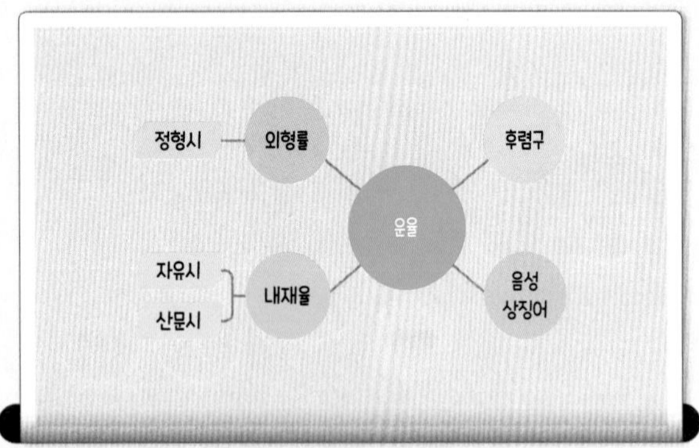

전 과목 필수 어휘를 구조화하여 학습!

- 주제별로 서로 연관이 있는 필수 어휘들을 구조화하여 익힘으로써 효율적인 어휘 학습이 가능합니다.
- 핵심 개념어와 연관된 개념어를, 필수 주제어와 연상되는 어휘를 도식화하여 어휘 간의 관계를 시각적으로 파악할 수 있습니다.

2 단계별 문제로 어휘 학습

글을 제대로 읽기 위해서는 글을 구성하고 있는 어휘에 대한 지식이 필수적이야.

어휘력이 부족하면 글을 제대로 이해할 수 없어. 다양한 어휘 학습을 통해 어휘력을 쌓아 봐!

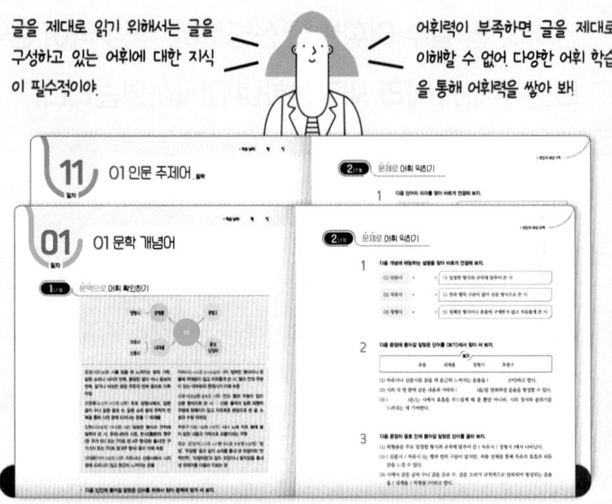

1단계 문맥으로 어휘 확인하기

'문맥으로 어휘 확인하기'에서는 어휘의 의미를 익히고, 문맥에서 해당 어휘가 어떻게 사용되는지 확인해 봅니다.

2단계 문제로 어휘 익히기

'문제로 어휘 익히기'에서는 1단계에서 익힌 어휘를 여러 가지 형태의 문제를 통해 재미있게 학습할 수 있습니다.

전 과목 필수 어휘로 교과 학습 이해력 강화 및 독해력을 신장하는

"중등 수능독해 어휘편"

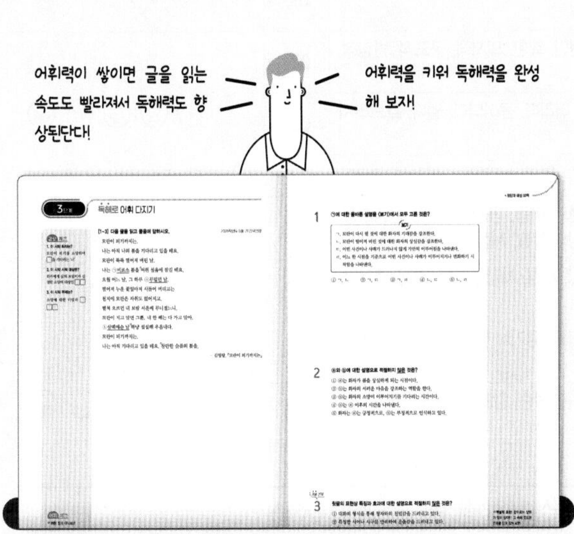

어휘력이 쌓이면 글을 읽는 속도도 빨라져서 독해력도 향상된단다!
어휘력을 키워 독해력을 완성해 보자!

3단계 독해로 어휘 다지기

'독해로 어휘 다지기'에서는 1~2단계에서 익힌 어휘를 바탕으로 기출문제를 풀어 봄으로써 어휘력을 향상시키고 독해력을 완성할 수 있습니다.

3 주제별로 익히는 특강

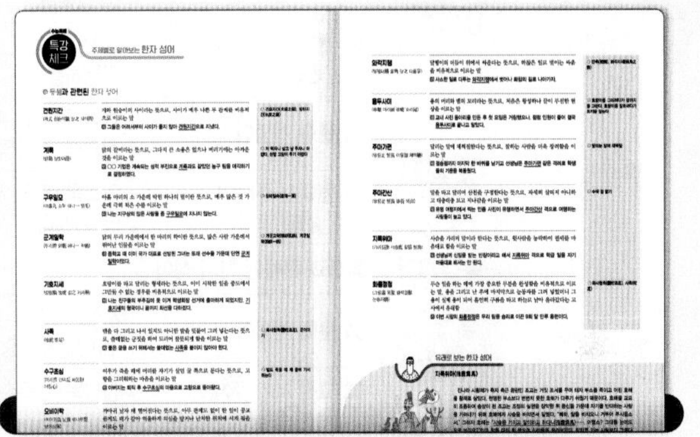

주제별로 한자 성어, 속담, 관용 표현 습득!

어휘력을 확장시키는 데 꼭 필요한 한자 성어, 속담, 관용 표현을 주제별로 묶어 제시하였습니다. 각 표현을 이해하는 데 도움이 되는 예문, 유래, 어울리는 상황, 그림 등의 자료를 함께 제시하였습니다.

차례와 학습 계획

문학

◎ 1일 1일차씩, 20일 학습을 계획하여 꾸준히 학습해 봅시다.

◎학습을 마친 후, 자기의 이해도에 따라 학습 점검 칸을   색칠해 봅시다.

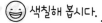

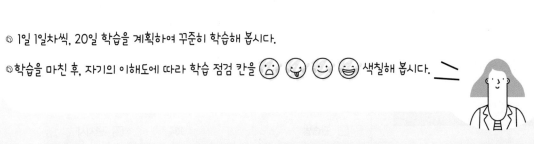

독서

일차	학습 내용		쪽수	날짜 / 학습 점검
11일차	01 인문 주제어_철학 /도덕+사회 교과서	찰나적, 향락적, 영리적, 궁극적, 논제, 사실 논제, 가치 논제, 정책 논제, 주장, 근거	094	/
	02 인문 주제어_철학 /도덕+사회 교과서	관조, 인식하다, 규정하다, 화합, 공존, 양성평등, 성차별, 다문화 사회, 이주민	096	
12일차	01 인문 주제어_심리학 /도덕 교과서	이상, 추구하다, 훈육, 신념, 경직되다, 고정 관념, 타파하다, 상대적, 입장, 견해	100	/
	02 인문 주제어_윤리 /도덕 교과서	악순환, 적대시하다, 방관, 회피, 묵살, 단절하다, 조정하다, 방지하다	102	
특강 체크	충, 효와 관련된 한자 성어		106	
13일차	01 인문 주제어_역사 /역사 교과서	문화권, 문자, 기록, 제도, 도입, 교류하다, 동맹, 정복하다, 식민지	110	/
	02 인문 주제어_역사 /역사 교과서	즉위, 군림하다, 반정, 축출되다, 건국, 개혁, 쇠퇴, 재건, 종묘, 묘호	112	
14일차	01 사회 주제어_사회 문화 /사회 교과서	산업화, 도시화, 사회 변동, 가속화, 자유 경쟁, 빈부 격차, 재분배, 복지, 안전망	116	/
	02 사회 주제어_사회 문화 /사회 교과서	권익, 신장하다, 보장하다, 공정하다, 침범하다, 기부, 배려, 사회적 약자, 불평등	118	
특강 체크	협동과 관련된 속담		122	
15일차	01 사회 주제어_경제 /사회 교과서	시장, 수요, 창출, 공급, 수익, 흑자, 적자, 독과점	126	/
	02 사회 주제어_경제 /사회 교과서	투자, 할애하다, 기회비용, 절감하다, 생산비, 간접 비용, 증대하다, 비약적, 벤치마킹, 분업	128	
16일차	01 사회 주제어_법률 /사회 교과서	기본권, 침해하다, 개입하다, 공공복리, 사회 보장, 탄핵, 민감하다, 합의, 철회	132	/
	02 사회 주제어_법률 /사회 교과서	고소하다, 형사 재판, 형법, 피고인, 유죄, 무죄, 형벌, 민사 재판, 관습법, 대등하다	134	
특강 체크	학문, 노력과 관련된 한자 성어		138	
17일차	01 과학 주제어_과학 일반 /과학 교과서	조사, 가설, 실험, 검증, 사례, 통계, 표본, 분포	142	/
	02 과학 주제어_지구 과학 /과학 교과서	지질학, 지각, 암석, 지표, 풍화 작용, 침식, 지진대, 화산대, 화산 활동, 분화구	144	
18일차	01 과학 주제어_물리 /과학 교과서	작용, 반작용, 상쇄하다, 상반되다, 대조, 비교, 측정, 함량	148	/
	02 과학 주제어_물리 /과학 교과서	중력, 압력, 양력, 이륙, 착륙, 부력, 유체, 유선형	150	
특강 체크	생활과 관련된 속담		154	
19일차	01 기술 주제어_전기/전자 /과학 교과서	용도, 설계, 회로, 전력, 소모, 시제품, 사양, 성능, 데이터	158	/
	02 기술 주제어_기계/소재 /과학 교과서	인공적, 장착하다, 정교하다, 향상되다, 입자, 고분자, 전망, 실용화, 낙관적	160	
20일차	01 예술 주제어_미술 /미술 교과서	산수화, 원근법, 수려하다, 표출하다, 수묵화, 농담, 초상화, 자화상	164	/
	02 예술 주제어_건축 /미술 교과서	비례, 질감, 균형감, 역동감, 독창성, 채광, 환기, 공공 미술, 공모전, 고안하다	166	
특강 체크	의복과 관련된 관용 표현		170	

본문 어휘 찾아보기

☑ 알고 있는 어휘에 체크해 보세요! 모르는 어휘는 찾아보세요!

ㅁ

ㅂ

ㅅ

ㅋ

ㅌ

ㅍ

ㅎ

특강 어휘 찾아보기

☑ 알고 있는 어휘에 체크해 보세요! 모르는 어휘는 찾아보세요!

ㄱ

ㄴ

ㄷ

ㅁ

ㅂ

ㅅ

ㅇ

ㅈ

ㅊ

ㅋ

ㅍ

ㅎ

01 문학 개념어

1단계 문맥으로 어휘 확인하기

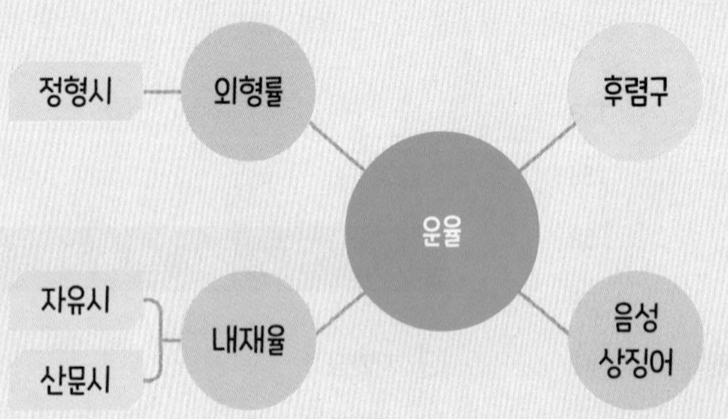

운율(운韻 법律) 시를 읽을 때 느껴지는 말의 가락. 같은 소리나 시어의 반복, 동일한 글자 수나 음보의 반복, 같거나 비슷한 문장 구조의 반복 등으로 이루어짐

외형률(바깥外 형상形 법律) 주로 정형시에서, 같은 글자 수나 같은 음보 수, 같은 소리 등의 규칙적 반복을 통해 시의 겉에 드러나는 운율 유 외재율

정형시(정할定 거푸집型 시詩) 일정한 형식과 규칙에 맞추어 쓴 시. 우리나라의 시조, 한시(漢詩)의 절구(한 구가 5자 또는 7자로 된 4구 형식)와 율시(한 구가 5자 또는 7자로 된 8구 형식) 등이 이에 속함

내재율(안內 있을在 법律) 자유시나 산문시에서 시의 겉에 드러나지 않고 은근히 느껴지는 운율

자유시(스스로自 말미암을由 시詩) 정해진 형식이나 운율에 구애받지 않고 자유롭게 쓴 시. 행과 연의 구분이 있는 대부분의 현대시가 이에 속함

산문시(흩을散 글월文 시詩) 연과 행의 구분이 없이 산문 형식으로 쓴 시 참 산문: 율격과 같은 외형적 규범에 얽매이지 않고 자유로운 문장으로 쓴 글. 소설과 수필 따위임

후렴구(뒤後 거둘斂 구절句) 시나 노래 곡조 끝에 붙어 같은 내용과 가락으로 되풀이되는 구절

음성 상징어(소리音 소리聲 형상象 부를徵 말씀語) '멍멍', '우당탕' 등과 같이 소리를 흉내 낸 의성어와 '번쩍번쩍', '아장아장'과 같이 모양이나 움직임을 흉내 낸 의태어를 아울러 이르는 말

● **다음 빈칸에 들어갈 알맞은 단어를 위에서 찾아 문맥에 맞게 써 보자.**

(1) 시의 각 연 끝에서 동일하거나 비슷한 내용이 반복되는 부분을 □□□라고 한다.

(2) 시의 겉에 드러나지 않고 시 속에서 은근히 느껴지는 운율을 □□□이라고 한다.

(3) 시조는 우리나라의 대표적인 □□□로, 3장 6구 45자 내외로 정해진 형식을 갖추고 있다.

(4) 소리를 흉내 낸 '멍멍', '탕탕', 모양을 흉내 낸 '아장아장', '엉금엉금'은 모두 □□ □□□이다.

(5) □□□는 행이나 연 구분은 없지만, 산문과는 달리 서정적으로 시화하여 묘사한다는 특징이 있다.

(6) □□□는 일정한 형식에 얽매이지 않고 쓴 시로, 행과 연의 구분이 있는 대부분의 현대시는 이에 속한다.

(7) □□을 형성하는 방법에는 같은 소리나 시어의 반복, 동일한 글자 수나 음보의 반복, 같거나 비슷한 문장 구조의 반복 등이 있다.

(8) 음보의 수를 일정하게 하여 이루는 음보율, 음절의 수를 일정하게 하여 이루는 음수율, 비슷한 음을 일정한 위치에 규칙적으로 배치하여 이루는 음위율 등은 모두 운율이 시의 겉으로 드러나는 □□□에 해당한다.

2단계 문제로 어휘 익히기

1

다음 개념에 해당하는 설명을 찾아 바르게 연결해 보자.

(1) 산문시 • • ㉠ 일정한 형식과 규칙에 맞추어 쓴 시

(2) 자유시 • • ㉡ 연과 행의 구분이 없이 산문 형식으로 쓴 시

(3) 정형시 • • ㉢ 정해진 형식이나 운율에 구애받지 않고 자유롭게 쓴 시

2

다음 문장에 들어갈 알맞은 단어를 〈보기〉에서 찾아 써 보자.

보기

운율 내재율 정형시 후렴구

(1) 자유시나 산문시를 읽을 때 은근히 느껴지는 운율을 (　　　　)(이)라고 한다.

(2) 시의 각 연 끝에 같은 내용과 가락의 (　　　　)을/를 반복하면 운율을 형성할 수 있다.

(3) (　　　　)은/는 시에서 호흡을 부드럽게 해 줄 뿐만 아니라, 시의 정서와 분위기를 드러내는 데 기여한다.

3

다음 문장의 괄호 안에 들어갈 알맞은 단어를 골라 보자.

(1) 외형률은 주로 일정한 형식과 규칙에 맞추어 쓴 (자유시 / 정형시)에서 나타난다.

(2) (산문시 / 자유시)는 행과 연의 구분이 없지만, 작품 전체를 통해 특유의 호흡과 리듬감을 느낄 수 있다.

(3) 시에서 같은 글자 수나 같은 음보 수, 같은 소리가 규칙적으로 반복되어 형성되는 운율을 (내재율 / 외형률)이라고 한다.

4

㉠~㉤ 중, 음성 상징어에 해당하는 시어를 찾아보자.

㉠두꺼비 파리를 ㉡물고 두엄 위에 치달아 앉아
건넛산 바라보니 백송골이 떠 있거늘 가슴이 ㉢섬뜩하여 ㉣풀떡 뛰어 내닫다가 두엄 아래 자빠졌구나
모쳐라 날랜 나일망정 ㉤어혈 질 뻔하여라.

- 작자 미상

모쳐라: '마침'의 옛말

어혈: 타박상 따위로 살 속에 피가 맺힘. 또는 그 피

① ㉠ ② ㉡ ③ ㉢ ④ ㉣ ⑤ ㉤

02 현대시 주제어 _빈출 부사어

1단계 문맥으로 어휘 확인하기

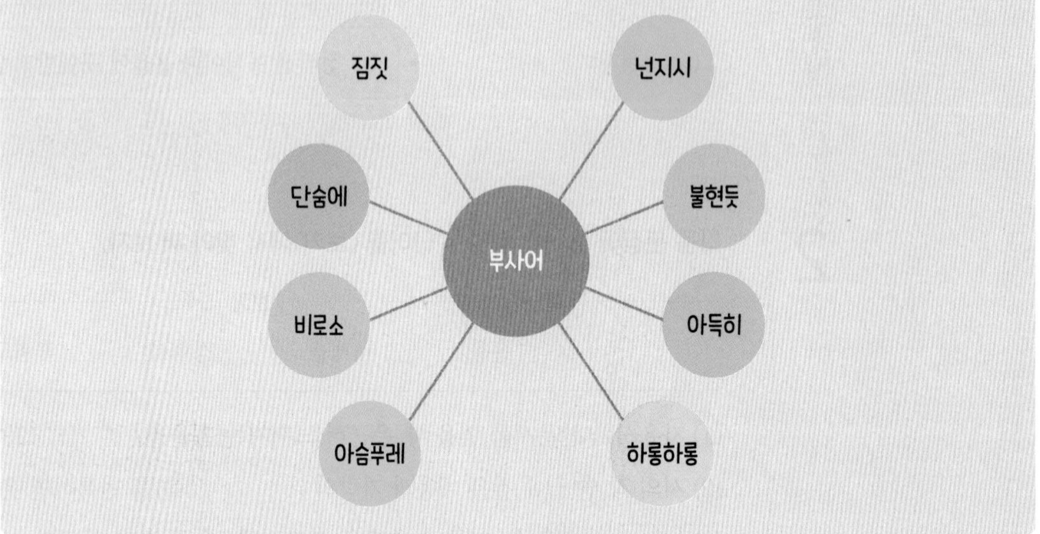

짐짓 ① 마음으로는 그렇지 않으나 일부러 그렇게 ② 아닌 게 아니라 정말로. 주로 생각과 실제가 같음을 확인할 때에 씀 ㊒ 과연

단(單)숨에 쉬지 아니하고 곧장 ㊒ 단걸음에

비로소 어느 한 시점을 기준으로 그 전까지 이루어지지 아니하였던 사건이나 사태가 이루어지거나 변화하기 시작함을 나타내는 말

아슴푸레 ① 또렷하게 보이거나 들리지 아니하고 희미하고 흐릿한 모양 ② 기억이나 의식이 분명하지 못하고 조금 희미한 모양

넌지시 드러나지 않게 가만히

불현듯 ① 불을 켜서 불이 일어나는 것과 같다는 뜻으로, 갑자기 어떠한 생각이 걷잡을 수 없이 일어나는 모양 ② 어떤 행동을 갑작스럽게 하는 모양

아득히 ① 보이는 것이나 들리는 것이 희미하고 매우 멀게 ㊒ 요연히 ② 까마득히 오래된 상태로 ③ 정신이 흐려진 상태로 ④ 어떻게 하면 좋을지 몰라 막막하게

하롱하롱 작고 가벼운 물체가 떨어지면서 잇따라 흔들리는 모양

● 다음 빈칸에 들어갈 알맞은 단어를 위에서 찾아 문맥에 맞게 써 보자.

(1) 따뜻한 봄바람이 불어오자 꽃잎이 □□□□ 떨어졌다.

(2) 여인은 감자 삶는 냄새를 맡으니 □□□ 어린 시절이 떠오른다고 했다.

(3) 주말부터 사흘 밤낮으로 내리던 눈이 오늘 아침이 되어서야 □□□ 그쳤다.

(4) 어렸을 때부터 그가 닿기를 꿈꾸던 그곳은 여전히 그에게 □□□ 먼 곳이었다.

(5) 사흘을 제대로 먹지도 못하고 하염없이 걸어온 나는 소년이 건네주는 빵을 □□□ 먹어 치웠다.

(6) 나는 형이 눈치채지 못하게, 형의 깜짝 생일 파티에 온 형의 친구들과 □□□ 눈인사를 나누었다.

(7) 산에서 헤맨 지 세 시간쯤 지났을 때, 어디에선가 졸졸졸 계곡물 흐르는 소리가 □□□□ 들려왔다.

(8) 주인은 나그네의 정체를 어렴풋이 알고 있으면서도 □□ 모른 체하며 무슨 사연으로 왔는지 물어보았다.

2단계 문제로 어휘 익히기

1

다음 단어의 의미를 찾아 바르게 연결해 보자.

(1) 넌지시 •   • ㉠ 드러나지 않게 가만히

(2) 불현듯 •   • ㉡ 보이는 것이나 들리는 것이 희미하고 매우 멀게

(3) 아득히 •   • ㉢ 갑자기 어떠한 생각이 걷잡을 수 없이 일어나는 모양

2

제시된 뜻과 예문을 참고하여 다음 초성에 해당하는 단어를 빈칸에 써 보자.

(1) ㅈ ㅈ : 마음으로는 그렇지 않으나 일부러 그렇게

예 누나는 동생의 엉뚱한 질문에 웃음이 났지만 (   ) 심각한 표정을 지었다.

(2) ㅎ ㄹ ㅎ ㄹ : 작고 가벼운 물체가 떨어지면서 잇따라 흔들리는 모양

예 축제의 시작을 알리는 음악이 울리고 하늘에서 꽃종이가 (   ) 떨어졌다.

(3) ㅂ ㄹ ㅅ : 어느 한 시점을 기준으로 그 전까지 이루어지지 아니하였던 사건이나 사태가 이루어지거나 변화하기 시작함을 나타내는 말

예 욕심을 버릴 때 (   ) 자신에게 진짜 소중한 것이 무엇인지 알게 된다.

3

다음 문장에 들어갈 알맞은 단어를 〈보기〉에서 찾아 써 보자.

보기

짐짓   단숨에   불현듯   아슴푸레

(1) 힘들게 정상에 오르니 멀리 금강산이 (   ) 보인다.

(2) 아이돌 그룹이 복귀 하루 만에 (   ) 1위 후보에 올랐다.

(3) 평소와 같이 아침에 눈을 떴는데 (   ) 떠나야겠다는 생각이 들었다.

4

다음 밑줄 친 단어와 바꾸어 쓰기에 알맞은 단어를 찾아보자.

만종역에서 잠시 멈췄던 강릉선 KTX 열차는 <u>단걸음에</u> 강릉역에 도착하였다.

① 넌지시   ② 단숨에   ③ 불현듯   ④ 비로소   ⑤ 아득히

3단계 독해로 어휘 다지기

[1~3] 다음 글을 읽고 물음에 답하시오. 2009학년도 3월 고1 전국연합

모란이 피기까지는,
나는 아직 나의 봄을 기다리고 있을 테요.
모란이 뚝뚝 떨어져 버린 날,
나는 ㉠비로소 봄을 여읜 설움에 잠길 테요.
오월 어느 날, 그 하루 ⓐ무덥던 날,
떨어져 누운 꽃잎마저 시들어 버리고는
천지에 모란은 자취도 없어지고,
뻗쳐 오르던 내 보람 서운케 무너졌느니,
모란이 지고 말면 그뿐, 내 한 해는 다 가고 말아,
ⓑ삼백예순 날 하냥 섭섭해 우옵내다.
모란이 피기까지는,
나는 아직 기다리고 있을 테요, 찬란한 슬픔의 봄을.

– 김영랑, 「모란이 피기까지는」

감상 체크

1. 이 시의 화자는?
모란이 피기를 소망하며 □을 기다리는 '나'

2. 이 시의 시적 대상은?
화자에게 삶의 보람이자 간절한 소망의 대상인 □□

3. 이 시의 주제는?
소망에 대한 바람과 □□□

어휘 체크

- **여읜**: 멀리 떠나보낸
- **하냥**: 늘, 한결같이
- **찬란한**: 빛깔이나 모양 따위가 매우 화려하고 아름다운

1 **㉠에 대한 올바른 설명을 〈보기〉에서 모두 고른 것은?**

보기

ㄱ. 모란이 다시 필 것에 대한 화자의 기대감을 강조한다.
ㄴ. 모란이 떨어져 버린 것에 대한 화자의 상실감을 강조한다.
ㄷ. 어떤 사건이나 사태가 드러나지 않게 가만히 이루어짐을 나타낸다.
ㄹ. 어느 한 시점을 기준으로 어떤 사건이나 사태가 이루어지거나 변화하기 시작함을 나타낸다.

① ㄱ, ㄴ ② ㄱ, ㄷ ③ ㄱ, ㄹ ④ ㄴ, ㄷ ⑤ ㄴ, ㄹ

2 **ⓐ와 ⓑ에 대한 설명으로 적절하지 않은 것은?**

① ⓐ는 화자가 봄을 상실하게 되는 시점이다.
② ⓑ는 화자의 서러운 마음을 강조하는 역할을 한다.
③ ⓑ는 화자의 소망이 이루어지기를 기다리는 시간이다.
④ ⓑ는 ⓐ 이후의 시간을 나타낸다.
⑤ 화자는 ⓐ는 긍정적으로, ⓑ는 부정적으로 인식하고 있다.

3 **윗글의 표현상 특징과 효과에 대한 설명으로 적절하지 않은 것은?**

① 대화의 형식을 통해 청자와의 친밀감을 드러내고 있다.
② 특정한 시어나 시구를 반복하여 운율감을 드러내고 있다.
③ 역설적 표현을 통해 대상에서 느끼는 모순된 감정을 강조하고 있다.
④ 일반적인 문장 성분의 순서를 바꾸어 화자의 간절한 심정을 나타내고 있다.
⑤ 작품의 처음과 끝에 유사한 시행을 배치하여 형태적인 안정감을 주고 있다.

- **역설적 표현**: 겉으로는 앞뒤가 맞지 않지만, 그 속에 중요한 진리를 담고 있는 표현
- **모순된**: 어떤 사실의 앞뒤, 또는 두 사실이 이치상 어긋나서 서로 맞지 않는

01 문학 개념어

1단계 문맥으로 어휘 확인하기

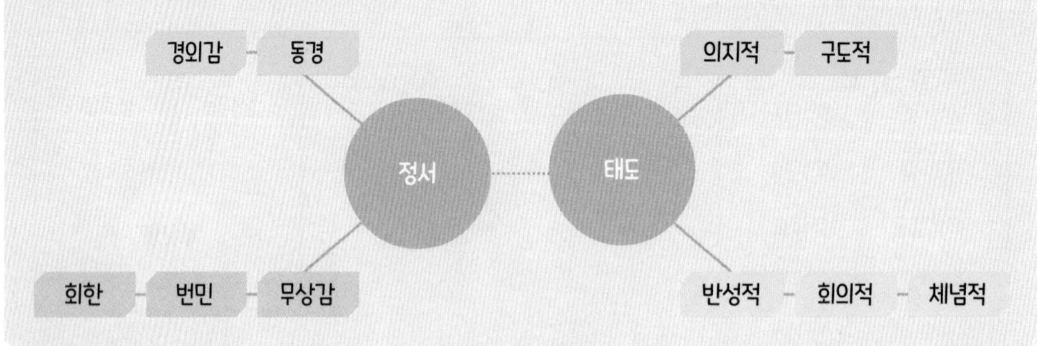

동경(그리워할憧 깨달을憬) 어떤 것을 간절히 그리워하여 그것만을 생각함

경외감(공경할敬 두려워할畏 느낌感) 공경하면서 두려워하는 감정 참 경외시하다: 공경하면서 두려워하는 대상으로 여기다.

무상감(없을無 항상常 느낌感) 모든 것이 덧없다(보람이나 쓸모가 없어 헛되고 허전하다)는 느낌 관 인생무상(人生無常): 인생이 덧없음

번민(괴로워할煩 번민할悶) 마음이 번거롭고 답답하여 괴로워함

회한(뉘우칠悔 한할恨) 뉘우치고 한탄함

의지적(뜻意 뜻志 과녁的) 결심한 바나 목적을 이루려는 (태도)

구도적(구할求 길道 과녁的) 진리나 종교적인 깨달음의 경지를 구하는 (태도)

반성적(돌이킬反 살필省 과녁的) 자신의 잘못을 되돌아보며 뉘우치는 (태도) 유 성찰적

회의적(품을懷 의심할疑 과녁的) 어떤 일에 의심을 품는 (태도)

체념적(살필諦 생각할念 과녁的) 현실이나 미래의 상황을 부정적으로 판단하여 희망을 버리고 기대하지 않는 (태도)

● **다음 빈칸에 들어갈 알맞은 단어를 위에서 찾아 문맥에 맞게 써 보자.**

(1) 나는 가끔 지난날 나의 잘못에 대해 □□에 잠기곤 한다.

(2) 그는 요즘 이루어질 수 없는 소망 때문에 □□하고 있다.

(3) 가까이에서 본 바다는 너무나 광활하여 □□□마저 느끼게 하였다.

(4) 자식이 독립한 후 부모가 허전한 마음과 인생의 □□□을 느끼는 것을 '빈 둥지 증후군'이라고 한다.

(5) 그녀는 자신의 병이 치료가 불가능한 상태라고 판단한 의사의 말을 듣고는 이내 □□□인 태도를 보였다.

(6) 많은 학생들은 이번 축제가 과연 성공적으로 실행될 것인가에 대해 대부분 □□□인 생각을 갖고 있었다.

(7) 팍팍한 도시에서의 삶에 지친 사람들 중 대다수는 자연과 더불어 사는 여유 있는 전원생활을 □□하곤 한다.

(8) 그 작품에는 절대자에 대한 화자의 □□□ 자세와 자신의 삶을 돌아보는 □□□ 자세가 잘 나타나 있다.

(9) 김 작가는 최근 발표한 소설 속에서 삶의 조건과 장애도 굴하지 않고 꿋꿋하게 이겨 내는 □□□ 인간형을 그렸다.

2단계 문제로 어휘 익히기

1

다음 개념에 해당하는 설명을 찾아 바르게 연결해 보자.

(1) 구도적 •
(2) 체념적 •
(3) 회의적 •

• ㉠ 어떤 일에 의심을 품는 태도
• ㉡ 진리나 종교적인 깨달음의 경지를 구하는 태도
• ㉢ 현실이나 미래의 상황을 부정적으로 판단하여 희망을 버리고 기대하지 않는 태도

2

다음 문장에 들어갈 알맞은 단어를 〈보기〉에서 찾아 써 보자.

보기

동경　　회한　　경외감　　의지적

(1) 자신이 (　　　　)하는 꿈을 무시당한 아이들은 어떤 꿈도 가질 수 없게 된다.

(2) 이미 형성된 습관을 바꾼다는 것은 어려운 일이지만, (　　　　)인 노력이 따른다면 습관도 바꿀 수 있다.

(3) 그가 초조와 불안을 느끼는 이유는 동생을 지켜 주지 못했다는 죄책감과 (　　　　) 때문임을 짐작할 수 있다.

3

다음 문장의 괄호 안에 들어갈 알맞은 단어를 골라 보자.

(1) 성공하는 사람은 "난 뭘 해도 안 돼."와 같은 (반성적 / 체념적)인 말을 하지 않는다.

(2) 작가는 서술자의 시선을 통해 인물에 대한 감탄을 넘어선 (경외감 / 무상감)을 드러내고 있다.

(3) 살면서 마음속에 걱정과 (동경 / 번민)이 산처럼 쌓일 때면 나는 신발 끈을 질끈 묶고 산을 오른다.

4

다음 시에서 파악할 수 있는 화자의 정서나 태도를 찾아보자.

인생은 살기 어렵다는데
시가 이렇게 쉽게 씌어지는 것은
부끄러운 일이다.

- 윤동주, 「쉽게 씌어진 시」

① 구도적　② 반성적　③ 의지적　④ 체념적　⑤ 회의적

02 현대시 주제어 _상태

1단계 문맥으로 어휘 확인하기

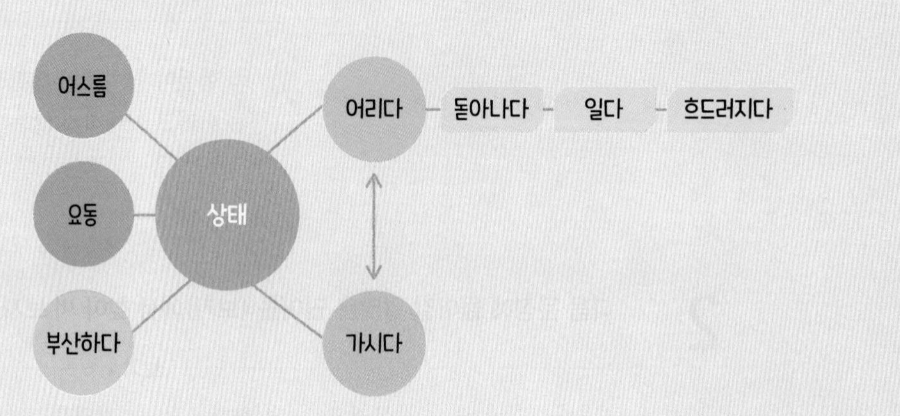

어스름 조금 어둑한 상태. 또는 그런 때 유 거미, 으스름: 빛 따위가 침침하고 흐릿한 상태

요동(흔들릴搖 움직일動) 흔들리어 움직임. 또는 흔들어 움직임 참 요동치다: 심하게 흔들리거나 움직이다.

부산하다 급하게 서두르거나 시끄럽게 떠들어 어수선하다.

어리다 ① 눈에 눈물이 조금 괴다. ② 어떤 현상, 기운, 추억 따위가 배어 있거나 은근히 드러나다. ③ 빛이나 그림자, 모습 따위가 희미하게 비치다. ④ 연기, 안개, 구름 따위가 한곳에 모여 나타나다.

돋아나다 ① 해나 별 따위가 하늘에 또렷이 솟아오르다. ② 속에 생긴 것이 겉으로 또렷이 나오거나 나타나다. ③ 살갗에 속으로부터 어떤 것이 우툴두툴하게 내밀어 오르다.

일다 ① 없던 현상이 생기다. ② 희미하거나 약하던 것이 왕성하여지다. ③ 겉으로 부풀거나 위로 솟아오르다.

흐드러지다 ① 매우 탐스럽거나 한창 성하다. ② 매우 흐뭇하거나 푸지다

가시다 ① 어떤 상태가 없어지거나 달라지다. ② 물 따위로 깨끗이 씻다.

● **다음 빈칸에 들어갈 알맞은 단어를 위에서 찾아 문맥에 맞게 써 보자.**

(1) 사탕을 물고 있으면 입에 쓴 맛이 좀 □□□.

(2) 사방은 어느새 저녁 □□□이 깔려 오고 있었다.

(3) 오랜만에 만난 그의 눈에는 까닭 모를 쓸쓸함과 깊은 슬픔이 □□ 있었다.

(4) 지금 새로운 세대의 예술가들 덕분에 패션계에서는 변화의 물결이 □□ 있다.

(5) 국제 유가가 □□치면서 전국 주유소의 기름값이 2주 연속 상승세를 보이고 있다.

(6) 공연 마지막에는 춤꾼들이 모두 나와 관객들과 함께 □□□□□ 춤을 추었다.

(7) 동네 뒷산에서 쉽게 볼 수 있는 참나무는 잘라도 그루터기에서 새싹이 □□□ 다시 숲을 이룰 정도로 생명력이 강하다.

(8) 개찰구를 통과한 여행객들은 100m 결승에 참가한 육상 선수라도 되는 듯 앞서거니 뒤서거니 발걸음을 □□□□ 옮겼다.

2단계 문제로 어휘 익히기

1

다음 단어의 의미를 찾아 바르게 연결해 보자.

(1) 일다 •　　• ㉠ 희미하거나 약하던 것이 왕성하여지다.

(2) 돋아나다 •　　• ㉡ 급하게 서두르거나 시끄럽게 떠들어 어수선하다.

(3) 부산하다 •　　• ㉢ 속에 생긴 것이 겉으로 또렷이 나오거나 나타나다.

2

다음 문장에 들어갈 알맞은 단어를 〈보기〉에서 찾아 문맥에 맞게 써 보자.

보기

일다　　가시다　　부산하다　　흐드러지다

(1) 직원이 정색하며 말하는 바람에 우리 모두의 얼굴에는 웃음기가 싹 (　　　　).

(2) 울릉도에 유채꽃이 (　　　　) 피었지만 유행병으로 인해 관광객의 발길은 뚝 끊긴 상황이다.

(3) 장터에서 팔려고 손수 만들어 놓은 나무 연장들을 챙기는 할아버지의 (　　　　) 움직임에 손자는 이내 일손을 거들었다.

3

다음 문장의 괄호 안에 들어갈 알맞은 단어를 골라 보자.

(1) 수레가 돌길을 지날 때마다 짐칸의 쌀가마가 털썩털썩 (요동 / 어스름)을 쳤다.

(2) 그녀는 어딘가 짙은 피곤기 같은 것이 (어려 / 흐드러져) 있는 동생의 표정에 꽤나 걱정이 되었다.

(3) 어젯밤 서울의 한 아파트 외벽에서 화재가 발생하여, 주민들이 모두 대피하는 소동이 (가셨다 / 일었다).

4

다음 빈칸에 공통적으로 들어갈 알맞은 단어의 기본형을 찾아보자.

- 하늘에는 별이 하나둘 (　　　　) 있었다.
- 운동장을 몇 바퀴 돌자 온몸에 땀이 (　　　　).
- 발바닥에 (　　　　) 종기 때문에 걷기가 불편했다.

① 가시다　② 어리다　③ 돋아나다　④ 부산하다　⑤ 흐드러지다

3단계 독해로 어휘 다지기

[1~3] 다음 글을 읽고 물음에 답하시오. 2020학년도 3월 고1 전국연합

(가) 진주 장터 생어물전에는
바닷밑이 깔리는 해 다 진 어스름을,

㉠울 엄매의 장사 끝에 남은 고기 몇 마리의
빛 발(發)하는 눈깔들이 속절없이
은전(銀錢)만큼 손 안 닿는 한(恨)이던가
울 엄매야 울 엄매,

별 밭은 또 그리 멀리
우리 오누이의 머리 맞댄 골방 안 되어
손 시리게 떨던가 손 시리게 떨던가,

진주 남강 맑다 해도 / 오명 가명
신새벽이나 밤빛에 보는 것을, / 울 엄매의 마음은 어떠했을꼬,
달빛 받은 옹기전의 옹기들같이 / 말없이 글썽이고 반짝이던 것인가.

– 박재삼, 「추억에서」

(나) 죽장의 김삿갓은 죽고 / 참빗으로 이 잡던 시절도 가고
대바구니 전성 시절에

새벽 서리 밟으며 ㉡어머니는 바구니 한 줄 이고 장에 가시고 고구마로 점심 때운 뒤 기다리는 오후, 너무 심심해 아홉 살 내가 두 살 터울 동생 손 잡고 신작로를 따라 마중 갔었다. 이십 리가 짱짱한 길, 버스는 하루에 두어 번 다녔지만 꼬박꼬박 걸어오셨으므로 가다 보면 도중에 만나겠지 생각하며 낯선 아줌마에게 길도 물어가면서 하염없이…… 그런데 이 고개만 넘으면 읍이라는 곳에서 해가 덜렁 졌다. 배는 고프고 으스스 무서워져 한참 망설이다가 되짚어 돌아오는 길은 한없이 멀고 캄캄 어둠에 동생은 울고 기진맥진 한밤중에야 호롱 들고 찾아 나선 어머니를 만났다. — 어머니는 그날따라 버스로 오시고

아, 요즘도 장날이면 / 허리 굽은 어머니
플라스틱에 밀려 시세도 없는 대바구니 옆에 쭈그려 앉아
멀거니 팔리기를 기다리는 / 담양장.

– 최두석, 「담양장」

감상 체크

1. (가)의 화자는?
자신의 어린 시절을 회상하며 □□□에 대한 기억을 떠올리고 있는 '나'

2. (가)의 주제는?
□□했던 어린 시절과 어머니의 한(恨)

3. (나)에서 '대바구니'와 대비되는 소재는?
□□□□

4. (나)의 주제는?
어린 시절에 대한 □□과 어머니의 고달픈 삶에 대한 연민

어휘 체크

- **속절없이**: 단념할 수밖에 달리 어찌할 도리가 없이
- **신새벽**: 첫새벽. 날이 새기 시작하는 새벽
- **죽장**: 대나무로 만든 지팡이
- **기진맥진**: 기운이 다하고 맥이 다 빠져 스스로 가누지 못할 지경이 됨

1 ㉠과 ㉡에 대한 화자의 공통적인 정서로 가장 적절한 것은?

① 동경 ② 연민 ③ 회한
④ 경외감 ⑤ 무상감

2 (가)와 (나)의 표현상 공통점으로 가장 적절한 것은?

① 동일한 어미를 반복하여 리듬감을 주고 있다.
② 역설법을 활용하여 내면 심리를 부각하고 있다.
③ 자조적인 어조를 사용하여 시적 정서를 드러내고 있다.
④ 공감각적 이미지를 사용하여 표현 효과를 높이고 있다.
⑤ 수미상관의 기법을 활용하여 주제 의식을 강조하고 있다.

역설법: 논리적으로 이치에 맞지 않는 표현이지만, 그 속에 중요한 진리와 진실을 담아 표현하는 방법

자조적: 자기를 비웃는 듯한 것

수미상관의 기법: 머리와 꼬리가 서로 상관되는 방법이라는 뜻으로, 시의 처음과 끝에 같은 구절을 반복하여 배치하는 기법

3 (가)와 (나)에 쓰인 시어에 대한 설명으로 적절하지 않은 것은?

① (가)의 '별 밭'은 오누이가 어머니를 기다리는 '골방'과 대조되는 공간이자 소망의 세계를 의미한다.
② (나)의 '으스스'와 '캄캄'은 음성 상징어로, 엄마를 마중 나갔다가 해가 져 버린 화자의 상황을 부각한다.
③ (나)의 '대바구니'는 어머니가 가족들의 생계를 위해 장터에서 팔아야 하는 것으로, '플라스틱'과 대조되는 소재이다.
④ (가)의 '신새벽'과 (나)의 '한밤중'은 어머니의 부재로 인해 어린 화자가 느끼는 불안감이 해소되는 시간적 배경이다.
⑤ (가)의 '말없이 글썽이고 반짝이던 것인가'에서 화자는 어머니의 과거 삶을, (나)의 '아, 요즘도 장날이면'에서 화자는 과거로부터 이어지는 어머니의 현재 삶을 떠올리고 있다.

주제별로 알아보는 한자 성어

동물과 관련된 한자 성어

견원지간
(개犬 원숭이猿 갈之 사이間)

개와 원숭이의 사이라는 뜻으로, 사이가 매우 나쁜 두 관계를 비유적으로 이르는 말

예 그들은 어려서부터 사이가 좋지 않아 견원지간으로 지냈다.

유 견묘지간(犬猫之間), 빙탄지간(氷炭之間)

계륵
(닭鷄 갈빗대肋)

닭의 갈비라는 뜻으로, 그다지 큰 소용은 없으나 버리기에는 아까운 것을 이르는 말

예 ○○ 기업은 계속되는 성적 부진으로 계륵과도 같았던 농구 팀을 매각하기로 결정하였다.

유 저 먹자니 싫고 남 주자니 아깝다, 쉰밥 고양이 주기 아깝다

구우일모
(아홉九 소牛 하나一 털毛)

아홉 마리의 소 가운데 박힌 하나의 털이란 뜻으로, 매우 많은 것 가운데 극히 적은 수를 이르는 말

예 나는 지구상의 많은 사람들 중 구우일모에 지나지 않는다.

유 창해일속(滄海一粟)

군계일학
(무리群 닭鷄 하나一 학鶴)

닭의 무리 가운데에서 한 마리의 학이란 뜻으로, 많은 사람 가운데서 뛰어난 인물을 이르는 말

예 중학교 때 이미 국가 대표로 선발된 그녀는 또래 선수들 가운데 단연 군계일학이었다.

유 계군고학(鷄群孤鶴), 계군일학(鷄群一鶴)

기호지세
(말탈騎 범虎 갈之 기세勢)

호랑이를 타고 달리는 형세라는 뜻으로, 이미 시작한 일을 중도에서 그만둘 수 없는 경우를 비유적으로 이르는 말

예 나는 친구들의 부추김에 못 이겨 학생회장 선거에 출마하게 되었지만, 기호지세의 형국이니 끝까지 최선을 다하겠다.

사족
(뱀蛇 발足)

뱀을 다 그리고 나서 있지도 아니한 발을 덧붙여 그려 넣는다는 뜻으로, 쓸데없는 군짓을 하여 도리어 잘못되게 함을 이르는 말

예 좋은 글을 쓰기 위해서는 쓸데없는 사족을 붙이지 않아야 한다.

유 화사첨족(畫蛇添足), 군더더기

수구초심
(머리首 언덕丘 처음初 마음心)

여우가 죽을 때에 머리를 자기가 살던 굴 쪽으로 둔다는 뜻으로, 고향을 그리워하는 마음을 이르는 말

예 아버지는 퇴직 후 수구초심의 마음으로 고향으로 돌아왔다.

유 범도 죽을 때 제 굴에 가서 죽는다

오비이락
(까마귀烏 날飛 배나무梨 떨어질落)

까마귀 날자 배 떨어진다는 뜻으로, 아무 관계도 없이 한 일이 공교롭게도 때가 같아 억울하게 의심을 받거나 난처한 위치에 서게 됨을 이르는 말

예 시의원이 땅을 산 직후 신도시 개발 계획이 발표된 것에 투기 의혹이 제기되자, 시의원은 오비이락이라며 항변하였다.

와각지쟁
(달팽이蝸 뿔角 갈之 다툴爭)

달팽이의 더듬이 위에서 싸운다는 뜻으로, 하찮은 일로 벌이는 싸움을 비유적으로 이르는 말

예 사소한 일로 다투는 와각지쟁에서 벗어나 화합의 길로 나아가자.

유 만촉(蠻觸), 와각지세(蝸角之勢)

용두사미
(용龍 머리頭 뱀蛇 꼬리尾)

용의 머리와 뱀의 꼬리라는 뜻으로, 처음은 왕성하나 끝이 부진한 현상을 이르는 말

예 교내 사진 동아리를 만든 후 첫 모임은 거창했으나, 점점 인원이 줄어 결국 용두사미로 끝나고 말았다.

유 호랑이를 그리려다가 강아지를 그린다, 호랑이를 잡으려다가 토끼를 잡는다

주마가편
(달릴走 말馬 더할加 채찍鞭)

달리는 말에 채찍질한다는 뜻으로, 잘하는 사람을 더욱 장려함을 이르는 말

예 결승점까지 마지막 한 바퀴를 남기고 선생님은 주마가편 같은 격려로 학생들의 기운을 북돋웠다.

유 달리는 말에 채찍질

주마간산
(달릴走 말馬 볼看 뫼山)

말을 타고 달리며 산천을 구경한다는 뜻으로, 자세히 살피지 아니하고 대충대충 보고 지나감을 이르는 말

예 유명 여행지에서 찍는 인증 사진이 유행하면서 주마간산 격으로 여행하는 사람들이 늘고 있다.

유 수박 겉 핥기

지록위마
(가리킬指 사슴鹿 할爲 말馬)

사슴을 가리켜 말이라 한다는 뜻으로, 윗사람을 농락하여 권세를 마음대로 함을 이르는 말

예 선생님께 신임을 받는 반장이라고 해서 지록위마 격으로 학급 일을 자기 마음대로 해서는 안 된다.

화룡점정
(그림畵 용龍 점찍을點 눈동자睛)

무슨 일을 하는 데에 가장 중요한 부분을 완성함을 비유적으로 이르는 말. 용을 그리고 난 후에 마지막으로 눈동자를 그려 넣었더니 그 용이 실제 용이 되어 홀연히 구름을 타고 하늘로 날아 올라갔다는 고사에서 유래함

예 이번 시합의 화룡점정은 우리 팀을 승리로 이끈 9회 말 만루 홈런이다.

반 화사첨족(畫蛇添足), 사족(蛇足)

유래로 보는 한자 성어

지록위마(指鹿爲馬)

진나라 시황제가 죽자 측근 환관인 조고는 거짓 조서를 꾸며 태자 부소를 죽이고 어린 호해를 황제로 삼았다. 현명한 부소보다 변변치 못한 호해가 다루기 쉬웠기 때문이다. 호해를 교묘히 조종하여 승상이 된 조고는 조정의 실권을 장악한 뒤 중신들 가운데 자기를 반대하는 사람을 가려내기 위해 호해에게 사슴을 바치면서 말했다. "폐하, 말을 바치오니 거두어 주시옵소서." 그러자 호해는 "사슴을 가지고 말이라고 하다니[指鹿爲馬]……. 어떻소? 그대들 눈에도 말로 보이오?"라고 말을 마친 뒤 웃으며 신하들을 둘러보았다. 잠자코 있는 사람보다 그렇다고 긍정하는 사람이 많았으나, 아니라고 부정하는 사람도 있었다. 조고는 부정한 사람을 기억해 두었다가 나중에 죄를 씌워 죽여 버렸다. 그 후 궁중에는 조고의 말에 반대하는 사람이 한 명도 없었다고 한다.

주제별로 알아보는 한자 성어

[01~06] 다음 뜻에 해당하는 한자 성어를 찾아 가로, 세로, 대각선으로 표시해 보자.

역	지	사	지	고	구	양	주	계
지	록	언	영	색	우	구	이	륵
허	위	편	화	룡	점	정	청	지
주	마	가	편	도	모	복	산	하
마	출	산	각	주	단	기	유	담
간	어	오	유	호	가	호	위	상
산	불	리	비	수	치	지	정	실
형	성	무	공	이	하	세	척	인
박	설	중	가	상	락	어	사	연

01 닭의 갈비라는 뜻으로, 그다지 큰 소용은 없으나 버리기에는 아까운 것을 이르는 말

02 말을 타고 달리며 산천을 구경한다는 뜻으로, 자세히 살피지 아니하고 대충대충 보고 지나감을 이르는 말

03 용을 그리고 난 후에 마지막으로 눈동자를 그려 넣는다는 뜻으로, 무슨 일을 하는 데에 가장 중요한 부분을 완성함을 비유적으로 이르는 말

04 사슴을 가리켜 말이라 한다는 뜻으로, 윗사람을 농락하여 권세를 마음대로 함을 이르는 말

05 호랑이를 타고 달리는 형세라는 뜻으로, 이미 시작한 일을 중도에서 그만둘 수 없는 경우를 비유적으로 이르는 말

06 까마귀 날자 배 떨어진다는 뜻으로, 아무 관계도 없이 한 일이 공교롭게도 때가 같아 억울하게 의심을 받거나 난처한 위치에 서게 됨을 이르는 말

[07~11] 다음 한자 성어의 뜻을 찾아 바르게 연결해 보자.

	한자 성어		뜻
07	사족(蛇足) •		• ㉠ 달리는 말에 채찍질한다는 뜻으로, 잘하는 사람을 더욱 장려함을 이르는 말
08	견원지간(犬猿之間) •		• ㉡ 개와 원숭이의 사이라는 뜻으로, 사이가 매우 나쁜 두 관계를 비유적으로 이르는 말
09	수구초심(首丘初心) •		• ㉢ 달팽이의 더듬이 위에서 싸운다는 뜻으로, 하찮은 일로 벌이는 싸움을 비유적으로 이르는 말
10	와각지쟁(蝸角之爭) •		• ㉣ 여우가 죽을 때에 머리를 자기가 살던 굴 쪽으로 둔다는 뜻으로, 고향을 그리워하는 마음을 이르는 말
11	주마가편(走馬加鞭) •		• ㉤ 뱀을 다 그리고 나서 있지도 아니한 발을 덧붙여 그려 넣는다는 뜻으로, 쓸데없는 군짓을 하여 도리어 잘못되게 함을 이르는 말

12 **다음 문자 메시지 대화를 읽고, 빈칸에 알맞은 한자 성어를 써 보자.**

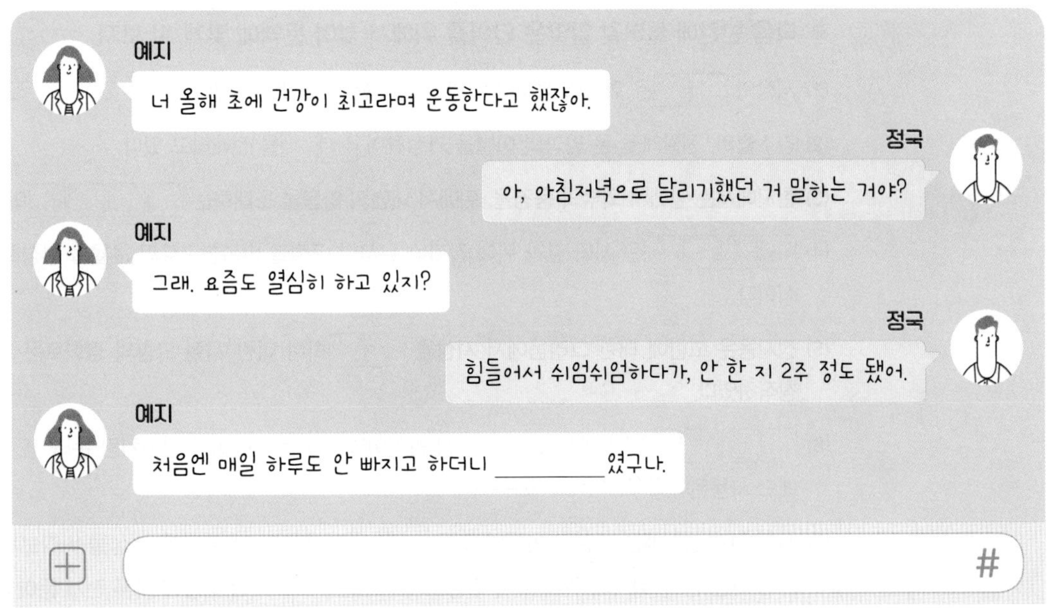

예지
너 올해 초에 건강이 최고라며 운동한다고 했잖아.
정국
아, 아침저녁으로 달리기했던 거 말하는 거야?
예지
그래. 요즘도 열심히 하고 있지?
정국
힘들어서 쉬엄쉬엄하다가, 안 한 지 2주 정도 됐어.
예지
처음엔 매일 하루도 안 빠지고 하더니 ________였구나.
#

01 문학 개념어

1단계 문맥으로 어휘 확인하기

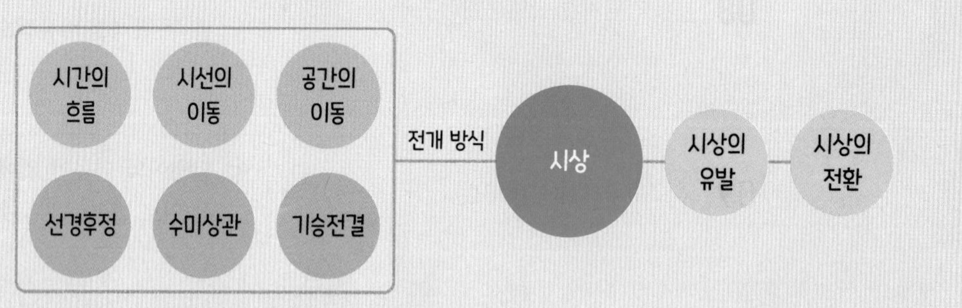

시상(시詩 생각想) ① 시에 나타난 사상이나 감정 ② 시를 짓기 위한 착상이나 구상

시간(때時 사이間)**의 흐름** 시간이나 계절, 시대의 변화에 따라 시상이 전개되는 방식

시선(볼視 선線)**의 이동**(옮길移 움직일動) 시적 대상을 바라보는 화자의 시선의 움직임에 따라 시상이 전개되는 방식

공간(빌空 사이間)**의 이동**(옮길移 움직일動) 시적 장소, 화자가 위치한 장소의 변화에 따라 시상이 전개되는 방식

선경후정(먼저先 경치景 뒤後 뜻情) 시의 앞부분에 자연 경관이나 사물을 묘사하고, 뒷부분에 화자의 감정이나 정서를 나타내는 시상 전개 방식

수미상관(머리首 꼬리尾 서로相 빗장關) 시의 처음과 끝에 같거나 비슷한 구절을 반복하여 배치하는 시상 전개 방식 ㊎ 수미상응: 양쪽 끝이 통함

기승전결(일어날起 받들承 구를轉 맺을結) 시상을 제기하고[기(起)], 이를 이어받아 심화한[승(承)] 뒤, 시상을 전환하였다가[전(轉)], 마무리하는[결(結)] 시상 전개 방식. 한시의 전개 방식에서 유래하였으나 글의 형식으로도 사용됨

시상(시詩 생각想)**의 유발**(꾈誘 필發) 시인의 사상이나 감정을 자극하여 시를 창작하고자 하는 마음을 갖게 함

시상(시詩 생각想)**의 전환**(구를轉 바꿀換) 한 편의 시에서 분위기나 화자의 정서 및 태도 등이 바뀜

다음 빈칸에 들어갈 알맞은 단어를 위에서 찾아 문맥에 맞게 써 보자.

(1) 시상의 □□은 화자의 정서나 시의 분위기 등이 바뀌는 것이다.

(2) 김소월의 「진달래꽃」은 임과의 이별을 가정하여 □□을 전개하고 있다.

(3) 한시에서는 앞에서 외부의 풍경을, 뒤에서 내면의 마음을 노래하는 □□□□이 자주 사용된다.

(4) □□□□은 시의 앞과 뒤에 같거나 유사한 구절을 반복함으로써 운율을 형성하고 의미를 강조하는 방식이다.

(5) 정지용은 고향에 대한 그리움에서 시상을 □□하여 어린 시절 고향의 평화로운 모습을 노래한 「향수」를 창작하였다.

(6) □□□□은 원래는 한시의 구성 방식이었으나, 논설문이나 평론처럼 논리적인 구성을 필요로 하는 글에도 사용된다.

(7) 시상 전개 방식에는 계절의 변화와 같은 □□의 흐름에 따른 전개, 대상을 바라보는 화자의 □□의 이동에 따른 전개, 화자의 위치나 시적 장소가 바뀌는 □□의 이동에 따른 전개 등이 있다.

2단계 문제로 어휘 익히기

1 **다음 개념에 해당하는 설명을 찾아 바르게 연결해 보자.**

(1) 공간의 이동 •

(2) 시간의 흐름 •

(3) 시선의 이동 •

• ㉠ 시간이나 계절, 시대의 변화에 따라 시상이 전개되는 방식

• ㉡ 시적 장소, 화자가 위치한 장소의 변화에 따라 시상이 전개되는 방식

• ㉢ 시적 대상을 바라보는 화자의 시선의 움직임에 따라 시상이 전개되는 방식

2 **다음 문장에 들어갈 알맞은 단어를 〈보기〉에서 찾아 써 보자.**

보기

유발 전환 선경후정 수미상관

(1) 시의 앞부분과 뒷부분을 같거나 유사하게 배치하는 방식을 (   )이라고 한다.

(2) 시의 앞부분에서는 경치를, 뒷부분에서는 정서를 표현하는 방식을 (   )이라고 한다.

(3) 대상에 대한 생각이나 감정을 시로 표현하고자 하는 마음을 갖게 하는 것을 시상의 (   )이라고 한다.

3 **다음 문장의 괄호 안에 들어갈 알맞은 단어를 골라 보자.**

(1) '봄 → 여름 → 가을'과 같이 계절 순으로 시상을 전개하는 것은 (시간 / 시선)의 흐름에 따른 시상 전개 방식이라고 한다.

(2) '긍정 → 부정', '절망 → 극복' 등으로 한 편의 시에서 시의 분위기나 화자의 정서가 바뀌는 것을 시상의 (유발 / 전환)이라고 한다.

(3) 본래 한시의 구성 방식으로, 시의 내용을 '시작 – 전개 – 전환 – 종결'의 4단계로 구성하는 시상 전개 방식을 (기승전결 / 수미상관)이라고 한다.

4 **다음 시의 시상 전개 방식을 찾아보자.**

펄펄 나는 저 꾀꼬리 / 암수 서로 정답구나
외로워라 이내 몸은 / 뉘와 함께 돌아갈까

\- 유리왕, 「황조가」

① 기승전결 ② 선경후정 ③ 수미상관
④ 공간의 이동 ⑤ 시선의 이동

02 고전 시가 주제어 _ 여인의 삶

1단계 문맥으로 어휘 확인하기

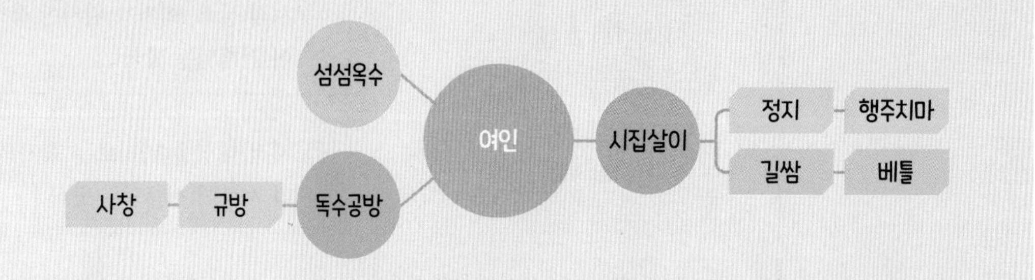

섬섬옥수(가늘纖 가늘纖 구슬玉 손手) 가냘프고 고운 여자의 손을 이르는 말

독수공방(홀로獨 지킬守 빌空 방房) ① 혼자서 지내는 것 ② 아내가 남편 없이 혼자 지내는 것 ㉵ 독수공방에 정든 님 기다리듯: 홀로 빈방을 지키며 사랑하는 사람이 오기만을 기다린다는 뜻으로, 무엇인가를 간절히 바라는 모양을 비유적으로 이르는 말

규방(도장방閨 방房) ① 부녀자가 거처하는 방 ② 안주인이 거처하는 방 ㉲ 내당, 내실, 안방 ㉶ 규방 문학: 조선 시대에, 양반 부녀자의 생활을 그린 문학. 대체로 양반 부녀층이 창작하였으며, 대표적인 것으로 규방 가사가 있음

사창(깁紗 창문窓) 비단으로 바른 창. 여인이 거처하는 방의 창을 의미함

시(시집媤)**집살이** 결혼한 여자가 남편의 집안에 들어가서 살림살이를 하는 일 ㉶ 처가살이: 결혼한 남자가 아내의 본가에 들어가 삶

정지 '부엌'의 방언. '부엌'은 일정한 시설을 갖추어 놓고 음식을 만들고 설거지를 하는 등 식사에 관련된 일을 하는 곳임

행주치마 부엌일을 할 때 옷을 더럽히지 아니하려고 덧입는 작은 치마 ㉲ 앞치마

길쌈 실을 내어 옷감을 짜는 모든 일을 통틀어 이르는 말 ㉶ 질삼: '길쌈'의 옛말, 질쌈: '길쌈'의 방언

베틀 삼베, 무명, 명주 따위의 천을 짜는 틀 ㉵ 베틀에 북 나들듯: 부리나케 자주 드나드는 모양을 비유적으로 이르는 말

● **다음 빈칸에 들어갈 알맞은 단어를 위에서 찾아 문맥에 맞게 써 보자.**

(1) 옛날에는 집에서 ☐☐을 해서 옷을 직접 지어 입었다.

(2) 가족이 모두 여행을 가서 며칠간은 ☐☐☐☐하게 되었다.

(3) 해가 지자 방에 불이 켜지고 ☐☐에 여인의 그림자가 비치었다.

(4) 남성 아이돌 A는 여성 아이돌 못지않은 ☐☐☐☐로 유명하다.

(5) 아이들은 할머니가 ☐☐로 천을 짜는 모습을 신기하게 구경하였다.

(6) 식당 주인은 젖은 손을 ☐☐☐☐에 닦으며 손님들을 맞이하였다.

(7) 할아버지께서 "어여 ☐☐에서 물 한 바가지 떠오니라."라고 말씀하셨다.

(8) 조선 시대에, 부녀자가 짓거나 읊은 가사 작품을 통틀어 ☐☐ 가사라고 한다.

(9) 어머니는 가족들이 모두 모인 자리에서 본인이 며느리를 맞으면 절대 ☐☐☐☐를 시키지 않겠다고 선언하였다.

1 다음 단어의 의미를 찾아 바르게 연결해 보자.

(1) 규방 •　　• ㉠ '부엌'의 방언

(2) 사창 •　　• ㉡ 비단으로 바른 창

(3) 정지 •　　• ㉢ 부녀자나 안주인이 거처하는 방

2 다음 문장에 들어갈 알맞은 단어를 〈보기〉에서 찾아 써 보자.

(1) 현대의 발전된 방적 기계들도 그 기원은 (　　　　)에 두고 있다.

(2) 여성의 삶을 다룬 민요 가운데는 (　　　　)의 슬픔에 대한 것이 많다.

(3) 우리는 (　　　　)하여 옷을 해 입고 밭을 갈아먹는 등 필요한 물자를 스스로 생산해 보기로 하였다.

3 다음 문장의 괄호 안에 들어갈 알맞은 단어를 골라 보자.

(1) 그녀는 흰 (독수공방 / 섬섬옥수)(으)로 비단 위에 꽃무늬를 수놓았다.

(2) 전통 가옥에서 여성들이 거처하는 (규방 / 사창)은 안채에 위치해 있다.

(3) 할머니께서는 (길쌈 / 행주치마)(으)로 눈물을 닦으며 부엌으로 들어가셨다.

4 다음 시조의 화자와 관련된 단어를 찾아보자.

> 동짓달 기나긴 밤을 한허리를 베어 내어
> 춘풍 이불 안에 서리서리 넣었다가
> 어론 임 오신 날 밤이어든 굽이굽이 펴리라
>
> – 황진이

① 길쌈　② 정지　③ 독수공방　④ 시집살이　⑤ 행주치마

감상 체크

1. (가)의 화자의 상황은?

□□지으며 잠들지 못함

2. (가)에서 막으려 해도 찾아오는 '한숨'의 의미는?

그치지 않는 삶의 □□

3. (가)의 표현상의 특징은?

'한숨'을 '너'로 □□□하여 청자로 설정함

4. (나)의 화자의 상황은?

밤늦도록 □□□을 하고 있음

5. (나)에서 '잠'에 대한 화자의 태도는?

자꾸만 자신을 찾아오는 것을 □□함

6. (나)의 표현상의 특징은?

'□'을 '너'로 의인화하여 청자로 설정함

어휘 체크

- **암돌쩌귀 수돌쩌귀**: 암톨쩌귀 수톨쩌귀. 문짝을 문설주에 달고 여닫기 위한 쇠붙이
- **배목걸새**: 배목걸쇠. 문을 잠그고 빗장으로 쓰는 'ㄱ' 자 모양의 쇠
- **검치두덕**: 욕심 언덕
- **자심하뇨**: 더욱 심한가
- **월명동창**: 달빛이 밝은 동쪽의 창
- **무상불청**: 청하지 않은
- **언하당**: 말을 마치자마자

[1~3] 다음 글을 읽고 물음에 답하시오. 2015학년도 3월 고1 전국연합

(가) 한숨아 세한숨아 네 어내 틈으로 들어오느냐

고모장지 세살장지 가로닫이 여닫이 **암돌쩌귀** 수돌쩌귀 **배목걸새** 뚝딱 박고 용거북 자물쇠로 수기수기 채웠는데 병풍이라 덜컥 접은 족자라 데굴데굴 마느냐 네 어내 틈으로 들어오느냐

어인지 너 온 날 밤이면 잠 못 들어 하노라

– 작자 미상

(나) 잠아 잠아 짙은 잠아 이내 눈에 쌓인 잠아
염치불구 이내 잠아 검치두덕 이내 잠아
어제 간밤 오던 잠이 오늘 아침 다시 오네
잠아 잠아 무삼 잠고 가라가라 멀리 가라
세상 사람 무수한데 구태 너는 간 데 없어
원치 않는 이내 눈에 이렇듯이 자심하뇨
주야에 한가하여 **월명동창** 혼자 앉아
삼사경 깊은 밤을 헛되이 보내면서
잠 못 들어 한하는데 그런 사람 있건마는
무상불청 원망 소리 올 때마다 듣난고니
석반을 거두치고 황혼이 되듯마듯
낮에 못한 남은 일을 밤에 하려 마음먹고
언하당 황혼이라 **섬섬옥수** 바삐 들어
등잔 앞에 고개 숙여 실 한 바람 불어 내어
더문더문 질긋 바늘 두엇 뜸 뜨듯마듯
난데없는 이내 잠이 소리 없이 달려드네
눈썹 속에 숨었는가 눈 알로 솟아온가
이 눈 저 눈 왕래하며 무삼 요술 피우는고
맑고 맑은 이내 눈이 절로절로 희미하다

– 작자 미상, 「잠노래」

1 **(가)와 (나)에서 화자가 여성임을 드러내는 말로 적절한 것은?**

① 암돌쩌귀
② 배목걸새
③ 염치불구
④ 월명동창
⑤ 섬섬옥수

기출 문제

2 **(가)와 (나)의 공통점으로 가장 적절한 것은?**

① 감정을 이입하여 대상에 대한 친밀감을 드러내고 있다.
② 시간의 흐름에 따라 대상의 변화 과정을 묘사하고 있다.
③ 시선의 이동에 따른 화자의 정서 변화를 드러내고 있다.
④ 의인화된 대상에게 말을 건네면서 시상을 전개하고 있다.
⑤ 영탄적 표현을 통해 자연물에서 받은 감흥을 표출하고 있다.

감정 이입: 자연의 풍경이나 예술 작품 등에 자신의 감정이나 정신을 불어넣거나, 대상으로부터 느낌을 직접 받아들여 대상과 자기가 서로 통한다고 느끼는 일

영탄적 표현: 감탄사나 감탄 조사 따위를 이용하여 기쁨 · 슬픔 · 놀라움과 같은 감정을 강하게 나타내는 표현

3 **(가)와 (나)에 대한 감상으로 적절하지 않은 것은?**

① (가)의 화자는 잠을 이루지 못하고 있고, (나)의 화자는 잠을 이겨 내기 어려워하는군.
② (가), (나)에는 모두 밤늦도록 가사 노동을 해야 하는 여인의 고단한 생활이 드러나 있네.
③ (가)의 화자는 한숨을 쉬면서 근심하고 있는 것 같아.
④ (나)에서는 잠이 와서 눈이 감기는 상황을 해학적으로 표현하고 있어.
⑤ (나)에서는 한가한데도 잠 못 이루는 이와, 바쁜 가운데 잠을 참아야 하는 화자의 처지가 대비되는군.

해학적: 익살스럽고도 품위가 있는 말이나 행동이 있는 것

대비: 두 가지의 차이를 밝히기 위하여 서로 맞대어 비교함

01 문학 개념어

1단계 문맥으로 어휘 확인하기

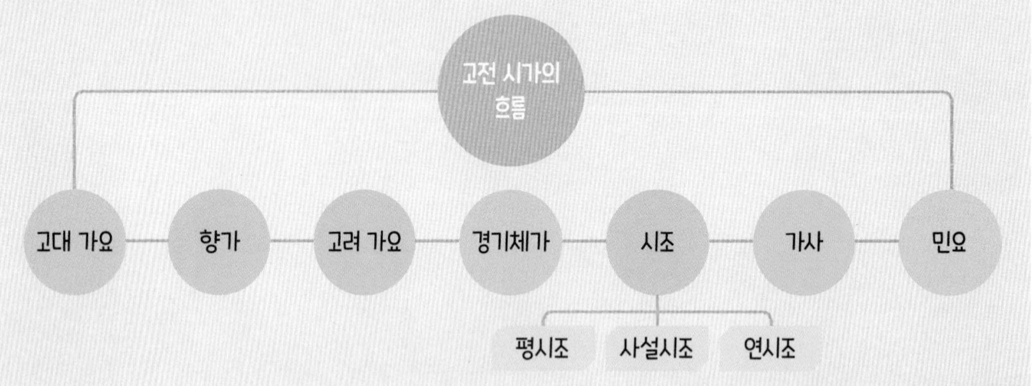

고대 가요(옛古 대신할代 노래歌 노래謠) 고대 부족 국가 시대부터 삼국 시대 초기까지 향가 성립 이전에 불린 노래를 통틀어 이르는 말

향가(시골鄕 노래歌) 향찰(한자의 음과 뜻을 빌려 국어 문장 전체를 적은 표기법)로 기록한 신라 때의 노래. 4구체, 8구체, 10구체의 형식이 있음

고려 가요(높을高 고울麗 노래歌 노래謠) 고려 시대에 불린 노래를 통틀어 이르는 말. 민요적 성격이 강하며 민중의 생활 감정을 진솔하게 표현함 ㊌ 고려 속요

경기체가(경치景 기미幾 몸體 노래歌) 고려 중기에 발생하여 조선 초기까지 계속되었던 시가 양식. 주로 양반 귀족들의 향락적인 생활 양식을 노래함

시조(때時 고를調) 고려 말기부터 발달하여 온 우리나라 고유의 정형시. 작자층이 다양하며, 유교적 이념이나 인간의 생활 감정 등을 폭넓게 다룸

평시조(평평할平 때時 고를調) 초장·중장·종장의 3장, 6구, 4음보로 이루어진 가장 기본적인 형태의 시조

사설시조(말씀辭 말씀說 때時 고를調) 초장, 중장이 제한 없이 길며, 종장도 길어진 시조. 조선 중기 이후 발달한 것으로, 서민적 내용이 담겨 있음

연시조(잇닿을聯 때時 고를調) 두 개 이상의 평시조가 하나의 제목으로 엮어져 있는 시조

가사(노래歌 말씀辭) 조선 초기에 나타난, 시가와 산문 중간 형태의 문학. 형식은 주로 4음보의 운율이 있는 글, 3·4조 또는 4·4조를 기조로 하며, 시행의 수에는 제한이 없음

민요(백성民 노래謠) 예로부터 민중 사이에 불려 오던 전통적인 노래를 통틀어 이르는 말. 대개 특정한 작사자나 작곡자가 없이 민중 사이에 구전되어 내려오며 민중들의 사상, 생활, 감정 등을 담고 있음

● **다음 빈칸에 들어갈 알맞은 단어를 위에서 찾아 문맥에 맞게 써 보자.**

(1) ☐☐는 향찰로 표기된, 신라 시대의 노래이다.

(2) 고전 시가의 갈래 중 가장 먼저 발생한 것은 ☐☐ ☐☐이다.

(3) ☐☐☐ 여러 편이 하나의 제목으로 묶인 것을 ☐☐☐라고 한다.

(4) ☐☐는 특정 작사가나 작곡가 없이 민중 사이에 구전되어 내려온 노래이다.

(5) ☐☐는 운율이 있으나 시행의 수에 제한이 없다는 점에서 시가와 산문의 중간 형태의 문학 형식이다.

(6) 고려 시대 시가인 ☐☐ ☐☐는 민중의 생활 감정을, ☐☐☐☐는 귀족들의 향락을 노래하였다.

(7) ☐☐의 기본 형태는 3장, 6구, 4음보이고, ☐☐☐☐는 여기에서 길이가 크게 늘어나 산문성을 띤다.

2단계 문제로 어휘 익히기

1 **다음 개념에 해당하는 설명을 찾아 바르게 연결해 보자.**

(1) 가사 •
(2) 향가 •
(3) 고대 가요 •

• ㉠ 향찰로 기록한 신라 때의 노래
• ㉡ 조선 초기에 나타난, 시가와 산문 중간 형태의 문학
• ㉢ 고대 부족 국가 시대부터 삼국 시대 초기까지 향가 성립 이전에 불린 노래를 통틀어 이르는 말

2 **다음 문장에 들어갈 알맞은 단어를 〈보기〉에서 찾아 써 보자.**

보기

연시조　　평시조　　사설시조

(1) 시조의 기본적인 형태를 갖춘 것을 (　　　　)라고 한다.
(2) 시조 형식 중 가장 파격적인 변화를 보이는 것은 (　　　　)이다.
(3) 평시조 여러 편이 같은 제목 아래 묶인 것을 (　　　　)라고 한다.

3 **다음 단어에 대한 설명이 맞으면 ○, 틀리면 × 표시를 해 보자.**

(1) 시조는 우리 민족 고유의 정형시이다. (○, ×)
(2) 경기체가는 평민들이 부르던 노래이다. (○, ×)
(3) 향가는 우리나라 최초의 시가 갈래이다. (○, ×)
(4) 민요는 민중 사이에서 구전되어 내려온 노래이다. (○, ×)
(5) 경기체가와 시조는 조선 시대에 발생한 시가 갈래이다. (○, ×)

4 **다음 시가 양식을 발생 순서에 따라 바르게 배열한 것을 찾아보자.**

가사　　시조　　향가　　고대 가요　　고려 가요

① 향가 → 고대 가요 → 고려 가요 → 시조 → 가사
② 고려 가요 → 향가 → 고대 가요 → 시조 → 가사
③ 고대 가요 → 향가 → 시조 → 고려 가요 → 가사
④ 고대 가요 → 향가 → 고려 가요 → 시조 → 가사
⑤ 고대 가요 → 향가 → 고려 가요 → 가사 → 시조

02 고전 시가 주제어 _ 사대부의 마음

1단계 문맥으로 어휘 확인하기

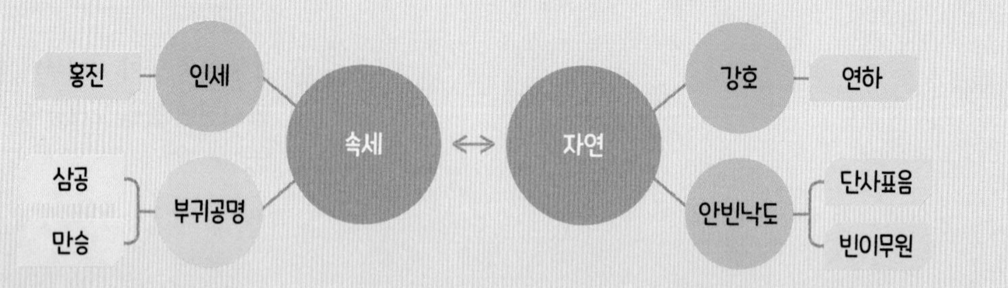

인세(사람人 세대世) 인간의 세상 참 속세: 불가에서 일반 사회를 이르는 말

홍진(붉을紅 티끌塵) 번거롭고 속된 세상을 비유적으로 이르는 말

부귀공명(부유할富 귀할貴 공功 이름名) 재산이 많고 지위가 높으며 공을 세워 이름을 떨침 참 입신양명(立身揚名): 출세하여 이름을 세상에 떨침

삼공(석三 공변될公) 가장 높은 세 벼슬. 조선 시대의 '삼공'은 영의정, 좌의정, 우의정을 이름 유 삼정승

만승(일만萬 탈乘) 만 대의 전차라는 뜻으로, 천자(임금, 왕) 또는 천자의 자리를 이르는 말 참 천승: 천 대의 전차라는 뜻으로, 제후를 이르는 말

강호(강江 호수湖) ① 강과 호수를 아울러 이르는 말 ② 옛사람들이 현실을 도피하여 생활하던 시골이나 자연 ③ '세상'을 비유적으로 이르는 말

연하(연기煙 노을霞) ① 안개와 노을을 아울러 이르는 말 ② 고요한 산수의 경치를 비유적으로 이르는 말 참 연하고질(煙霞痼疾): 자연의 아름다운 경치를 몹시 사랑하고 즐기는 성질이나 버릇

안빈낙도(편안할安 가난할貧 즐길樂 길道) 가난한 생활을 하면서도 편안한 마음으로 도를 즐겨 지킴 유 안분지족(安分知足): 편안한 마음으로 제 분수를 지키며 만족할 줄을 앎

단사표음(소쿠리簞 먹이食 바가지瓢 마실飮) 대나무로 만든 밥그릇에 담은 밥과 표주박에 든 물이라는 뜻으로, 청빈하고 소박한 생활을 이르는 말 유 단표누항(簞瓢陋巷): 누항에서 먹는 한 그릇의 밥과 한 바가지의 물이라는 뜻으로, 선비의 청빈한 생활을 이르는 말

빈이무원(가난할貧 말이을而 없을無 원망할怨) 가난하지만 남을 원망하지 않음

● **다음 빈칸에 들어갈 알맞은 단어를 위에서 찾아 문맥에 맞게 써 보자.**

(1) 그 선비는 ☐☐을 피해 시골에서 조용히 살고자 하였다.

(2) 많은 사람들이 ☐☐☐☐을 꿈꾸며 한양으로 모여들었다.

(3) 나그네가 ☐☐를 등지고 떠난 지도 벌써 10여 년의 세월이 지났다.

(4) 사랑하는 가족과 함께라면 소박한 ☐☐☐☐도 진수성찬보다 맛있다.

(5) 옛 선비들은 가난하지만 남을 원망하지 않는 ☐☐☐☐의 마음을 지녔다.

(6) 부모님은 바쁜 도시 생활에서 벗어나 고향에서 ☐☐☐☐하며 살고 있다.

(7) 강과 호수를 이르는 ☐☐와 안개와 노을을 이르는 ☐☐는 문학 속에서 주로 자연을 의미한다.

(8) 조선 시대에 의정부에서 국가 주요 정책을 결정하던 영의정, 좌의정, 우의정을 일컬어 ☐☐이라고 한다.

(9) '☐☐지국'은 전차 일만 대를 갖출 만한 힘이 있는 나라라는 뜻으로, 천자가 다스리는 나라를 이르는 말이다.

2단계 문제로 어휘 익히기

1 **다음 단어의 의미를 찾아 바르게 연결해 보자.**

(1) 단사표음 •　　• ㉠ 재산이 많고 지위가 높으며 공을 세워 이름을 떨침

(2) 부귀공명 •　　• ㉡ 가난한 생활을 하면서도 편안한 마음으로 도를 즐겨 지킴

(3) 안빈낙도 •　　• ㉢ 대나무로 만든 밥그릇에 담은 밥과 표주박에 든 물이라는 뜻으로, 청빈하고 소박한 생활을 이르는 말

2 **다음 문장에 들어갈 알맞은 단어를 〈보기〉에서 찾아 써 보자.**

보기

강호　　연하　　인세　　홍진

(1) 붉은 먼지라는 뜻의 '(　　　)'은/는 번거롭고 속된 세상, 즉 속세를 의미한다.

(2) 안개와 노을을 아울러 이르는 말인 '(　　　)'은/는 경치가 아름다운 자연을 의미한다.

(3) 조선 시대에, 선비나 시인 들이 현실을 도피하여 자연을 벗 삼아 지내면서 일으킨 시가 창작의 한 경향을 '(　　　)가도'라고 한다.

3 **다음 문장의 괄호 안에 들어갈 알맞은 단어를 골라 보자.**

(1) 천자 또는 천자의 자리를 이르는 말은 (만승 / 천승)이다.

(2) 그녀는 가난하였지만 (빈이무원 / 연하고질)의 태도로 하루하루 감사하며 살았다.

(3) 임금이 (삼공 / 인세)을/를 부르자 영의정, 좌의정, 우의정이 차례로 대궐 안으로 들어왔다.

4 **다음 시조와 관계가 없는 단어를 찾아보자.**

십 년을 경영하여 초려 삼간 지어 내니
나 한 칸 달 한 칸에 청풍 한 칸 맡겨 두고
강산은 들일 데 없으니 둘러 두고 보리라

– 송순

① 단사표음　② 부귀공명　③ 빈이무원　④ 안분지족　⑤ 안빈낙도

[1~3] 다음 글을 읽고 물음에 답하시오. 2014학년도 6월 고1 전국연합

이 중에 시름없으니 어부(漁父)의 생애(生涯)로다
일엽편주(一葉扁舟)를 만경파(萬頃波)에 띄워 두고
인세(人世)를 다 잊었거니 날 가는 줄을 알랴

굽어보면 천심녹수(千尋綠水) 돌아보니 만첩청산(萬疊靑山)
십 장(十丈) 홍진(紅塵)이 얼마나 가렸는고
㉠강호(江湖)에 월백(月白)하거든 더욱 무심(無心)하여라

장안(長安)을 돌아보니 북궐(北闕)이 천 리(千里)로다
어주(漁舟)에 누어신들 잊은 때가 있으랴
두어라 내 시름 아니라 제세현(濟世賢)이 없으랴

– 이현보, 「어부단가」

감상 체크

1. 이 시의 화자는?
□□

2. 화자의 태도는?
□□ 공간을 지향하고
□□를 멀리하려 함

3. 이 시의 주제는?
자연과 벗하여 살아가는 어부의 □□□□ 생활

어휘 체크

- **일엽편주**: 한 척의 조그마한 배
- **만경파**: 만 이랑의 물결이라는 뜻으로, 한없이 넓고 넓은 바다를 이르는 말
- **천심녹수**: 천 길이나 되는 푸른 물
- **만첩청산**: 겹겹이 둘러싸인 푸른 산
- **북궐**: 임금이 계신 경복궁의 다른 이름
- **어주**: 낚시질할 때 쓰는 조그만 배
- **제세현**: 세상을 구제할 현명한 선비

1 ㉠에 대한 올바른 설명을 〈보기〉에서 모두 고른 것은?

보기

ㄱ. 현재 화자가 위치한 공간이다.
ㄴ. 과거에 화자가 부귀공명을 좇던 공간이다.
ㄷ. 화자가 나랏일을 완전히 잊을 수 있는 공간이다.
ㄹ. 옛사람들이 현실을 도피하여 생활하던 시골이나 자연을 의미한다.

① ㄱ, ㄴ ② ㄱ, ㄷ ③ ㄱ, ㄹ ④ ㄴ, ㄷ ⑤ ㄴ, ㄹ

2 윗글의 표현상 특징으로 가장 적절한 것은?

① 의인화된 청자에게 말을 건네는 방식을 쓰고 있다.
② 서로 다른 성격을 띤 공간을 대비하고 있다.
③ 자연물에 감정을 이입하여 표현하고 있다.
④ 대상의 의미를 반어적으로 표현하고 있다.
⑤ 공감각적 심상을 활용하고 있다.

반어적: 표현의 효과를 높이기 위하여 실제와 반대되게 말을 하는, 또는 그런 것

공감각적 심상: 청각의 시각화, 시각의 청각화, 시각의 촉각화 등 하나의 감각이 동시에 다른 영역의 감각을 불러일으킴으로써 일어나는 심상

3 윗글을 감상한 내용으로 적절하지 않은 것은?

① 대구법을 통해 리듬감을 부여하는군.
② 각 장은 4음보로 끊어 읽는 것이 자연스럽군.
③ 설의법을 활용하여 화자의 의지를 강조하고 있군.
④ 화자는 다시 세속으로 돌아감으로써 시름을 해결하고자 하는군.
⑤ 두 개 이상의 평시조가 하나의 제목으로 엮어져 있으므로 연시조에 해당하는군.

설의법: 쉽게 판단할 수 있는 사실을 의문의 형식으로 표현하여 상대편이 스스로 판단하게 하는 방법

주제별로 알아보는 속담

동물과 관련된 속담

속담	뜻과 예문	유의어
개구리 올챙이 적 생각 못 한다	형편이나 사정이 전에 비하여 나아진 사람이 지난날의 미천하거나 어렵던 때의 일을 생각지 아니하고 처음부터 잘난 듯이 뽐냄을 비유적으로 이르는 말 예 개구리 올챙이 적 생각 못 한다더니, A 연예인은 스타가 되었다고 신인 시절의 겸손함이 사라진 것 같아.	유 올챙이 적 생각은 못 하고 개구리 된 생각만 한다
고래 싸움에 새우 등 터진다	강한 자들끼리 싸우는 통에 아무 상관도 없는 약한 자가 중간에 끼어 피해를 입게 됨을 비유적으로 이르는 말 예 고래 싸움에 새우 등 터진다고, 어른들 싸움에 괜히 아이들이 상처받을까 걱정이다.	유 경전하사(鯨戰蝦死)
고양이한테 생선을 맡기다	고양이한테 생선을 맡기면 고양이가 생선을 먹을 것이 뻔한 일이란 뜻으로, 어떤 일이나 사물을 믿지 못할 사람에게 맡겨 놓고 마음이 놓이지 않아 걱정함을 비유적으로 이르는 말 예 관련자들의 비리 의혹을 보니, 고양이한테 생선을 맡긴 꼴이다.	유 도둑고양이더러 제물 지켜 달라 한다
궁지에 빠진 쥐가 고양이를 문다	막다른 지경에 이르게 되면 약한 자도 마지막 힘을 다하여 반항함을 비유적으로 이르는 말 예 궁지에 빠진 쥐가 고양이를 문다고, 탈락 위기의 꼴찌 팀이 1위 팀을 이기는 기적을 일으켰다.	유 궁한 새가 사람을 쫓는다, 궁서설묘(窮鼠齧猫)
까마귀 날자 배 떨어진다	아무 관계 없이 한 일이 공교롭게도 때가 같아 어떤 관계가 있는 것처럼 의심을 받게 됨을 비유적으로 이르는 말 예 네가 경기를 보면 우리나라 국가 대표 축구팀이 진다니, 그건 까마귀 날자 배 떨어진 격이다.	유 오비이락(烏飛梨落)
닭 쫓던 개 지붕 쳐다보듯	개에게 쫓기던 닭이 지붕으로 올라가자 개가 쫓아 올라가지 못하고 지붕만 쳐다본다는 뜻으로, 애써 하던 일이 실패로 돌아가거나 남보다 뒤떨어져 어찌할 도리가 없이 됨을 비유적으로 이르는 말 예 결승전에서 아쉽게 진 우리 학교는 상대 학교의 우승을 닭 쫓던 개 지붕 쳐다보듯 지켜볼 수밖에 없었다.	
못된 송아지 엉덩이에 뿔이 난다	되지못한 것이 엇나가는 짓만 한다는 말 예 네가 계속 문제를 일으키고 다니는 걸 보니, 못된 송아지 엉덩이 뿔이 난다는 옛말이 틀린 게 아니구나.	
숭어가 뛰니까 망둥이도 뛴다	남이 한다고 하니까 분별없이 덩달아 나섬을 비유적으로 이르는 말 예 숭어가 뛰니까 망둥이도 뛴다더니, 너도 반장 선거에 출마하는 거니?	유 망둥이가 뛰면 꼴뚜기도 뛴다
얌전한 고양이가 부뚜막에 먼저 올라간다	겉으로는 얌전하고 아무것도 못할 것처럼 보이는 사람이 딴짓을 하거나 자기 실속을 다 차리는 경우를 비유적으로 이르는 말 예 얌전한 고양이가 부뚜막에 먼저 올라간다더니, 평소 조용하던 친구가 학교 축제 때 무대에서 춤을 추며 노래를 불러 모두 깜짝 놀랐다.	

어물전 망신은 꼴뚜기가 시킨다

지지리 못난 사람일수록 같이 있는 동료를 망신시킨다는 말

예 어물전 망신은 꼴뚜기가 시킨다더니, 해외에서 추태를 보인 몇몇 여행객 때문에 우리나라 사람들이 망신을 당하고 있다.

유 과일 망신은 모과가 시킨다

원숭이도 나무에서 떨어진다

아무리 익숙하고 잘하는 사람이라도 간혹 실수할 때가 있음을 비유적으로 이르는 말

예 원숭이도 나무에서 떨어진다더니, 프로 선수들도 실수를 할 때가 있구나.

유 닭도 홰에서 떨어지는 날이 있다

지렁이도 밟으면 꿈틀한다

아무리 눌려 지내는 미천한 사람이나, 순하고 좋은 사람이라도 너무 업신여기면 가만있지 아니한다는 말

예 지렁이도 밟으면 꿈틀하듯이 점점 심해지는 핍박에 농민들이 더 이상 참지 못하고 봉기를 일으켰다.

유 굼벵이도 밟으면 꿈틀한다

하룻강아지 범 무서운 줄 모른다

철없이 함부로 덤비는 경우를 비유적으로 이르는 말

예 하룻강아지 범 무서운 줄 모른다더니, 동생은 아는 게 적어서 겁이 없다.

호랑이 없는 골에 토끼가 왕 노릇 한다

뛰어난 사람이 없는 곳에서 보잘것없는 사람이 득세함을 비유적으로 이르는 말

예 호랑이 없는 골에 토끼가 왕 노릇 한다고, 지난 대회 상위권 선수들이 부상으로 줄지어 불참한 이번 대회에서 10위권 선수들이 결승에 올랐다.

유 혼자 사는 동네 면장이 구장

황소 뒷걸음치다가 쥐 잡는다

어쩌다 우연히 이루거나 알아맞힘을 비유적으로 이르는 말

예 모르는 문제여서 그냥 찍었는데 그게 정답이었다니, 황소 뒷걸음치다가 쥐 잡은 격이다.

유 소 발에 쥐 잡기

상황으로 보는 속담

까마귀 날자 배 떨어진다

[01~06] 다음 뜻에 해당하는 속담을 〈보기〉에서 찾아 기호를 써 보자.

보기

㉠ 까마귀 날자 배 떨어진다
㉡ 고래 싸움에 새우 등 터진다
㉢ 숭어가 뛰니까 망둥이도 뛴다
㉣ 개구리 올챙이 적 생각 못 한다
㉤ 하룻강아지 범 무서운 줄 모른다
㉥ 얌전한 고양이가 부뚜막에 먼저 올라간다

01 철없이 함부로 덤비는 경우를 비유적으로 이르는 말 (　　　　)

02 남이 한다고 하니까 분별없이 덩달아 나섬을 비유적으로 이르는 말 (　　　　)

03 강한 자들끼리 싸우는 통에 아무 상관도 없는 약한 자가 중간에 끼어 피해를 입게 됨을 비유적으로 이르는 말 (　　　　)

04 아무 관계 없이 한 일이 공교롭게도 때가 같아 어떤 관계가 있는 것처럼 의심을 받게 됨을 비유적으로 이르는 말 (　　　　)

05 겉으로는 얌전하고 아무것도 못할 것처럼 보이는 사람이 딴짓을 하거나 자기 실속을 다 차리는 경우를 비유적으로 이르는 말 (　　　　)

06 형편이나 사정이 전에 비하여 나아진 사람이 지난날의 미천하거나 어렵던 때의 일을 생각지 아니하고 처음부터 잘난 듯이 뽐냄을 비유적으로 이르는 말 (　　　　)

07 다음 글을 읽고, 빈칸에 알맞은 속담을 문맥에 맞게 써 보자.

해킹 등 범죄에 의한 개인 정보의 유출이 심각한 사회 문제가 되고 있다. 그런 가운데 A 업체의 경우 개인 정보를 관리하던 직원에 의해 고객들의 정보가 유출되어 충격을 주고 있다. A 업체에서 고객들의 개인 정보를 관리하는 부서의 직원인 B 씨는 경제적인 목적으로 작정하고 수많은 고객들의 개인 정보를 유출하였다. 그야말로 (　　　　) 꼴이다.

→

[08~11] 다음 빈칸에 알맞은 단어를 쓰고, 속담의 뜻을 찾아 바르게 연결해 보자.

	속담			뜻
08	☐도 밟으면 꿈틀한다	•	•	㉠ 어쩌다 우연히 이루거나 알아맞힘을 비유적으로 이르는 말
09	원숭이도 ☐에서 떨어진다	•	•	㉡ 뛰어난 사람이 없는 곳에서 보잘것없는 사람이 득세함을 비유적으로 이르는 말
10	황소 ☐치다가 쥐 잡는다	•	•	㉢ 아무리 익숙하고 잘하는 사람이라도 간혹 실수할 때가 있음을 비유적으로 이르는 말
11	호랑이 없는 골에 ☐가 왕 노릇 한다	•	•	㉣ 아무리 눌려 지내는 미천한 사람이나, 순하고 좋은 사람이라도 너무 업신여기면 가만있지 아니한다는 말

12 다음 문자 메시지 대화를 읽고, 빈칸에 알맞은 속담을 문맥에 맞게 써 보자.

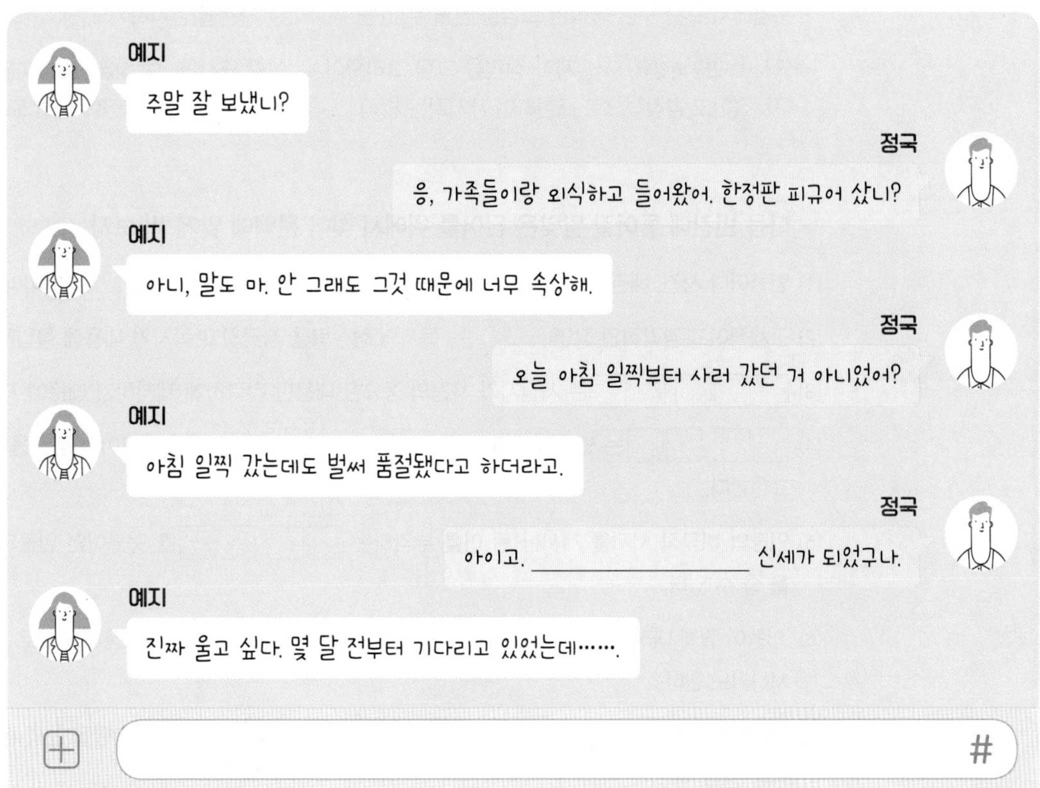

예지
주말 잘 보냈니?
정국
응, 가족들이랑 외식하고 들어왔어. 한정판 피규어 샀니?
예지
아니, 말도 마. 안 그래도 그것 때문에 너무 속상해.
정국
오늘 아침 일찍부터 사러 갔던 거 아니었어?
예지
아침 일찍 갔는데도 벌써 품절됐다고 하더라고.
정국
아이고. ____________ 신세가 되었구나.
예지
진짜 울고 싶다. 몇 달 전부터 기다리고 있었는데…….
#

01 문학 개념어

1단계 문맥으로 어휘 확인하기

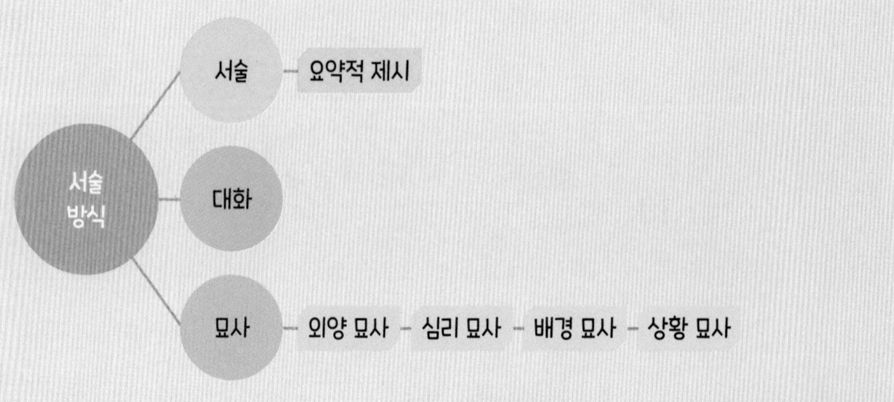

서술(줄敍 지을述) 서술자가 독자에게 인물, 사건, 배경 등을 직접 설명하는 방식

요약적 제시(중요할要 맺을約 과녁的 끌提 보일示) 서술자가 사건의 중요 내용만 간추려서 제시하는 방식. 사건 전개가 빠름

대화(대답할對 말할話) 인물들이 주고받는 말을 통해 사건을 전개하고 인물의 심리를 전달하는 방식. 인물 간의 대화가 연속적으로 제시되면 독자는 장면을 눈앞에서 보는 듯한 극적인 느낌을 받을 수 있음

묘사(그릴描 베낄寫) 서술자가 장면을 그림 그리듯이 구체적이고 감각적으로 표현하여 제시하는 방식

외양 묘사(바깥外 모양樣 그릴描 베낄寫) 인물의 겉모습에 대한 묘사. 외양 묘사를 통해 인물의 성격이나 품성을 표현하기도 함

심리 묘사(마음心 다스릴理 그릴描 베낄寫) 인물의 생각이나 감정 상태 혹은 그 변화에 대한 묘사

배경 묘사(등背 경치景 그릴描 베낄寫) 사건이 이루어지는 시간, 공간, 사회적 환경 등에 대한 묘사. 배경 묘사를 통해 사건의 분위기를 드러내고 앞으로 일어날 사건을 암시하기도 함

상황 묘사(형상狀 하물며況 그릴描 베낄寫) 인물의 처지나 사건의 진행 과정에 대한 묘사

● **다음 빈칸에 들어갈 알맞은 단어를 위에서 찾아 문맥에 맞게 써 보자.**

(1) 인물이나 사건, 배경 등에 대해 서술자가 독자에게 직접 설명하는 방식을 □□이라고 한다.

(2) 구체적이고 감각적인 장면 □□는 독자의 상상력을 자극하고 독자가 내용에 몰입하게 한다.

(3) □□□ □□는 서술자가 사건의 중요한 내용만 간략하게 제시하기 때문에 사건이 빠르게 전개된다.

(4) □□ □□는 인물의 겉모습을, □□ □□는 인물의 생각이나 감정을 구체적이고 감각적으로 표현한다.

(5) 인물의 비극적 처지를 제시한 뒤 이를 부각하는 □□ □□를 덧붙이면 인물의 불행을 강조하고 여운을 줄 수 있다.

(6) '어둠이 짙게 내려앉은 하늘'과 같이 암울한 분위기의 □□ □□를 통해 앞으로 일어날 불길한 사건을 암시하기도 한다.

(7) 서술자의 개입 없이 인물 간의 □□가 연속적으로 제시되면 독자는 장면을 눈앞에서 보는 듯한 극적인 느낌을 받을 수 있다.

2단계 문제로 어휘 익히기

1

다음 개념에 해당하는 설명을 찾아 바르게 연결해 보자.

(1) 배경 묘사 • • ㉠ 인물의 겉모습에 대한 묘사

(2) 상황 묘사 • • ㉡ 사건이 이루어지는 배경에 대한 묘사

(3) 심리 묘사 • • ㉢ 인물의 처지나 사건의 진행 과정에 대한 묘사

(4) 외양 묘사 • • ㉣ 인물의 생각이나 감정 상태 혹은 그 변화에 대한 묘사

2

다음 문장의 괄호 안에 들어갈 알맞은 단어를 골라 보자.

(1) (묘사 / 서술)은/는 서술자가 독자에게 인물, 사건, 배경 등을 직접 설명하는 방식이다.

(2) 인물들이 주고받는 말을 통해 사건을 전개하고 인물의 심리를 전달하는 방식을 (대화 / 상황 묘사)라고 한다.

3

제시된 뜻과 예문을 참고하여 다음 초성에 해당하는 단어를 빈칸에 써 보자.

(1) ㅇ ㅇ ㅈ ㅈ ㅅ : 서술자가 사건의 중요 내용만 간추려서 제시하는 방식

예 (   )를 통해 인물이 어떤 삶을 살아왔는지 제시할 수 있다.

(2) ㅁ ㅅ : 서술자가 장면을 그림 그리듯이 구체적이고 감각적으로 표현하여 제시하는 방식

예 작가는 다양한 (   )를 통해 제시하고자 하는 장면을 생생하게 표현한다.

4

다음 밑줄 친 부분에 해당하는 서술 방식으로 알맞은 것을 찾아보자.

> …… 대화까지는 칠십 리의 밤길, 고개를 둘이나 넘고 개울을 하나 건너고 벌판과 산길을 걸어야 된다. 길은 지금 긴 산허리에 걸려 있다. 밤중을 지난 무렵인지 죽은 듯이 고요한 속에서 짐승 같은 달의 숨소리가 손에 잡힐 듯이 들리며 콩 포기와 옥수수 잎새가 한층 달에 푸르게 젖었다. <u>산허리는 온통 메밀밭이어서 피기 시작한 꽃이 소금을 뿌린 듯이 흐붓한 달빛에 숨이 막힐 지경이다.</u> 붉은 대궁이 향기같이 애잔하고, 나귀들의 걸음도 시원하다. ……
>
> - 이효석, 「메밀꽃 필 무렵」

① 대화 ② 배경 묘사 ③ 상황 묘사 ④ 외양 묘사 ⑤ 요약적 제시

02 현대 소설 주제어 _ 전쟁

1단계 문맥으로 어휘 확인하기

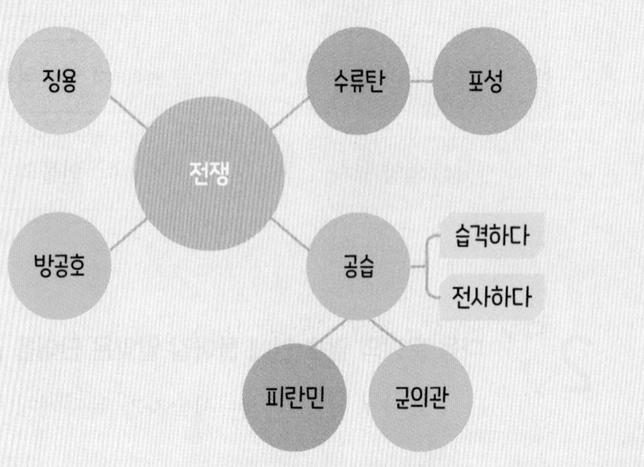

징용(부를徵 쓸用) ① 전시·사변 또는 이에 준하는 비상사태에, 국가의 권력으로 국민을 강제적으로 일정한 업무에 종사시키는 일 ② 일제 강점기에, 일본 제국주의자들이 조선 사람을 강제로 동원하여 부리던 일 ⓤ 강제 징용

방공호(막을防 빌空 도랑壕) 적의 항공기 공습이나 대포, 미사일 따위의 공격을 피하기 위하여 땅속에 파 놓은 굴이나 구덩이

수류탄(손手 석류榴 탄알彈) 손으로 던져 터뜨리는 작은 폭탄

포성(돌쇠뇌砲 소리聲) 대포를 쏠 때에 나는 소리 ⓤ 포음, 폿소리

공습(빌空 엄습할襲) '공중 습격'을 줄여 이르는 말. 공군이 비행기를 이용하여 총격이나 폭격으로써 적을 습격하는 일

습격(엄습할襲 부딪칠擊)**하다** 갑자기 상대편을 덮쳐 치다. ⓤ 덮치다

전사(싸울戰 죽을死)**하다** 전쟁터에서 적과 싸우다 죽다. ⓤ 전망하다, 전몰하다, 진망하다, 진몰하다

피란민(피할避 어지러울亂 백성民) 난리를 피하여 가는 백성 ⓒ 피난민: 재난을 피하여 가는 백성

군의관(군사軍 의원醫 벼슬官) 군대에서 의사의 임무를 맡고 있는 장교 ⓤ 군의, 의무관, 의무 장교

● **다음 빈칸에 들어갈 알맞은 단어를 위에서 찾아 문맥에 맞게 써 보자.**

(1) 우리는 적이 방심한 때를 틈타 적진을 ☐☐하였다.

(2) 교관이 안전핀을 뽑은 후 ☐☐☐을 던지는 시범을 보였다.

(3) 멀리서도 귀가 아플 정도로 크게 울리는 ☐☐에 모두 깜짝 놀랐다.

(4) 사촌 오빠는 의대를 졸업한 뒤 육군에서 ☐☐☐으로 복무하고 있다.

(5) 새벽에 적의 ☐☐ 사이렌 소리가 울리자 마을 사람들은 미리 파 놓은 ☐☐☐로 대피하였다.

(6) 일제 강점기에 많은 조선 사람들은 일제에 의해 강제로 ☐☐되어 전쟁터로 끌려가 전투를 하다가 가엽게 ☐☐하였다.

(7) 육이오 전쟁 통에 고향을 떠나온 많은 ☐☐☐들이 부산에 모여들면서 부산은 여러 지역의 문화가 뒤섞인 새로운 도시 문화가 형성되었다.

2단계 문제로 어휘 익히기

1
다음 단어의 의미를 찾아 바르게 연결해 보자.

(1) 습격 •

(2) 징용 •

(3) 포성 •

(4) 방공호 •

• ㉠ 대포를 쏠 때에 나는 소리

• ㉡ 갑자기 상대편을 덮쳐 침

• ㉢ 일제 강점기에, 일본 제국주의자들이 조선 사람을 강제로 동원하여 부리던 일

• ㉣ 적의 항공기 공습이나 대포, 미사일 따위의 공격을 피하기 위하여 땅속에 파 놓은 굴이나 구덩이

2
다음 문장에 들어갈 알맞은 단어를 〈보기〉에서 찾아 써 보자.

보기

징용　　군의관　　수류탄　　피란민

(1) 쾅 소리를 내며 (　　　　)이 터지자, 흙더미가 허공으로 치솟았다.

(2) 수많은 (　　　　)을 발생시키는 전쟁은 두 번 다시 벌어져서는 안 된다.

(3) (　　　　)은 총알이 빗발치는 전쟁터를 누비며 부상당한 아군을 치료하였다.

3
다음 문장의 괄호 안에 들어갈 알맞은 단어를 골라 보자.

(1) 부대원들은 지휘관의 (전사 / 징용) 소식을 듣고 명복을 빌었다.

(2) 정부는 적의 (공습 / 포성)으로부터 국민의 생명을 보호하기 위해 대피 시설을 구축하였다.

(3) 살기 위해 고향을 떠나온 (군의관 / 피란민)들에게 우리 군의 승전 소식은 큰 위안이 되었다.

4
다음 유의어의 연결이 적절하지 않은 것을 찾아보자.

① 포성 - 포음

② 습격 - 후퇴

③ 징용 - 강제 징용

④ 군의관 - 의무 장교

⑤ 전사하다 - 전몰하다

3단계

독해로 어휘 다지기

[1~3] 다음 글을 읽고 물음에 답하시오. 2011학년도 6월 고1 전국연합

앞부분 줄거리 | 일제 강점기에 ㉠징용에 끌려가 팔 하나를 잃은 만도는 전쟁에 나간 아들 진수가 돌아온다는 통지를 받고 마음이 들떠 ㉡정거장으로 나간다. 그러나 진수는 다리 하나를 잃은 채 나타나고, 만도는 눈앞이 아찔해진다. 속이 상한 만도는 돌아오는 길에 주막에 들러 술을 마신다.

주막을 나선 그들 부자는 논두렁길로 접어들었다. 아까와 같이 만도가 앞장을 서는 것이 아니라 이번에는 진수를 앞세웠다. 지팡이를 짚고 찌우뚱찌우뚱 앞서 가는 아들의 뒷모습을 바라보며, 팔뚝이 하나밖에 없는 아버지가 느릿느릿 따라가는 것이다. 손에 매달린 ㉢고등어가 대고 달랑달랑 춤을 춘다. 너무 급하게 들이부어서 그런지, 만도의 뱃속에서는 우글우글 술이 끓고 다리가 휘청거린다. 콧구멍으로 더운 숨을 훅훅 내뿜어 본다. 정신이 아른거린다. 좋다.

"진수야!" / "예."

"니 우짜다가 그리 됐노?"

"전쟁하다가 이래 안 됐심니꾜, ㉣수루탄 쪼가리에 맞았심더."

"수루탄 쪼가리에?" / "예."

"음……."

"얼른 낫지 않고 막 썩어 들어가기 땜에 ㉤군의관이 짤라 버립디더. 병원에서예."

"……."

"아부지!"

"와?"

"ⓐ이래 가지고 나 우째 살까 싶습니더."

"ⓑ우째 살긴 뭘 우째 살아. 목숨만 붙어 있으면 다 사는 기다. 그런 소리 하지 마라."

"……."

"ⓒ나 봐라, 팔뚝이 하나 없이도 잘만 안 사나. 남 봄에 좀 덜 좋아서 그렇지, 살기사 왜 못 살아."

"ⓓ차라리 아부지같이 팔이 하나 없는 편이 낫겠어예. 다리가 없어 노니 첫째 걸어 댕기기에 불편해서 똑 죽겠심더."

"야야, 안 그렇다. 걸어 댕기기만 하면 뭐하노. 손을 지대로 놀려야 일이 뜻대로 되지."

"그럴까예?"

"그렇다니. ⓔ그러니까 집에 앉아서 할 일은 니가 하고, 나댕기메 할 일은 내가 하고, 그라면 안 되겠나, 그제?"

"예."

진수는 가벼운 한숨을 내쉬며 아버지를 돌아보았다. 만도는 돌아보는 아들의 얼굴을 향해서 지그시 웃어 주었다.

– 하근찬, 「수난이대(受難二代)」

감상 체크

1. 이 소설의 등장인물은?
일제 강점기에 징용에 끌려갔다가 한쪽 □을 잃은 아버지 '만도'와 육이오 전쟁에 참전하여 한쪽 □□를 잃은 아들 '진수'

2. 제시된 부분에서 일어난 사건은?
전쟁에 나갔다가 한쪽 다리를 잃고 돌아온 진수를 만도가 □□함

3. 이 소설의 주제는?
역사적 시련 속에서 겪는 개인의 비극적 삶과 그에 대한 □□ □□

어휘 체크

- **통지**: 기별을 보내어 알게 함
- **논두렁길**: 물이 괴어 있도록 논의 가장자리를 흙으로 둘러막은 두둑 위로 좁게 난 길
- **수루탄**: '수류탄'의 방언

• 정답과 해설 08쪽

1 ㉠~㉤ 중, 사회·문화적 상황을 드러내는 단어를 모두 고른 것은?

① ㉠, ㉡, ㉢　② ㉠, ㉢, ㉤　③ ㉠, ㉣, ㉤
④ ㉡, ㉢, ㉣　⑤ ㉡, ㉣, ㉤

2 〈보기〉를 참고하여 ⓐ~ⓔ에 대해 반응한 내용으로 적절하지 않은 것은?

보기

중증 질환이나 실직 등의 위기에 처한 사람은 아래와 같은 단계를 통해 그 상처를 극복한다. 각 단계들을 통과하는 과정에서는 주변의 격려나 지지가 중요하다.

Ⅰ단계	자신의 능력을 의심하고 미래에 대한 불안을 느낀다.
⬇	
Ⅱ단계	울분, 좌절 등의 감정을 조절하기 시작하며, 현실을 받아들인다.
⬇	
Ⅲ단계	가치와 행동, 생활 양식의 변화가 일어나서 심리적 극복이 이루어진다.

윗글은 만도와 진수의 이야기를 통해 이러한 상처의 치유와 극복 과정을 압축적으로 보여 준다.

① ⓐ에서 진수는 Ⅰ단계의 모습을 보여 주고 있어.
② ⓑ에서 만도는 격려를 통하여 진수를 Ⅱ단계로 이끌려 하고 있어.
③ ⓒ에서 드러난 만도의 태도로 볼 때, 만도는 Ⅲ단계로 접어들었다고 볼 수 있어.
④ ⓓ에서 진수는 만도의 뜻에 따라 Ⅰ단계에서 벗어나려는 의지를 드러내고 있다.
⑤ ⓔ에서 만도는 진수가 Ⅰ단계를 벗어나서 다음 단계로 나갈 수 있는 방안을 제시하고 있다고 볼 수 있어.

- 중증 질환: 증상이 아주 위중한 질병. 암, 뇌혈관 질환, 심장 질환 따위를 이름
- 실직: 직업을 잃음

3 윗글에 대한 설명으로 적절한 것은?

① 대화를 통해 인물의 심리를 드러내고 있다.
② 서술자를 교체하여 새로운 사건을 전개하고 있다.
③ 서술자가 인물의 처지를 요약적으로 제시하고 있다.
④ 배경 묘사를 통해 앞으로 벌어질 사건을 암시하고 있다.
⑤ 현재형 어미를 사용하여 긴박한 분위기를 형성하고 있다.

- 어미: 용언 및 서술격 조사가 활용하여 변하는 부분

01 문학 개념어

1단계 문맥으로 어휘 확인하기

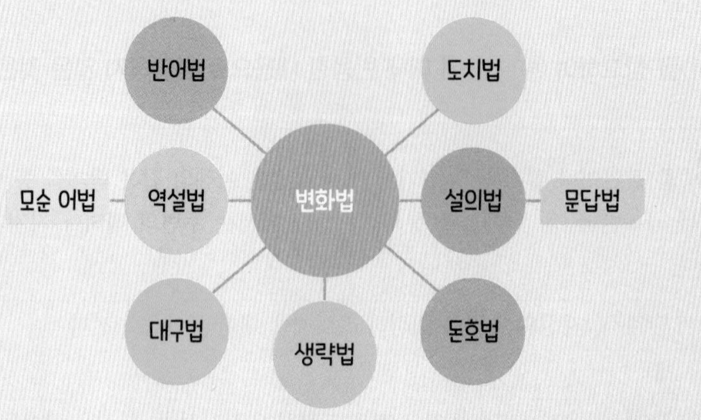

반어법(돌이킬反 말씀語 법도法) 자신이 말하고자 하는 바와 정반대로 표현하는 방법

역설법(거스를逆 말씀說 법도法) 논리적으로는 이치에 맞지 않는 표현이지만, 그 속에 진실을 담아내는 방법. 일반적으로 모순 어법을 통해 나타남

모순 어법(창矛 방패盾 말씀語 법도法) 의미상 상반되거나 연관성이 희박하여 서로 양립할 수 없는 말을 함께 사용하는 방법 ⊜ 모순 형용

대구법(대답할對 구절句 법도法) 비슷한 구절을 나란히 짝 지어 문장에 변화와 안정감을 주는 방법

도치법(거꾸로倒 둘置 법도法) 말의 순서를 바꾸어 화자가 강조하는 바를 나타내는 방법

설의법(베풀設 의심할疑 법도法) 쉽게 판단할 수 있는 사실을 의문의 형식으로 표현하여 상대편이 스스로 판단하게 하는 방법

문답법(물을問 대답할答 법도法) 스스로 묻고 대답하는 방법. 의문문의 형식이지만 대답이 제시되지 않는 설의법과 달리, 문답법은 질문에 이어 바로 대답이 제시됨

돈호법(조아릴頓 부를呼 법도法) 사람이나 사물의 이름을 불러 주의를 불러일으키는 방법

생략법(덜省 다스릴略 법도法) 독자에게 여운이나 암시를 주기 위하여, 문장의 구절을 간결하게 줄이거나 빼 버리는 방법

● **다음 빈칸에 들어갈 알맞은 단어를 위에서 찾아 문맥에 맞게 써 보자.**

(1) ☐☐☐은 문장의 구절을 줄이거나 뺌으로써 독자에게 여운의 묘미를 느끼게 한다.

(2) 일반적인 말의 순서를 바꾸어 화자가 강조하는 바를 나타내는 방법을 ☐☐☐이라고 한다.

(3) 편지글에서 이름을 부르거나, 연설문에서 '여러분!' 하고 부르는 것은 ☐☐☐을 사용한 것이다.

(4) 속담 '콩 심은 데 콩 나고, 팥 심은 데 팥 난다'는 비슷한 구절을 나란히 짝 지은 ☐☐☐이 쓰였다.

(5) ☐☐ ☐☐은 '소리 없는 아우성'과 같이 의미상 서로 양립할 수 없는 말을 함께 사용하는 방법이다.

(6) '이토록 우리의 삶은 아름답지 않은가?'에는 ☐☐☐이 사용되었는데, 질문의 형식이지만 답을 요구하지 않는다는 점에서 ☐☐☐과 차이가 있다.

(7) ☐☐☐은 자신이 말하고자 하는 바와 반대로 표현할 뿐, 표현 자체에는 모순이 없다. 반면 ☐☐☐은 표현 자체에서 앞뒤가 맞지 않는 모순이 일어난다.

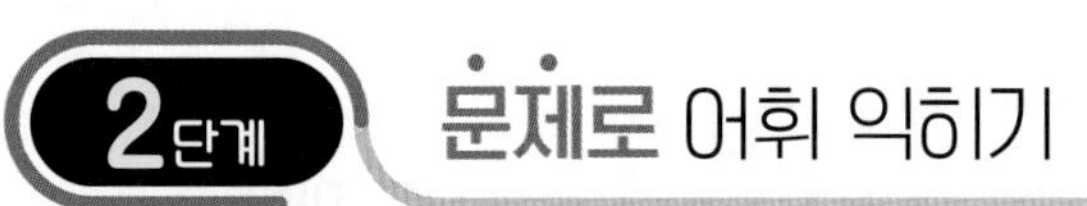

1

다음 개념에 해당하는 설명을 찾아 바르게 연결해 보자.

(1) 대구법 •　　　• ㉠ 스스로 묻고 대답하는 방법

(2) 문답법 •　　　• ㉡ 비슷한 구절을 나란히 짝 지어 문장에 변화와 안정감을 주는 방법

(3) 역설법 •　　　• ㉢ 논리적으로는 이치에 맞지 않는 표현이지만, 그 속에 진실을 담아내는 방법

2

다음 문장에 들어갈 알맞은 단어를 〈보기〉에서 찾아 써 보자.

보기

도치법　　돈호법　　반어법　　생략법

(1) (　　　　)의 대표적인 사례는 잘못을 저지른 사람에게 "참 잘했다."라고 말하는 경우이다.

(2) '아이야, 우리 식탁엔 은쟁반에 하이얀 모시 수건을 마련해 두렴.'에는 변화법의 한 종류인 (　　　　)이 사용되었다.

(3) '빈 가지에 바구니 걸어 놓고 // 내 소녀 어디 갔느뇨 / ……'에서는 불필요한 구절을 줄여 여운을 남기는 (　　　　)이 사용되었다.

3

다음 문장의 괄호 안에 들어갈 알맞은 단어를 골라 보자.

(1) '찬란한 슬픔의 봄'은 (반어법 / 역설법)에 해당한다.

(2) 때지 않은 굴뚝에서 연기가 날 리 없다는 의미를 나타내기 위해 '아니 땐 굴뚝에 연기 날까?'로 표현한 것은 (문답법 / 설의법)을 활용한 것이다.

4

다음 두 문장에 공통적으로 사용된 표현 방법을 찾아보자.

• 얻는다는 것은 곧 잃는 것이다.
• 사랑을 위하여서는 이별이, 이별이 있어야 하네.

① 대구법　　② 도치법　　③ 돈호법　　④ 반어법　　⑤ 역설법

02 현대 소설 주제어 _ 사람의 행동, 마음

문맥으로 어휘 확인하기

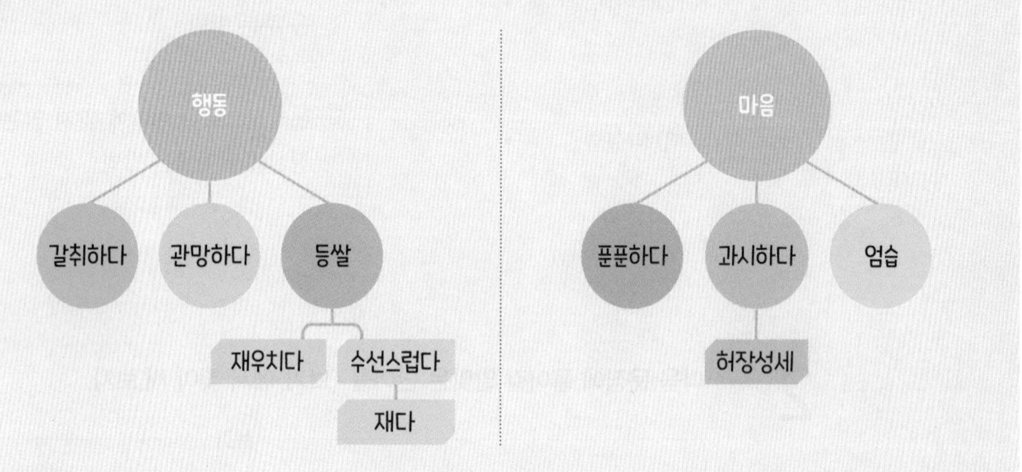

갈취(꾸짖을喝 가질取)하다 남의 것을 강제로 빼앗다.

관망(볼觀 바랄望)하다 ① 한발 물러나서 어떤 일이 되어 가는 형편을 바라보다. ② 풍경 따위를 멀리서 바라보다.

등쌀 몹시 귀찮게 구는 짓 ㊒ 성화

재우치다 빨리 몰아치거나 재촉하다.

수선스럽다 ① 정신이 어지럽게 떠들어 대는 듯하다. ② 시끄러워서 정신이 어지러워지는 듯하다.

재다 ① 동작이 재빠르다. ② 참을성이 모자라 입놀림이 가볍다.

푼푼하다 ① 모자람이 없이 넉넉하다. ② 옹졸하지 아니하고 시원스러우며 너그럽다.

과시(자랑할誇 보일示)하다 ① 자랑하여 보이다. ② 사실보다 크게 나타내어 보이다.

허장성세(빌虛 베풀張 소리聲 기세勢) 실속은 없으면서 큰소리치거나 허세를 부림 ㊟ 호왈백만(號曰百萬): 실상은 얼마 되지 아니한 것을 많은 것처럼 과장하여 말함

엄습(닫을掩 엄습할襲) 감정, 생각, 감각 따위가 갑작스럽게 들이닥치거나 덮침

● **다음 빈칸에 들어갈 알맞은 단어를 위에서 찾아 문맥에 맞게 써 보자.**

(1) 어느새 저만치 가 있는 걸 보아하니 그는 걸음이 매우 [ ] 듯하다.

(2) 이 분야에 대해서는 모르는 게 없다던 그의 말은 사실상 [ ][ ][ ][ ]였다.

(3) 휴가철이 되자 해수욕장에서는 자릿세를 [ ][ ]하는 행위가 자주 발생하고 있다.

(4) 자신 있었던 일이 실패했다는 생각이 들자, 갑자기 강한 수치심이 그를 [ ][ ]했다.

(5) 친구는 내 앞에서 피아노며 기타며 여러 악기를 연주하여 자신의 실력을 [ ][ ]했다.

(6) 믿지 못할 말이라며 어머니는 여러 차례 [ ][ ][ ] 물었지만, 아들은 아무 대답도 없었다.

(7) 절반 가까운 주민들이 건물주와 관리자들에게 속거나 그들의 [ ][ ]에 밀려 동네를 떠난 상태였다.

(8) 이제는 모두 소극적으로 [ ][ ]하는 자세를 버리고 자신의 일처럼 나서서 이웃을 도와주어야 한다.

(9) 칠순을 맞이해 음식을 [ ][ ]하게 준비하여 마을 잔치를 연 이장네 집은 모여든 손님들로 [ ][ ]스러웠다.

• 정답과 해설 09쪽

2단계 문제로 어휘 익히기

1

다음 단어의 의미를 찾아 바르게 연결해 보자.

(1) 재다 • • ㉠ 참을성이 모자라 입놀림이 가볍다.

(2) 푼푼하다 • • ㉡ 시끄러워서 정신이 어지러워지는 듯하다.

(3) 수선스럽다 • • ㉢ 옹졸하지 아니하고 시원스러우며 너그럽다.

2

다음 문장에 들어갈 알맞은 단어를 〈보기〉에서 찾아 문맥에 맞게 써 보자.

보기

갈취하다 엄습하다 재우치다 수선스럽다

(1) 어머니는 아들에게 지금 어디를 가는 거냐고 ( ) 물었다.

(2) 밤새 ( ) 몰아치는 바람 소리 때문에 나는 새벽이 되어서 겨우 잠이 들었다.

(3) 이유를 꼭 집어 말할 수는 없었지만 불현듯 ( ) 오는 고독감이 나를 하염없이 옥죄었다.

3

다음 문장의 괄호 안에 들어갈 알맞은 단어를 골라 보자.

(1) 재민이와 수호는 남들이 부러워할 만한 깊은 우정을 (과시 / 관망)하였다.

(2) 잘한 것도 없으면서 큰소리만 뻥뻥 치는 (등쌀 / 허장성세)을/를 부리다니 한심하다.

(3) 생방송을 준비 중이던 리포터 손에 들린 휴대전화를 (갈취해 / 재우쳐) 달아난 도둑이 경찰에 붙잡혔다.

4

다음 밑줄 친 부분과 바꾸어 쓸 수 있는 단어를 찾아보자.

이런 나쁜 일을 목격하고도 그저 <u>물러나 바라만 보고</u> 있다는 것은 그 자체가 죄를 짓는 것과 마찬가지이다.

① 과시하고 ② 관망하고 ③ 재우치고
④ 푼푼하게 ⑤ 수선스럽게

감상 체크

1. 이 소설의 시점은?

□□□ □□ 시점

2. 이 소설에서 '설렁탕'의 의미는?

- 아내에 대한 김 첨지의 □□이 담겨 있는 소재
- 아내가 설렁탕을 먹지 못하고 죽음으로써 사건의 □□□을 더욱 심화하는 소재

3. 제목 '운수 좋은 날'에 담긴 의미는?

김 첨지가 □을 많이 번 운수 좋은 날이 실제로는 □□가 죽은 불행한 날이라는 □□적인 의미를 담고 있음

어휘 체크

- **백통화**: 백통(구리와 니켈의 합금)으로 만든 돈
- **모주**: 술을 거르고 남은 찌꺼기에 물을 타서 뿌옇게 걸러 낸 막걸리
- **달포**: 한 달이 조금 넘는 기간
- **추기**: 송장이 썩어서 흐르는 물
- **삿자리**: 갈대를 엮어서 만든 자리
- **흰창**: '흰자위'의 방언
- **검은창**: '검은자위'의 방언

[1~3] 다음 글을 읽고 물음에 답하시오. 2003학년도 12월 고1 전국연합

(가) 근 열흘 동안 돈 구경도 못 한 김 첨지는 십 전짜리 °백통화 서 푼, 또는 다섯 푼이 찰깍하고 손바닥에 떨어질 제 거의 눈물을 흘릴 만큼 기뻤었다. 더구나 이날 이때에 이 팔십 전이라는 돈이 그에게 얼마나 유용한지 몰랐다. 컬컬한 목에 °모주 한 잔도 적실 수 있거니와, 그보다도 앓는 아내에게 설렁탕 한 그릇도 사다 줄 수 있음이다.

(나) 그의 아내가 기침으로 쿨룩거리기는 벌써 °달포가 넘었다. ㉠<u>조밥도 굶기를 먹다시피 하는 형편이니 물론 약 한 첩 써 본 일이 없다.</u> 〈중략〉

이 환자가 그러고도 먹는 데는 물리지 않았다. 사흘 전부터 설렁탕 국물이 마시고 싶다고 남편을 졸랐다. / "이런 조밥도 못 먹는 년이 설렁탕은, 또 처먹고 지랄을 하게." 라고 야단을 쳐 보았건만, 못 사 주는 마음이 시원치는 않았다.

인제 설렁탕을 사 줄 수도 있다. 앓는 어미 곁에서 배고파 보채는 개똥이(세 살먹이)에게 죽을 사 줄 수도 있다. — 팔십 전을 손에 쥔 김 첨지의 마음은 (ⓐ).

(다) 이윽고 끄는 이의 다리는 무거워졌다. 자기 집 가까이 다다른 까닭이다. 새삼스러운 염려가 그의 가슴을 눌렀다. / "오늘은 나가지 말아요. 내가 이렇게 아픈데."

이런 말이 잉잉 그의 귀에 울렸다. 그리고 병자의 움쑥 들어간 눈이 원망하는 듯이 자기를 노려보는 듯하였다. 그러자 엉엉하고 우는 개똥이의 곡성도 들은 듯싶다. 딸꾹딸꾹하고 숨 모으는 소리도 나는 듯싶다. / "왜 이러우? 기차 놓치겠구먼." 하고, 탄 이의 초조한 부르짖음이 간신히 그의 귀에 들려왔다. 〈중략〉

"예, 예" 하고 김 첨지는 또다시 달음질하였다. 집이 차차 멀어갈수록 김 첨지의 걸음에는 다시금 신이 나기 시작하였다. 다리를 (ⓑ) 놀려야만 쉴 새 없이 자기의 머리에 떠오르는 모든 근심과 걱정을 잊을 듯이…….

(라) 김 첨지도 이 불길한 침묵을 짐작했는지도 모른다. 그렇지 않으면 대문에 들어서자마자 전에 없이, / "남편이 들어오는데 나와 보지도 않아, 이년."이라고 고함을 친 게 수상하다. 이 고함이야말로 제 몸을 (ⓒ) 오는 무시무시한 증을 쫓아 버리려는 (ⓓ)인 까닭이다.

(마) 하여간 김 첨지는 방문을 왈칵 열었다. 구역을 나게 하는 °추기 — 떨어진 °삿자리 밑에서 나온 먼지내, 빨지 않은 기저귀에서 나는 똥내와 오줌내, 가지각색 때가 켜켜이 앉은 옷내, 병인의 땀 섞은 내가 섞인 추기가 무딘 김 첨지의 코를 찔렀다. 방 안에 들어서며 설렁탕을 한구석에 놓을 사이도 없이 주정꾼은 목청을 있는 대로 다 내어 호통을 쳤다. 〈중략〉

"이년아, 말을 해, 말을! 입이 붙었어?" / "……."

"으응, 이것 봐, 아무 말이 없네." / "……."

"이년아, 죽었단 말이냐, 왜 말이 없어?" / "……."

"으응, 또 대답이 없네, 정말 죽었나 보이."

바 이러다가 누운 이의 흰창이 검은창을 덮은, 위로 치뜬 눈을 알아보자마자,

"이 눈깔! 이 눈깔! 왜 나를 바루 보지 못하고 천정만 바라보느냐, 응?"

하는 말끝엔 목이 메었다. 그러자 산 사람의 눈에서 떨어진 닭똥 같은 눈물이 죽은 이의 (ⓔ) 얼굴을 어룽어룽 적시었다. 문득 김 첨지는 미친 듯이 제 얼굴을 죽은 이의 얼굴에 한데 비비대며 중얼거렸다.

"설렁탕을 사다 놓았는데 왜 먹지를 못하니, 왜 먹지를 못하니……. 괴상하게도 오늘은 운수가 좋더니만……."

– 현진건, 「운수 좋은 날」

1 ⓐ~ⓔ에 들어갈 말로 적절하지 않은 것은?

① ⓐ: 푼푼하였다 ② ⓑ: 재게
③ ⓒ: 엄습해 ④ ⓓ: 허장성세
⑤ ⓔ: 수선스러운

기출 문제

2 ㉠의 상황을 빗대어 표현한 것으로 알맞은 것은?

① 금강산도 식후경이라더니.
② 밑 빠진 독에 물 붓기라더니.
③ 개똥도 약에 쓰려면 없다더니.
④ 호미로 막을 것을 가래로 막는다더니.
⑤ 서 발 막대 내저어도 거칠 것 없다더니.

3 윗글에 대한 설명으로 적절하지 않은 것은?

① 반어적 제목이 작품의 비극성을 높이고 있다.
② 인물 간의 갈등을 통해 계층 간의 갈등을 드러내고 있다.
③ 비속어를 사용하여 하층민의 생활상을 사실적으로 보여 주고 있다.
④ 집과의 공간적 거리를 통해 인물의 심리를 효과적으로 드러내고 있다.
⑤ 행운과 불행을 사건 전개의 두 축으로 삼아 극적 긴장감을 유지하고 있다.

흰창:

검은창:

비극성: 비극(인생의 슬프고 애달픈 일을 당하여 불행한 경우)이 가지고 있는 성격이나 특성

주제별로 알아보는 **한자 성어**

어리석은 태도와 관련된 한자 성어

각주구검
(새길刻 배舟 구할求 칼劍)

융통성 없이 현실에 맞지 않는 낡은 생각을 고집하는 어리석음을 이르는 말

예 세상은 빠르게 변하고 있는데, 과거의 법만 고수하려는 것은 각주구검과 같은 태도이다.

유 **각선구검(刻船求劍)**

교각살우
(바로잡을矯 뿔角 죽일殺 소牛)

소의 뿔을 바로잡으려다가 소를 죽인다는 뜻으로, 잘못된 점을 고치려다가 그 방법이나 정도가 지나쳐 오히려 일을 그르침을 이르는 말

예 일부 동아리에 문제가 있다고 전체 동아리 활동을 금지하는 교각살우의 우를 범해서는 안 된다.

참 **소탐대실(小貪大失)**: 작은 것을 탐하다가 큰 것을 잃음

교주고슬
(갖풀膠 기둥柱 북鼓 큰 거문고瑟)

아교풀로 비파나 거문고의 기러기발(거문고, 가야금, 아쟁 등의 줄을 고르는 기구)을 붙여 놓으면 음조를 바꿀 수 없다는 뜻으로, 고지식하여 조금도 융통성이 없음을 이르는 말

예 과거의 규정이나 관습에 얽매여 스스로 교주고슬의 어리석음에 빠지지 마라.

유 **교슬(膠瑟)**

등하불명
(등잔燈 아래下 아닐不 밝을明)

등잔 밑이 어둡다는 뜻으로, 가까이에 있는 물건이나 사람을 잘 찾지 못함을 이르는 말

예 등하불명이라고 책상 위에 있는 지갑을 찾지 못해 약속 시간에 늦었다.

유 **등잔 밑이 어둡다**

목불식정
(눈目 아닐不 알識 고무래丁)

아주 간단한 글자인 '丁(고무래 정)' 자를 보고도 그것이 '고무래'인 줄을 알지 못한다는 뜻으로, 아주 까막눈임을 이르는 말

예 목불식정은 '낫 놓고 기역 자도 모른다'라는 우리 속담과 뜻이 같다.

유 **낫 놓고 기역 자도 모른다, 일자무식(一字無識)**

사후 약방문
(죽을死 뒤後 약藥 모方 글월文)

사람이 죽은 다음에야 약을 구한다는 뜻으로, 때가 지나 일이 다 틀어진 후에야 뒤늦게 대책을 세움을 비유적으로 이르는 말

예 오늘날 많은 환경 대책들은 사후 약방문식 대처에 불과하다.

유 **죽은 뒤에 약방문, 소 잃고 외양간 고친다, 망우보뢰(亡牛補牢)**

반 **유비무환(有備無患)**: 미리 준비가 되어 있으면 걱정할 것이 없음

수주대토
(지킬守 그루株 기다릴待 토끼兎)

나무 그루터기를 지키며 토끼가 와서 부딪치기를 기다린다는 뜻으로, 한 가지 일에만 얽매여 발전을 모르는 어리석은 사람을 비유적으로 이르는 말

예 기존의 방식만을 고수하는 수주대토의 태도로는 혁신을 일으킬 수 없다.

숙맥불변
(콩菽 보리麥 아닐不 분별할辨)

콩인지 보리인지를 구별하지 못한다는 뜻으로, 사리 분별을 못 하고 세상 물정을 잘 모름을 이르는 말

예 사리 분별을 못 하고 세상 물정을 잘 모르는 사람을 의미하는 '숙맥'은 본래 숙맥불변에서 나온 말이다.

유 숙맥(菽麥)

안하무인
(눈眼 아래下 없을無 사람人)

눈 아래에 사람이 없다는 뜻으로, 방자하고 교만하여 다른 사람을 업신여김을 이르는 말

예 그는 하루아침에 스타가 되더니 주변 사람들에게 안하무인으로 행동하였다.

유 안중무인(眼中無人)

우이독경
(소牛 귀耳 읽을讀 경서經)

쇠귀에 경 읽기라는 뜻으로, 아무리 가르치고 일러 주어도 알아듣지 못함을 이르는 말

예 고집이 센 동생은 내가 아무리 타이르고 다그쳐 봤자 우이독경이었다.

유 쇠귀에 경 읽기

참 대우탄금(對牛彈琴): 소를 마주 대하고 거문고를 탐

자가당착
(스스로自 집家 칠撞 붙을着)

같은 사람의 말이나 행동이 앞뒤가 서로 맞지 아니하고 모순됨

예 토론자는 답변하는 과정에서 자신이 주장한 내용을 스스로 부인하는 자가당착에 빠졌다.

유 모순(矛盾), 모순당착(矛盾撞着)

참 자기모순(自己矛盾): 스스로의 생각이나 주장이 앞뒤가 맞지 아니함

정저지와
(우물井 밑底 갈之 개구리蛙)

우물 안 개구리라는 뜻으로, 궁벽한 곳에서만 살아서 넓은 세상의 형편을 모르는 사람을 비유적으로 이르는 말

예 자기 연민에 빠져 자신만 옳고 다른 사람은 모두 틀리다고 여기는 정저지와의 태도에서 벗어나자.

유 우물 안 개구리, 좌정관천(坐井觀天): 우물 속에 앉아서 하늘을 본다는 뜻으로, 사람의 견문이 매우 좁음을 이르는 말

유래로 보는 한자 성어

각주구검(刻舟求劍)

춘추 전국 시대 초나라 사람이 소중히 여기는 칼을 가지고 양자강을 건너기 위해 배를 타고 가다가 강 한복판에서 칼을 강물에 떨어뜨리고 말았다. 놀란 초나라 사람은 얼른 주머니칼을 꺼내서 뱃전에 칼을 빠뜨린 위치를 표시하고는 '칼이 떨어진 위치를 표시해 놓았으니 찾을 수 있겠지.'라고 생각하였다. 배가 강기슭에 닿자 초나라 사람은 뱃전에 표시해 놓은 위치의 물속에 뛰어들어 칼을 찾았으나[刻舟求劍] 칼은 없었다. 이것을 보고 사람들은 그의 어리석은 행동을 비웃었고, 이후 어리석고 융통성이 없는 경우를 보면 '각주구검(刻舟求劍)'이라고 하게 되었다.

[01~06] 다음 뜻에 해당하는 한자 성어를 찾아 가로, 세로, 대각선으로 표시해 보자.

주	단	기	사	후	약	방	문	근
호	가	호	위	상	각	주	구	검
수	치	지	정	실	위	편	삼	절
정	교	주	고	슬	만	가	목	약
저	각	연	모	연	등	하	불	명
지	살	일	성	인	화	하	식	척
와	우	이	독	경	가	락	정	사
구	밀	부	자	유	친	양	주	계
자	강	불	식	상	우	공	이	산

01 쇠귀에 경 읽기라는 뜻으로, 아무리 가르치고 일러 주어도 알아듣지 못함을 이르는 말

02 아주 간단한 글자인 '丁(고무래 정)' 자를 보고도 그것이 '고무래'인 줄을 알지 못한다는 뜻으로, 아주 까막눈임을 이르는 말

03 아교풀로 비파나 거문고의 기러기발을 붙여 놓으면 음조를 바꿀 수 없다는 뜻으로, 고지식하여 조금도 융통성이 없음을 이르는 말

04 등잔 밑이 어둡다는 뜻으로, 가까이에 있는 물건이나 사람을 잘 찾지 못함을 이르는 말

05 사람이 죽은 다음에야 약을 구한다는 뜻으로, 때가 지나 일이 다 틀어진 후에야 뒤늦게 대책을 세움을 비유적으로 이르는 말

06 소의 뿔을 바로잡으려다가 소를 죽인다는 뜻으로, 잘못된 점을 고치려다가 그 방법이나 정도가 지나쳐 오히려 일을 그르침을 이르는 말

[07~11] 다음 한자 성어의 뜻을 찾아 바르게 연결해 보자.

07	각주구검(刻舟求劍) •	•	㉠ 융통성 없이 현실에 맞지 않는 낡은 생각을 고집하는 어리석음을 이르는 말
08	수주대토(守株待兎) •	•	㉡ 눈 아래에 사람이 없다는 뜻으로, 방자하고 교만하여 다른 사람을 업신여김을 이르는 말
09	숙맥불변(菽麥不辨) •	•	㉢ 콩인지 보리인지를 구별하지 못한다는 뜻으로, 사리 분별을 못 하고 세상 물정을 잘 모름을 이르는 말
10	안하무인(眼下無人) •	•	㉣ 우물 안 개구리라는 뜻으로, 궁벽한 곳에서만 살아서 넓은 세상의 형편을 모르는 사람을 비유적으로 이르는 말
11	정저지와(井底之蛙) •	•	㉤ 나무 그루터기를 지키며 토끼가 와서 부딪치기를 기다린다는 뜻으로, 한 가지 일에만 얽매여 발전을 모르는 어리석은 사람을 비유적으로 이르는 말

12 다음 밑줄 친 말과 같은 뜻의 한자 성어를 제시된 초성을 참고하여 써 보자.

옛날에 창과 방패를 파는 장사꾼이 있었다. 그는 방패를 들고 큰 소리로 외쳤다.

"이 방패는 어떤 날카로운 창도 막을 수 있습니다!"

그리고 잠시 후 이번에는 창을 들고 다시 큰 소리로 외쳤다.

"이 창은 그 어떤 단단한 방패라도 단숨에 뚫을 수 있습니다!"

그러자 사람들 속에서 한 명이 물었다.

"그렇다면 그 창으로 그 방패를 찌르면 어떻게 되는 거요?"

장사꾼은 얼굴이 빨개지며 아무 말도 하지 못했다. 여기에서 나온 말이 '<u>모순(矛盾)</u>'이다. 창을 뜻하는 한자 '모(矛)'와 방패를 뜻하는 한자 '순(盾)'을 더해 생긴 말이다.

ㅈ ㄱ ㄷ ㅊ →

01 문학 개념어

1단계 문맥으로 어휘 확인하기

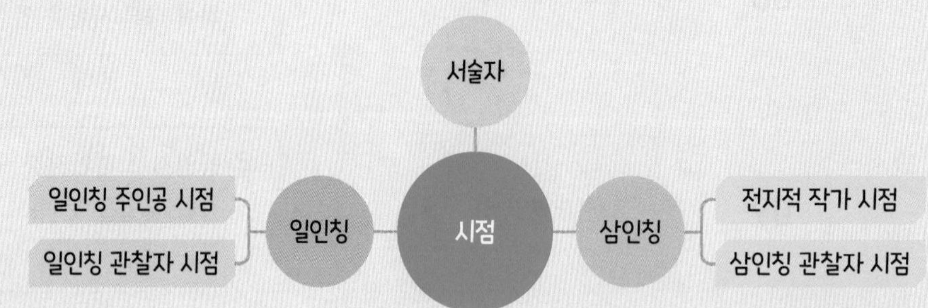

시점(볼視 점찍을點) 소설에서, 이야기를 서술하여 나가는 방식이나 관점

서술자(줄敍 지을述 놈者) 소설에서, 이야기를 전개하는 사람. 서술자의 위치와 태도에 따라 시점이 나뉨

일인칭(하나一 사람人 일컬을稱) 말하는 사람이 자기 또는 자기의 동아리를 이르는 인칭. 소설에서는 작품 안에 '나'로 등장하여 자신이 보고, 듣고, 겪은 바를 서술하는 사람을 일인칭 서술자라고 함

삼인칭(석三 사람人 일컬을稱) 화자와 청자 이외의 사람을 가리키는 말. 소설에서는 작품 밖에 위치하여 인물과 사건에 대해 서술하는 사람을 삼인칭 서술자라고 함

일인칭 주인공 시점(하나一 사람人 일컬을稱 주인主 사람人 공변될公 볼視 점찍을點) 작품 속 주인공인 '나'가 서술자가 되어 자신의 경험과 생각을 서술하는 시점. 주인공의 내면 심리를 표현하는 데 효과적임

일인칭 관찰자 시점(하나一 사람人 일컬을稱 볼觀 살필察 놈者 볼視 점찍을點) 작품 속 주변 인물인 '나'가 관찰자의 입장에서 주인공의 이야기를 서술하는 시점. '나'의 눈에 비친 외부 세계만을 다루므로, 주인공의 내면 심리는 직접적으로 제시되지 않음

전지적 작가 시점(온전할全 알知 과녁的 지을作 집家 볼視 점찍을點) 작품 밖에 위치하는 서술자가 전지적인 신처럼 작품 속 인물의 내면을 꿰뚫어 보며 사건의 전말을 알고 있는 듯이 서술하는 시점. 서술자가 작품 속에 직접 개입하여 논평을 하기도 함

삼인칭 관찰자 시점(석三 사람人 일컬을稱 볼觀 살필察 놈者 볼視 점찍을點) 작품 밖에 위치하는 서술자가 관찰자의 입장에서 작품 속 인물과 사건을 객관적으로 서술하는 시점. 인물의 내면을 제시하지 않고, 서술자의 주관적 평가나 판단도 최소화됨 ㊌ 작가 관찰자 시점

● **다음 빈칸에 들어갈 알맞은 단어를 위에서 찾아 문맥에 맞게 써 보자.**

(1) 소설에서 이야기를 전개하는 사람을 □□□라고 한다.

(2) □□은 소설에서 이야기를 서술하여 나가는 방식이나 관점을 말한다.

(3) □□□ □□□ 시점은 소설에서 작품의 중심인물인 '나'가 서술자인 경우를 말한다.

(4) □□□ □□□ 시점은 소설에서 작품의 부차적 인물인 '나'가 서술자인 경우를 말한다.

(5) □□□ □□□ 시점에서 서술자는 작품 외부에서 작품 속 인물과 사건을 객관적으로 서술한다.

(6) □□□ □□ 시점에서 서술자는 작품 외부에서 인물의 내면과 사건의 전말을 꿰뚫어 보는 존재이다.

(7) 소설에서 □□□ 서술자는 이야기 속에 '나'로 등장하여 자신이 보고, 듣고, 겪은 바를 전달하고, □□□ 서술자는 이야기에 등장하지 않으면서 이야기 속의 모든 인물들에 대해 말한다.

2단계 문제로 어휘 익히기

1

다음 개념에 해당하는 설명을 찾아 바르게 연결해 보자.

(1) 시점 •　　• ㉠ 소설에서, 이야기를 전개하는 사람

(2) 삼인칭 •　　• ㉡ 화자와 청자 이외의 사람을 가리키는 말

(3) 서술자 •　　• ㉢ 소설에서, 이야기를 서술하여 나가는 방식이나 관점

(4) 일인칭 •　　• ㉣ 말하는 사람이 자기 또는 자기의 동아리를 이르는 말

2

다음 설명이 맞으면 ○, 틀리면 × 표시를 해 보자.

(1) 소설 속 중심인물인 '나'가 자신의 이야기를 말하는 것은 '일인칭 주인공 시점'이다. (○, ×)

(2) 작품 밖 서술자가 인물의 행동뿐 아니라 심리까지 묘사하는 소설의 시점은 '전지적 작가 시점'이다. (○, ×)

(3) '삼인칭 관찰자 시점'에서는 작품 속에 등장하는 서술자가 외부 사실만을 객관적으로 서술하며, 서술자의 주관적 평가나 판단도 최소화된다. (○, ×)

3

다음 문장의 괄호 안에 들어갈 알맞은 단어를 골라 보자.

(1) (삼인칭 관찰자 시점 / 일인칭 주인공 시점)은 소설 속 등장인물인 '나'의 내면 심리를 표현하는 데 효과적이다.

(2) 독자에게 숨은 내용이나 주인공의 심리를 상상하며 읽는 즐거움을 주는 것은 (일인칭 관찰자 시점 / 전지적 작가 시점)으로 서술된 작품이다.

4

다음 소설의 시점으로 알맞은 것을 찾아보자.

세월이 흐르고 흘러 길동이 열한 살이 되었다. 비범한 아이인지라 누구 하나 길동을 칭찬하지 않는 이가 없었다. 비록 천한 여종의 몸을 빌려 낳은 자식이긴 하지만, 길동의 재주를 눈여겨본 대감 역시 길동을 무척 아끼고 사랑하였다.

그러나 길동의 가슴에는 늘 원한이 맺혀 있었다. 출생이 천한 탓에 아버지를 아버지라 부르지 못하고 형을 형이라 부르지 못하기 때문이었다. 그는 자신의 천한 신분을 한탄하고 또 한탄하였다.

– 허균, 「홍길동전」

① 작가 관찰자 시점　② 전지적 작가 시점　③ 삼인칭 관찰자 시점
④ 일인칭 관찰자 시점　⑤ 일인칭 주인공 시점

02 현대 소설 주제어 _ 상황과 대응

1단계 문맥으로 어휘 확인하기

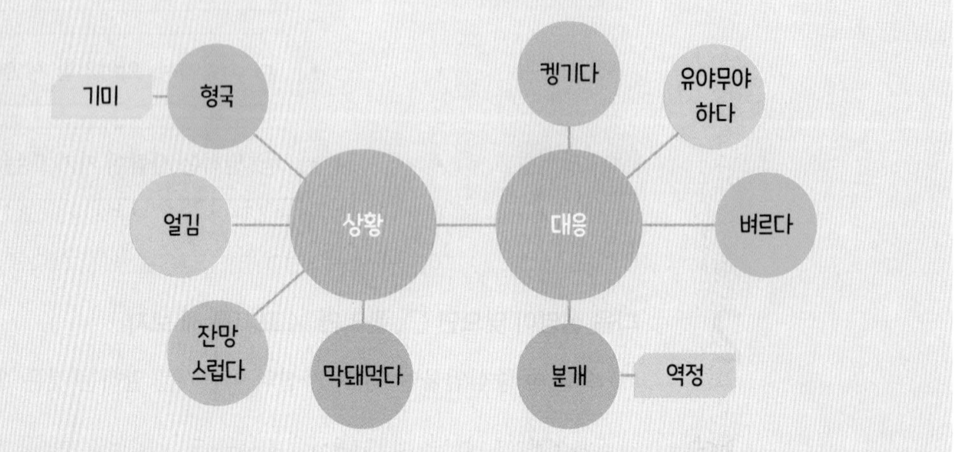

형국(형상形 판局) 어떤 일이 벌어진 장면이나 형편 ⊕ 국면, 판국

기미(기미幾 작을微/틀機 작을微) 어떤 일을 알아차릴 수 있는 눈치. 또는 일이 되어 가는 묘하고 이상한 분위기 ⊕ 낌새

얼김 어떤 일이 벌어지는 바람에 자기도 모르게 정신이 얼떨떨한 상태

잔망(잔약할孱 허망할妄)**스럽다** ① 보기에 몹시 약하고 가냘픈 데가 있다. ② 보기에 태도나 행동이 자질구레하고 가벼운 데가 있다. ③ 얄밉도록 맹랑한 데가 있다.

막돼먹다 '막되다(말이나 행실이 버릇없고 난폭하다)'를 속되게 이르는 말

분개(성낼憤 분개할慨/성낼憤 성낼愾) 몹시 분하게 여김 ⊕ 분탄

역정(거스를逆 뜻情) 몹시 언짢거나 못마땅하여서 내는 성 ⊕ 역증

벼르다 어떤 일을 이루려고 마음속으로 준비를 단단히 하고 기회를 엿보다.

유야무야(있을有 어조사耶 없을無 어조사耶)**하다** ① 있는 듯 없는 듯 흐지부지하게 처리하다. ② 있는 듯 없는 듯 흐지부지하다.

켕기다 ① 마음속으로 겁이 나고 탈이 날까 불안해하다. ② 마주 버티다. ③ 단단하고 팽팽하게 되다. ㉺ 뒤가 켕기다: 약점이나 잘못이 있어 마음이 편하지 아니하다.

● **다음 빈칸에 들어갈 알맞은 단어를 위에서 찾아 문맥에 맞게 써 보자.**

(1) 가뭄이 해갈될 ☐☐가 보이지 않는다.

(2) 녀석이 자꾸 나를 피하는 것이 뭔가 ☐☐☐ 일이 있는 것 같았다.

(3) 작년 겨울부터 사려고 ☐☐☐ 한정판 운동화가 드디어 출시되었다.

(4) ☐☐에 그의 꾀에 속아 버린 나는 ☐☐하여 소리를 지르며 뛰쳐나갔다.

(5) 그는 자신이 벌인 일이 잘못되자 자신과 관련 없는 척 ☐☐☐☐하려 하였다.

(6) 점점 복잡하게 꼬이는 ☐☐에 이르자, 왕은 신하들에게 열화같이 ☐☐을 냈다.

(7) 나폴레옹은 학생 시절 걸핏하면 사고나 치는 거칠고 ☐☐☐☐ 작은 악당이었다.

(8) 자기의 이익을 위해 ☐☐스러운 심술을 부려 다른 사람의 일에 훼방을 놓아서는 안 된다.

• 정답과 해설 11쪽

2단계 문제로 어휘 익히기

1 **다음 단어의 의미를 찾아 바르게 연결해 보자.**

(1) 기미 • • ㉠ 어떤 일이 벌어진 장면이나 형편

(2) 얼김 • • ㉡ 어떤 일이 벌어지는 바람에 자기도 모르게 정신이 얼떨떨한 상태

(3) 형국 • • ㉢ 어떤 일을 알아차릴 수 있는 눈치. 또는 일이 되어 가는 묘하고 이상한 분위기

2 **다음 문장에 들어갈 알맞은 단어를 〈보기〉에서 찾아 써 보자.**

보기

기미 분개 잔망 유야무야

(1) 학교 측의 부당한 정학 조치에 대하여 학생들이 (　　　　)을/를 하며 시위를 벌였다.

(2) 승재는 그 자리에서 (　　　　)스럽게 따지고 노하지 않을 만큼의 여유를 확보할 수가 있었다.

(3) 반장이 선거 때 약속한 많은 공약들이 금세 지켜질 듯하더니 (　　　　)하다가 어느새 모두 잊혀 버렸다.

3 **다음 문장의 괄호 안에 들어갈 알맞은 단어를 골라 보자.**

(1) 나는 비슬비슬 일어나며 소맷자락으로 눈을 가리고는 (기미 / 얼김)에 울음을 놓았다.

(2) 우리 팀은 이번에야말로 절호의 기회라며 올 시즌 우승을 잔뜩 (벼르고 / 켕기고) 있었다.

4 **다음 빈칸에 공통적으로 들어갈 알맞은 단어를 찾아보자.**

• 속웃음을 키득거리는 아이를 보며 선생님은 불같이 (　　　　)을/를 내셨다.
• 동생의 잘못을 꾸짖고 계신 할아버지는 (　　　　)이/가 많이 나신 듯 보였다.

① 기미　② 얼김　③ 역정　④ 형국　⑤ 유야무야

독해로 어휘 다지기

감상 체크

1. 이 소설의 서술자는?
어린 시절을 회상하고 있는 어른인 '□'

2. 사내가 '나'에게서 알아내고자 한 것은?
□□의 방문

3. '나'가 비밀을 누설한 결과 생긴 사건은?
□□□가 잡혀감

[1~3] 다음 글을 읽고 물음에 답하시오. 2008학년도 11월 고1 전국연합

(가) 나는 될 수 있는 대로 그 이상한 과자 위에 시선이 머물지 않도록 신경을 많이 썼다. ㉠그러나 나도 모르게 꿀꺽꿀꺽 넘어가는 침은 어쩔 수가 없었다.

[A] "뭐 조금도 부끄러워할 것 없다. 착한 아이는 상을 받는 것이 당연하단다. 어때 냐, 대답하겠니? 네 대답 한마디면 아저씨는 친구를 만나서 좋고, 너는 이 맛있는 쪼꼴렛을 먹을 수 있어서 좋고……."

무엇 때문에 내가 망설이고 있었는지 알 수 없다. 받아서 좋을 것인가, 아니면 절대로 받아서는 안 될 것인가를 결정짓지 못해서였을까. ㉡혹은 그런 도덕적인 문제가 아니라 단순히 그 나이의 시골 애답게 모르는 사람에 대한 낯가림 때문에 그랬을까. 확실한 것은 별로 기억에 없다. 아무튼 나는 꽤 오래 시간을 끌었던 것 같다.

(나) "싫어?" / 사내가 재촉했다. / "싫단 말이지?" / 사내는 몹시 섭섭한 표정을 지었다.

"그렇다면 별수 없구나. 착하게 굴면 이걸 꼭 너한테 주려고 했는데 이젠 하는 수 없다. 나한텐 필요 없는 물건야. 자, 봐라. 아깝지만 이렇게 내버리는 수밖에……."

실제로, 사내는 그걸 아무렇지도 않다는 듯이, 실제로 땅바닥에 던졌다. 던졌을 뿐만 아니고 구두 뒤축으로 싹싹 밟아 뭉개어 버렸다. 내 표정을 흘끗 읽고 나서 그는 또 한 개를 내던졌다. / "난 네가 굉장히 똑똑한 앤 줄 알았는데…… 참 안됐구나."

(다) 그는 또 한 개를 구둣발로 짓밟아 놓았다. 벌써 세 개째였다. 사내의 손안엔 이제 두 개의 과자가 남아 있었다. 그리고 여태까지의 사내의 태도로 보아 나머지 두 개마저도 충분히 짓밟고 남을 사람이었다. 사내가 별안간 껄껄 웃었다.

"너 이 녀석 우는구나. 못난 녀석 같으니라구. 얘, 꼬마야. 이제라도 늦진 않아. 잘 생각해 봐. 삼촌이 집에 다녀갔었지? 그게 언제지?" / 어른의 비상한 °수완을 나로서는 도저히 당해 낼 재간이 없다는 생각이 든 것은 바로 그 순간이었다. 그리고, ㉢이 아저씨는 진짜로 삼촌의 친구일는지도 모른다, 그렇게 생각하니 마음이 한결 가벼워졌다.

[B] 막 시작할 때의 첫마디가 가장 힘들었다. 그러나 일단 얘기를 꺼낸 다음부터는 °연자새에 감긴 실처럼 전날 밤의 기억들이 술술 풀려 나왔다.

(라) 삼촌이 몸을 벌떡 일으켰다. 그리고 눈 깜짝할 사이에 시커먼 몸뚱이가 내 앉은키를 훌쩍 뛰어넘어 버렸다. 뒷문이 부서지는 소리를 내며 떨어져 나가고 삼촌의 커다란 뒷모습이 어둠 속으로 곤두박질을 했다. 어느새 삼촌은 대밭 속을 빠져나가고 있었다. 어찌나 동작이 날렵하던지 누가 붙잡고 말 한마디 건넬 여가도 없었다. ㉣삼촌이 망가뜨리고 간 뒷문을 통해서 나는 밖으로 나갔다. 〈중략〉 고모는 뜨거운 입김을 내 귓속에 불어넣었다. / "삼촌이 집에 댕겨갔다는 얘기 누구한티도 혀서는 안 되야. 알겄냐? 그런 얘기 함부로 혔다가는 왼 집안이 큰일난다. 잽혀가. 알었냐? 알었냐?"

(마) 낯선 사내가 앞장서 걸어 나오고 바로 뒤를 이어 아버지가 따라 나왔다. 그리고 한 걸음 떨어져 °맥고자의 사내가 보였다. ㉤그는 아버지의 팔을 뒤로 °결박한 °오라의 한쪽

어휘 체크

- 수완: 일을 꾸미거나 치러 나가는 재주와 솜씨
- 연자새: '얼레(연줄, 낚싯줄 따위를 감는 데 쓰는 기구)'의 방언
- 맥고자: 맥고(밀짚이나 보릿짚)로 만든 모자
- 결박한: 몸이나 손 따위를 움직이지 못하도록 동이어 묶은
- 오라: 도둑이나 죄인을 묶을 때에 쓰던, 붉고 굵은 줄

을 손에 감아쥐고 있었다. 나를 보더니 그는 헤벌쭉 웃으며 한 눈을 찡긋해 보였다. 내 앞에서 아버지가 우뚝 걸음을 멈추었다. 아버지는 몹시 안타까워하는 눈초리로 나를 내려다보며 한참이나 무슨 말을 할 듯 할 듯 하다가는 잠자코 도로 발을 떼기 시작했다. 대문간에서는 어머니와 고모 그리고 할머니들이 한 덩어리가 되어 자빠지고 고부라져 가며 통곡을 터뜨리고 있었다. 그제야 비로소 내게도 어떤 고통의 감정이 서서히 살아나기 시작했다.

– 윤흥길, 「장마」

1 윗글에 대한 감상으로 적절하지 않은 것은?

① 어른인 사내가 어린아이인 '나'를 과자로 회유하고 있는 형국이로군.
② '나'는 사내가 자신을 속이고 있다는 기미를 결국 알아차리지 못했어.
③ '나'는 사내가 과자를 짓밟으며 자신을 동요하게 하는 것에 분개하고 있어.
④ 사내는 어떻게 해서든지 '나'에게서 정보를 얻으려고 벼르고 있었을 거야.
⑤ '나'는 자신이 삼촌의 행방을 발설함으로써 아버지가 잡혀간 것에 켕기는 마음이 들었을 거야.

회유하고: 어루만지고 잘 달래어 시키는 말을 듣도록 하고

동요하게: 생각이나 처지가 확고하지 못하고 흔들리게

발설함: 입 밖으로 말을 냄

2 [A]와 [B]에 대한 설명으로 적절한 것은?

① [A]는 [B]의 상황을 회피하려는 사내의 발화이다.
② [A]로 인한 '나'의 갈등은 [B]로 인해 잠시나마 해소된다.
③ [A]의 발화는 [B]에서 '나'의 기억을 되살리는 역할을 한다.
④ [A]에 대한 '나'의 망설임은 [B]를 통해 얻을 수 있는 자신의 이익의 크기와 관련이 있다.
⑤ [A]와 [B]에는 당시 사람들의 비도덕적인 태도를 비판하기 위한 작가의 의도가 담겨 있다.

기출 문제

3 윗글의 시점을 〈보기〉와 같이 나타낼 때, ㉠~㉤ 중 ㉮에 해당하는 것은?

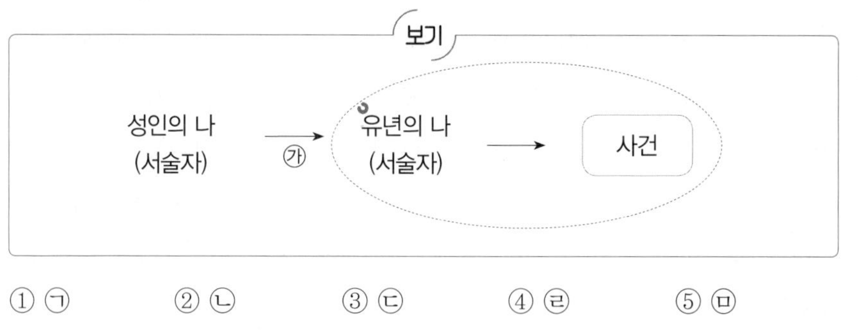

① ㉠ ② ㉡ ③ ㉢ ④ ㉣ ⑤ ㉤

유년: 어린 나이나 때. 또는 어린 나이의 아이

01 문학 개념어

1단계 문맥으로 어휘 확인하기

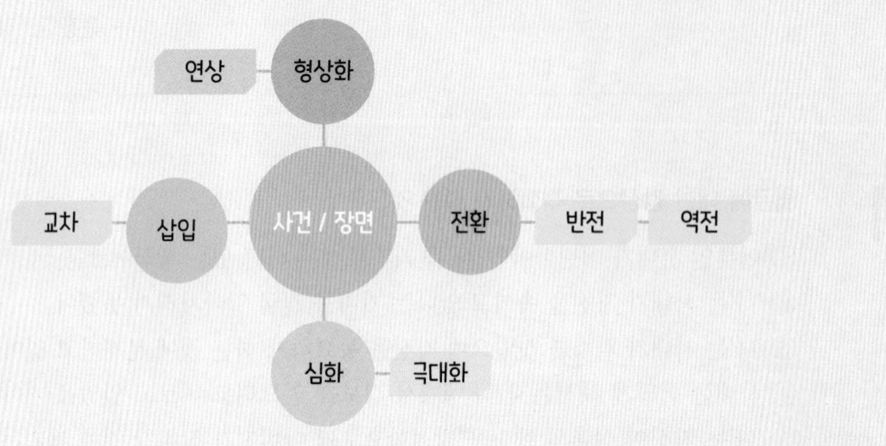

형상화(형상形 코끼리象 될化) 형체로는 분명히 나타나 있지 않은 것을 어떤 방법이나 매체를 통하여 구체적이고 명확한 형상으로 나타냄. 특히 어떤 소재를 예술적으로 재창조하는 것을 이름

연상(잇닿을聯 생각想) 하나의 관념이 다른 관념을 불러일으키는 현상. '기차'로 '여행'을 떠올리는 따위의 현상임

삽입(꽂을揷 들入) 글 따위에 다른 내용을 끼워 넣음

교차(사귈交 깍지낄叉) 서로 엇갈리거나 마주침 ㊟ 교차 편집: 두 가지 이상의 사건을 서로 엇갈리게 편집하는 방법으로, 서로 다른 장소에서 동시에 벌어지는 일을 교대로 보여 줄 때 사용됨

심화(깊을深 될化) 정도나 경지가 점점 깊어짐. 또는 깊어지게 함 ㊟ 심각화: 상태나 정도가 매우 심하거나 어렵게 됨

극대화(지극할極 큰大 될化) 아주 커짐. 또는 아주 크게 함 ㊥ 극소화

반전(돌이킬反 구를轉) 일의 형세가 뒤바뀜. 문학에서는 사건을 예상 밖의 방향으로 갑자기 바꿈으로써, 독자에게 강한 충격을 주고 주제를 효과적으로 전달하는 의도적인 방법을 말함

역전(거스를逆 구를轉) 형세가 뒤집힘. 또는 형세를 뒤집음

● **다음 빈칸에 들어갈 알맞은 단어를 위에서 찾아 문맥에 맞게 써 보자.**

(1) 고전 소설 속에서 민중의 삶을 그려 낸 장면들은 한 편의 풍속화를 ☐☐하게 하였다.

(2) 운율은 시의 의미와 정서를 확장하고 ☐☐하여 주제를 효과적으로 전달하는 기능을 한다.

(3) 고전 소설에서는 용궁이나 천상 같은 비현실적 세계를 ☐☐☐한 장면이 자주 등장한다.

(4) 사건의 극적 ☐☐은 독자에게 강한 인상을 심어 주고, 주제 의식을 부각하는 효과가 있다.

(5) 이 소설은 같은 시간에 서울과 부산에서 일어나는 사건을 ☐☐시켜 내용을 전개하고 있다.

(6) 현재의 장면을 먼저 제시하고 과거의 사건을 나중에 제시하는 것은 ☐☐적 구성에 해당한다.

(7) 고전 소설에서는 시를 읊는 장면을 ☐☐하여 인물의 심정을 드러내고 분위기를 조성하는 경우가 많다.

(8) 판소리계 소설에서는 장면의 ☐☐☐를 통해 독자가 흥미와 관심을 가지는 부분을 확장하여 서술하는 전략을 취하였다.

• 정답과 해설 12쪽

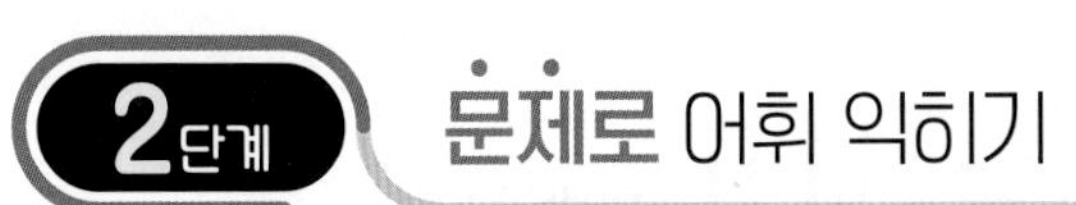

1 **다음 개념에 해당하는 설명을 찾아 바르게 연결해 보자.**

(1) 삽입 • • ㉠ 글 따위에 다른 내용을 끼워 넣음

(2) 심화 • • ㉡ 형세가 뒤집힘. 또는 형세를 뒤집음

(3) 역전 • • ㉢ 정도나 경지가 점점 깊어짐. 또는 깊어지게 함

(4) 연상 • • ㉣ 하나의 관념이 다른 관념을 불러일으키는 현상

2 **다음 문장에 들어갈 알맞은 단어를 〈보기〉에서 찾아 써 보자.**

보기

교차　　반전　　극대화　　형상화

(1) 이 영화는 결말 부분의 충격적인 (　　　　)(으)로 유명하다.

(2) 시적 효과를 (　　　　)하기 위해 시인들은 때때로 사투리를 사용하여 향토감과 친근감을 살리기도 한다.

(3) 「홍길동전」에서 홍길동이 탐관오리를 징벌하는 장면에서는 그의 의적으로서의 면모가 (　　　　)되어 있다.

3 **다음 문장의 괄호 안에 들어갈 알맞은 단어를 골라 보자.**

(1) 그의 머릿속에서는 복잡한 생각들이 분주하게 (교차 / 삽입)하고 있었다.

(2) 이 시에서 까마귀는 화자에게 떠나야 함을 재촉함으로써 이별의 아픔을 (심화 / 역전)하는 역할을 한다.

4 **다음 빈칸에 들어갈 알맞은 단어를 찾아보자.**

군담 소설은 주인공이 위기에 처한 왕실과 나라를 구하고 오랑캐를 무찌르는 이야기 구조를 가지는데, 특히 전쟁 장면에서 당시 독자들은 임진왜란과 병자호란을 (　　　　)하였을 것이다. 독자들은 주인공의 영웅적 활약상을 통해 전란에서 겪었던 모진 수난과 수모의 기억을 씻어 내고 통쾌한 감정을 느낄 수 있었을 것이다.

① 반전　　② 삽입　　③ 연상　　④ 극대화　　⑤ 형상화

02 고전 소설 주제어 _ 양반과 평민

1단계 문맥으로 어휘 확인하기

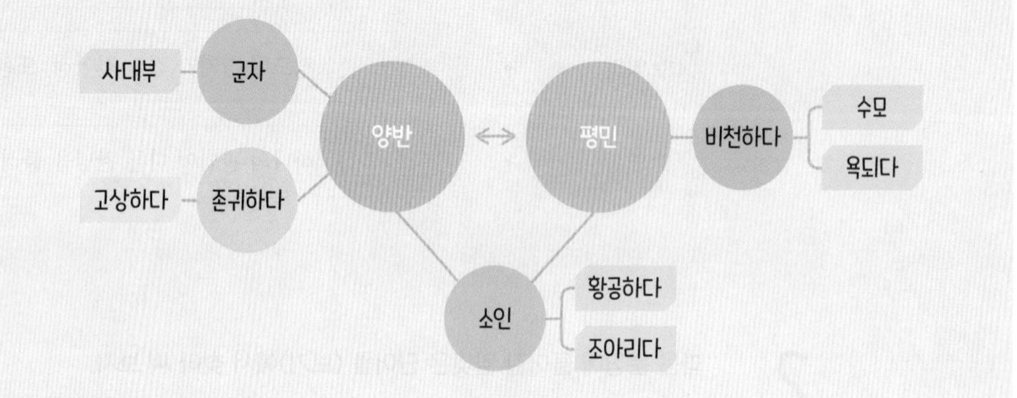

군자(임금君 아들子) ① 행실이 점잖고 어질며 덕과 학식이 높은 사람 유 대인 반 소인 ② 예전에, 높은 벼슬에 있던 사람을 이르던 말

사대부(선비士 큰大 남편夫) ① 문무 양반(文武兩班)을 일반 평민층에 상대하여 이르는 말 ② 벼슬이나 문벌이 높은 집안의 사람

존귀(높을尊 귀할貴)**하다** 지위나 신분이 높고 귀하다. 유 고귀하다 반 비천하다

고상(높을高 오히려尙)**하다** 품위나 몸가짐의 수준이 높고 훌륭하다. 유 격상하다 반 저속하다

비천(낮을卑 천할賤)**하다** 지위나 신분이 낮고 천하다.

수모(받을受 업신여길侮) 모욕을 받음

욕(욕될辱)**되다** 부끄럽고 치욕적이고 불명예스럽다. 참 욕보다: 부끄러운 일을 당하다.

소인(작을小 사람人) ① 도량이 좁고 간사한 사람 ② 신분이 낮은 사람이 자기보다 신분이 높은 사람을 상대하여 자기를 낮추어 이르던 일인칭 대명사

황공(두려워할惶 두려울恐)**하다** 위엄이나 지위 따위에 눌리어 두렵다. 유 황송하다

조아리다 상대편에게 존경의 뜻을 보이거나 애원하느라고 이마가 바닥에 닿을 정도로 머리를 자꾸 숙이다.

● **다음 빈칸에 들어갈 알맞은 단어를 위에서 찾아 문맥에 맞게 써 보자.**

(1) ☐☐한 자리에 있는 사람일수록 더욱 겸손해야 한다.

(2) 그는 자신에게 맡겨진 직위가 ☐☐하여 기분이 상했다.

(3) 생원님, ☐☐이 생원님께 여쭤 볼 말이 있어 찾아왔습니다.

(4) 그는 어제 겪은 ☐☐를 떠올리며 바드득바드득 이를 갈았다.

(5) 시조와 가사는 ☐☐☐ 계층의 이념에 부합하는 시가 장르였다.

(6) 소인은 재물을 주고받고 ☐☐는 아름다운 말을 주고받는다고 했다.

(7) 큰 잘못을 저지른 나는 부모님께 머리를 ☐☐☐ 죄송하다고 사죄했다.

(8) 임금이 자리에서 내려와 손을 잡아 주자, 그는 ☐☐한 듯 큰절을 올렸다.

(9) ☐☐한 역할만 맡아 하던 그 배우는 이번 영화에서는 코믹한 역할로 출연한다.

(10) 나는 부모님의 이름이 ☐되지 않도록 지난날의 잘못을 뉘우치고 착한 사람이 되겠다고 다짐했다.

2단계 문제로 어휘 익히기

1 **다음 단어의 의미를 찾아 바르게 연결해 보자.**

(1) 군자 •　　• ㉠ 행실이 점잖고 어질며 덕과 학식이 높은 사람

(2) 소인 •　　• ㉡ 문무 양반(文武兩班)을 일반 평민층에 상대하여 이르는 말

(3) 사대부 •　　• ㉢ 신분이 낮은 사람이 자기보다 신분이 높은 사람을 상대하여 자기를 낮추어 이르던 일인칭 대명사

2 **다음 문장에 들어갈 알맞은 단어를 〈보기〉에서 찾아 써 보자.**

보기

고상　　비천　　수모　　존귀　　황공

(1) 모든 사람은 다 (　　　　)하므로 똑같이 존중받아야만 한다.

(2) 5월 신록의 숲에서는 맑고 (　　　　)한 운치를 즐길 수 있다.

(3) 나는 그에게 당한 (　　　　)을/를 하루빨리 되갚아 주고 싶었다.

(4) 그는 고학력자라고 생각할 수 없을 만큼 말투나 행동이 (　　　　)하였다.

3 **다음 단어에 대한 설명이 맞으면 ○, 틀리면 × 표시를 해 보자.**

(1) '황공하다'는 자신보다 지위가 높고 위엄이 있는 사람과 대면한 상황에서 쓸 수 있는 말이다. (○, ×)

(2) '조아리다'는 상대편에게 못마땅한 감정을 드러내며 원망하는 상황에서 쓸 수 있는 말이다. (○, ×)

4 **〈보기〉를 참고하여, 다음 빈칸에 들어갈 알맞은 단어를 찾아보자.**

파란 녹이 낀 구리거울 속에 / 내 얼굴이 남아 있는 것은
어느 왕조의 유물이기에 / 이다지도 (　　　　)

– 윤동주, 「참회록」

보기

이 시는 일제 강점기라는 시대 현실 속에서 무기력하게 살아온 화자 자신의 삶을 반성적으로 성찰하고 있는 작품이다. '파란 녹이 낀 구리거울'은 흐려진 민족혼을 상징하는 우리 역사의 유물로, 이를 통해 화자는 자신의 삶에 대한 부끄러움을 나타내고 있다.

① 욕될까　② 고상할까　③ 조아릴까　④ 존귀할까　⑤ 황공할까

[1~3] 다음 글을 읽고 물음에 답하시오. 2006학년도 3월 고2 전국연합

앞부분의 줄거리 | 정선군에 한 양반이 살았는데 집이 가난하여 환곡을 천 석이나 빌리고 갚지 못해 옥에 갇힐 처지가 되었다. 평소 자신의 신분 때문에 천대를 받고 수모를 겪던 마을의 부자는 이 소식을 듣고 양반 대신 빚을 갚아 준 뒤 양반 신분을 산다. 이를 알게 된 군수는 부자에게 양반 매매 증서를 만들자고 한다.

(가) "건륭(乾隆) 10년 9월 아무 날에 증서를 만드노니, 천 석의 환곡을 갚기 위하여 양반을 판다. 원래 양반이란 여러 가지 이름이 있다. 글을 읽으면 가리켜 사(士)라 하고, 정치에 나아가면 대부(大夫)가 되고, 덕이 있으면 군자(君子)이다. 무반(武班)은 서쪽에 늘어서고 문반(文班)은 동쪽에 늘어서는데, 이것이 '양반'이니 너 좋을 대로 따를 것이다. 야비(野卑)한 일을 딱 끊고 옛일을 본받고 뜻을 고상하게 할 것이며, 늘 오경(五更)만 되면 일어나 황(黃)에다 불을 당겨 등잔을 켜고 눈은 가만히 코끝을 보고 발꿈치를 궁둥이에 모으고 앉아 동래박의(東萊博義)를 얼음 위에 박 밀듯 왼다. 주림을 참고 추위를 견뎌 가난함을 입 밖으로 내지 말아야 한다. 〈중략〉 추워도 화로에 불을 쬐지 말고, 말할 때 이 사이로 침을 흘리지 말고, 소 잡는 일을 말고, 돈을 가지고 놀음을 말 것이다. 이와 같은 모든 품행이 양반에 어긋남이 있으면, 이 증서를 가지고 관(官)에 나와 변정(辨正)할 것이다."

이렇게 증서에다 글을 쓴 다음 성주(城主) 정선군수(旌善郡守)가 이름을 쓰고 좌수(座首)와 별감(別監)도 증인으로 서명을 하였다.

이에 통인(通引)을 시켜 도장을 찍는데, 그 소리는 엄고(嚴鼓) 치는 소리와 같고, 그 모양은 북두성(北斗星)이 종으로, 삼성(參星)이 횡으로 찍혀졌다.

(나) 부자는 호장(戶長)이 증서를 읽는 것을 쭉 듣고 한참 멍하니 있다가 말했다.

"양반이라는 게 이것뿐입니까? 나는 양반이 신선 같다고 들었는데 정말 이렇다면 너무 재미가 없는걸요. 원하옵건대 좀 더 이롭게 문서를 바꾸어 주옵소서."

그래서 문서를 다시 작성했다.

"하늘이 민(民)을 낳을 때 민을 넷으로 구분했다. 사민(四民) 가운데 가장 높은 것이 사(士)이니 이것이 곧 양반이다. 양반의 이익은 막대하니 농사도 안 짓고 장사도 않고 약간 문사(文史)를 섭렵(涉獵)해 가지고 크게는 문과(文科) 급제요, 작게는 진사(進士)가 되는 것이다. 문과의 홍패(紅牌)는 길이 두 자 남짓한 것이지만 백물이 구비되어 있어 그야말로 돈 자루인 것이다. 진사가 나이 서른에 처음 관직에 나가더라도 오히려 이름 있는 음관(蔭官)이 되고, 잘 되면 남행(南行)으로 큰 고을을 맡게 되어, 귀밑이 일산(日傘)의 바람에 희어지고, 배는 종놈의 대답 소리에 저절로 불러진다. 방에는 기생이 귀고리로 치장하고, 뜰에는 곡식 되는 소리가 학 우는 소리 같으니라. 궁한 양반이 되어 시골에 묻혀 있어도 자기 뜻대로 할 수가 있으니, 이웃집 소가 있으면 내 논밭을 먼저 갈게 하고, 마을 사람들을 불러 내 밭 김을 먼저 매게 하는데, 어느 놈이든지

감상 체크

1. 양반이 자신의 신분을 팔게 된 이유는?
□□을 갚지 못해서

2. 양반 신분을 사기 전 양반에 대한 부자의 생각은?
□□과 같음

3. 부당한 특권을 누리며 백성들에게 횡포를 부리는 양반에 대한 비판적 인식을 담은 말은?
□□□

어휘 체크

- **환곡**: 조선 시대에, 곡식을 사창에 저장하였다가 백성들에게 봄에 꾸어 주고 가을에 이자를 붙여 거두던 일. 또는 그 곡식
- **야비한**: 성질이나 행동이 야하고 천한
- **동래박의**: 1168년에 중국 남송의 동래 여조겸이 『춘추좌씨전』에 대하여 논평하고 주석한 책. 과거문에 사용되어 문과 시험의 규범이 되었음
- **변정할**: 옳고 그른 것을 따지어 바로잡을
- **엄고**: 임금이 정전에 나갈 때나 거둥할 때에, 백관과 시위 군사에게 준비를 서두르도록 큰북을 세 번 치던 일. 또는 그 북
- **섭렵해**: 많은 책을 널리 읽거나 여기저기 찾아다니며 경험하여
- **홍패**: 문과의 회시에 급제한 사람에게 주던 증서
- **음관**: 과거를 거치지 아니하고 조상의 공덕에 의하여 맡은 벼슬. 또는 그런 벼슬아치

감히 말을 잘 듣지 않으면 코에 잿물을 먹이고 상투를 붙들어 매고 수염을 자르는 등 갖은 형벌을 해도 감히 원망을 할 수 없는 것이다."

다 부자는 증서를 중지시키고 혀를 내두르며,

"아이구 맹랑합니다그려. 나를 도적놈으로 만들 셈이란 말이오?"

하고 머리를 흔들고 가 버렸다. 그 뒤로는 한평생 다시는 양반 말을 입에 올리지 않았다 한다.

– 박지원, 「양반전」

1 **윗글에 대한 설명으로 적절한 것은?**

① 사건의 극적 반전을 통하여 풍자의 효과를 높이고 있다.
② 전기적(傳奇的) 요소를 삽입하여 사건의 흐름을 전환하고 있다.
③ 인물 간에 벌어지는 갈등이 심화되며 사건 전개가 극대화되고 있다.
④ 인물의 행동 묘사를 통해 당시 평민의 구체적인 모습을 연상하게 하고 있다.
⑤ 인물의 독백을 중심으로 양반에 대한 당시 사람들의 생각을 형상화하고 있다.

2 **윗글에 대한 감상으로 적절하지 않은 것은?**

① 당시 양반들은 부당하게 재물을 모아 풍족하게 살았구나.
② 첫 번째 양반 매매 증서에서는 양반으로서의 의무만을 나열하고 있어.
③ 군수는 부자가 불이익을 보지 않도록 양반의 권리를 최대한 보장하고 있구나.
④ 돈으로 양반 신분을 사고팔 수 있는 걸 보니 작품의 창작 배경은 신분제가 흔들리던 시기일 거야.
⑤ '사', '대부', '군자'라는 양반의 다른 이름으로 볼 때, 양반은 학문을 닦거나 벼슬에 나아가거나 덕을 쌓는 존재야.

3 **윗글의 사건 구조를 〈보기〉와 같이 정리해 보았다. 〈보기〉의 ㉠~㉢의 과정에서 드러나는 부자의 심리를 추리했을 때, 적절하지 않은 것은?**

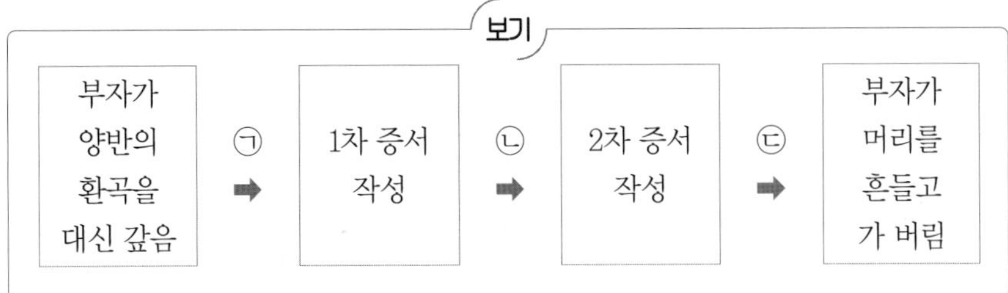

① ㉠: 경제력으로 양반을 굴복시킨 것에 통쾌함을 느낌
② ㉠: 평소에 동경했던 신선 같은 양반의 지위를 기대함
③ ㉡: 양반의 의무만 지나치게 강조한 증서 내용에 실망함
④ ㉡: 양반의 권리를 누릴 수 있도록 증서 내용의 수정을 바람
⑤ ㉢: 양반들이 특권을 부당하게 남용하고 있음에 환멸을 느낌

전기적: 기묘하고 이상하여 세상에 전할 만한. 또는 그런 것. 문학에서는 흔히 비현실적(현실에서 존재하거나 일어날 수 없는)인 것을 의미함

남용하고: ① 일정한 기준이나 한도를 넘어서 함부로 쓰고 ② 권리나 권한 따위를 본래의 목적이나 범위를 벗어나 함부로 행사하고

환멸: 꿈이나 기대나 환상이 깨어짐. 또는 그때 느끼는 괴롭고도 속절없는 마음

주제별로 알아보는 속담

심리와 관련된 속담

고운 사람 미운 데 없고 미운 사람 고운 데 없다
한번 좋게 보면 그 사람이 하는 일이 다 좋게만 보이고, 한번 밉게 보면 그 사람이 하는 일이 다 밉게만 보인다는 말
예 고운 사람 미운 데 없고 미운 사람 고운 데 없다는 말처럼 부모가 보기에 자식은 항상 예쁘기만 하다.
유 사랑하는 사람은 미움이 없고 미워하는 사람은 사랑이 없다

꿀도 약이라면 쓰다
좋은 말이라도 충고라면 듣기 싫어함을 비유적으로 이르는 말
예 꿀도 약이라면 쓴 법이니, 아무리 좋은 얘기라도 정도껏 해야 한다.

나 먹기는 싫어도 남 주기는 아깝다
자기에게 소용이 없으면서도 남에게는 주기 싫은 인색한 마음을 비유적으로 이르는 말
예 나 먹기는 싫어도 남 주기는 아까워하는 놀부는 인색한 인물의 전형이다.
유 저 먹자니 싫고 개 주자니 아깝다, 쉰밥 고양이 주기 아깝다

남의 손의 떡은 커 보인다
물건은 남의 것이 제 것보다 더 좋아 보이고 일은 남의 일이 제 일보다 더 쉬워 보임을 비유적으로 이르는 말
예 남의 손의 떡은 커 보인다는 말처럼 그의 땅은 우리 땅보다 기름지고 좋아 보였다.
유 남의 밥에 든 콩이 굵어 보인다

내 배 부르면 종의 밥 짓지 말라 한다
자기만 만족하면 남의 곤란함을 모르고 돌보아 주지 아니함을 비유적으로 이르는 말
예 내 배 부르면 종의 밥 짓지 말라 한다더니, 반장이 자기는 과제를 다 했다고 내일까지인 과제를 오늘 걷겠다고 한다.
유 내 배가 부르니 종의 배고픔을 모른다

도둑이 제 발 저리다
지은 죄가 있으면 자연히 마음이 조마조마하여짐을 비유적으로 이르는 말
예 도둑이 제 발 저리다고, 나는 실수가 드러날까 봐 안절부절 어찌할 바를 몰랐다.
유 도적은 제 발이 저려서 뛴다

뒷간에 갈 적 마음 다르고 올 적 마음 다르다
자기 일이 아주 급한 때는 통사정하며 매달리다가 그 일을 무사히 다 마치고 나면 모른 체하고 지낸다는 말
예 뒷간에 갈 적 마음 다르고 올 적 마음 다르다고, 선거 때는 서민들의 편에 섰던 사람들이 선거만 끝나면 특권 의식이 강해진다.
유 똥 누러 갈 적 마음 다르고 올 적 마음 다르다

때리는 사람보다 말리는 놈이 더 밉다
겉으로는 위하여 주는 체하면서 속으로는 해하고 헐뜯는 사람이 더 밉다는 말
예 때리는 사람보다 말리는 놈이 더 밉다고, 장난이 심하다고 꾸짖는 선생님보다 같이 장난치다가 나만 남겨 두고 도망간 친구들이 더 야속하였다.

떡 줄 사람은 꿈도 안 꾸는데 김칫국부터 마신다
해 줄 사람은 생각지도 않는데 미리부터 다 된 일로 알고 행동한다는 말
예 형이 예전에 쓰던 기타는 필요 없다고 해서 나에게 주나 기대했는데, 팔아서 새 기타 사는 데 보탠다니, 떡 줄 사람은 꿈도 안 꾸는데 김칫국부터 마신 격이다.
유 김칫국부터 마신다, 떡방아 소리 듣고 김칫국 찾는다

매도 먼저 맞는 놈이 낫다

이왕 겪어야 할 일이라면 아무리 어렵고 괴롭더라도 먼저 치르는 편이 낫다는 말

예 매도 먼저 맞는 놈이 낫다고, 어차피 해야 할 발표라면 제일 먼저 해야겠다.

못 먹는 감 찔러나 본다

제 것으로 만들지 못할 바에야 남도 갖지 못하게 못쓰게 만들자는 뒤틀린 마음을 이르는 말

예 못 먹는 감 찔러나 본다는 마음으로 그 일에 손댔다가는 큰 낭패를 볼 수 있다.

유 못 먹는 밥에 재 집어넣기, 못 먹는 호박 찔러 보는 심사

물에 빠지면 지푸라기라도 잡는다

위급한 때를 당하면 무엇이나 닥치는 대로 잡고 늘어지게 됨을 이르는 말

예 과제 마감일을 하루 앞두고 다급해진 그는 물에 빠지면 지푸라기라도 잡는 심정으로 나에게 도움을 요청하였다.

사촌이 땅을 사면 배가 아프다

남이 잘되는 것을 기뻐해 주지는 않고 오히려 질투하고 시기하는 경우를 비유적으로 이르는 말

예 사촌이 땅을 사면 배가 아프다는 말은 인간이 가진 질투심을 잘 보여 준다.

우물가에 애 보낸 것 같다

어린아이를 우물가에 내놓으면 언제 우물에 빠질지 몰라 마음이 불안하다는 뜻으로, 몹시 걱정이 되어 마음이 놓이지 아니하는 상태를 비유적으로 이르는 말

예 수학여행을 가는 나에게 엄마는 우물가에 애 보낸 것 같다며 염려하셨다.

자라 보고 놀란 가슴 솥뚜껑 보고 놀란다

어떤 사물에 몹시 놀란 사람은 비슷한 사물만 보아도 겁을 냄을 이르는 말

예 자라 보고 놀란 가슴 솥뚜껑 보고 놀란다고, 학교 앞 횡단보도에서 차에 치일 뻔한 후 멀리서 자동차 소리만 들어도 깜짝깜짝 놀란다.

유 뜨거운 물에 덴 놈 숭늉 보고도 놀란다, 불에 놀란 놈이 부지깽이만 보아도 놀란다

상황으로 보는 속담

남의 손의 떡은 커 보인다

[01~06] 다음 뜻에 해당하는 속담을 〈보기〉에서 찾아 기호를 써 보자.

보기

㉠ 매도 먼저 맞는 놈이 낫다
㉡ 우물가에 애 보낸 것 같다
㉢ 나 먹기는 싫어도 남 주기는 아깝다
㉣ 내 배 부르면 종의 밥 짓지 말라 한다
㉤ 때리는 사람보다 말리는 놈이 더 밉다
㉥ 뒷간에 갈 적 마음 다르고 올 적 마음 다르다

01 겉으로는 위하여 주는 체하면서 속으로는 해하고 헐뜯는 사람이 더 밉다는 말 (　　　　　)

02 이왕 겪어야 할 일이라면 아무리 어렵고 괴롭더라도 먼저 치르는 편이 낫다는 말 (　　　　　)

03 자기만 만족하면 남의 곤란함을 모르고 돌보아 주지 아니함을 비유적으로 이르는 말 (　　　　　)

04 자기에게 소용이 없으면서도 남에게는 주기 싫은 인색한 마음을 비유적으로 이르는 말 (　　　　　)

05 자기 일이 아주 급한 때는 통사정하며 매달리다가 그 일을 무사히 다 마치고 나면 모른 체하고 지낸다는 말 (　　　　　)

06 어린아이를 우물가에 내놓으면 언제 우물에 빠질지 몰라 마음이 불안하다는 뜻으로, 몹시 걱정이 되어 마음이 놓이지 아니하는 상태를 비유적으로 이르는 말 (　　　　　)

07 다음 글을 읽고, 수현이와 동생의 심리를 나타낼 수 있는 속담을 써 보자.

수현이네 가족은 주말에 대청소를 하였다. 수현이는 가족 모두가 쓰는 거실을 청소하였고, 동생은 수현이와 동생이 함께 쓰는 작은방을 청소하였다. 수현이는 작은방보다 거실이 넓은 것이 불만이었고, 동생은 거실보다 작은방이 정리할 물건이 많은 것이 불만이었다. 수현이와 동생은 청소하는 내내 서로 상대방의 일이 더 쉬워 보인다며 불평을 늘어놓았다.

→

[08~11] 다음 빈칸에 알맞은 단어를 쓰고, 속담의 뜻을 찾아 바르게 연결해 보자.

08 ☐이 제 발 저리다 • • ㉠ 좋은 말이라도 충고라면 듣기 싫어함을 비유적으로 이르는 말

09 꿀도 ☐이라면 쓰다 • • ㉡ 해 줄 사람은 생각지도 않는데 미리부터 다 된 일로 알고 행동한다는 말

10 못 먹는 ☐ 찔러나 본다 • • ㉢ 지은 죄가 있으면 자연히 마음이 조마조마하여짐을 비유적으로 이르는 말

11 떡 줄 사람은 꿈도 안 꾸는데 ☐부터 마신다 • • ㉣ 제 것으로 만들지 못할 바에야 남도 갖지 못하게 못쓰게 만들자는 뒤틀린 마음을 이르는 말

12 다음 〈보기〉의 속담을 참고하여 십자말풀이를 완성해 보자.

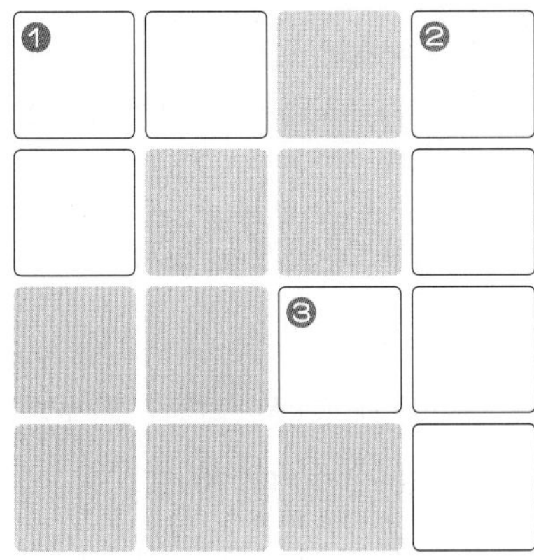

보기

가로

❶ ○○이 땅을 사면 배가 아프다: 남이 잘되는 것을 기뻐해 주지는 않고 오히려 질투하고 시기하는 경우를 비유적으로 이르는 말

❸ ○○ 보고 놀란 가슴 솥뚜껑 보고 놀란다: 어떤 사물에 몹시 놀란 사람은 비슷한 사물만 보아도 겁을 냄을 이르는 말

세로

❶ 고운 ○○ 미운 데 없고 미운 ○○ 고운 데 없다: 한번 좋게 보면 그 사람이 하는 일이 다 좋게만 보이고, 한번 밉게 보면 그 사람이 하는 일이 다 밉게만 보인다는 말

❷ 물에 빠지면 ○○○○라도 잡는다: 위급한 때를 당하면 무엇이나 닥치는 대로 잡고 늘어지게 됨을 이르는 말

01 문학 개념어

1단계 문맥으로 어휘 확인하기

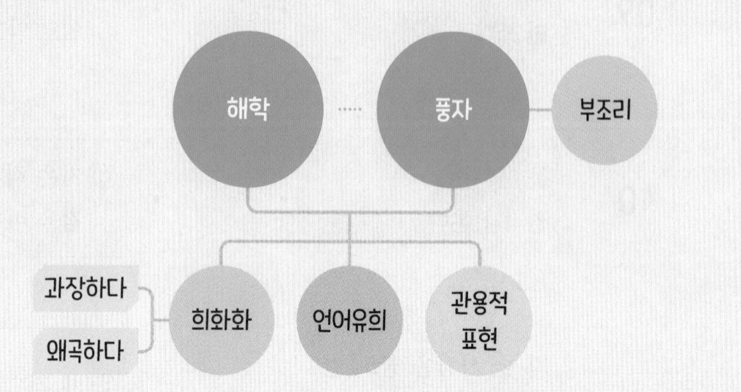

해학(고를諧 기롱지거리할謔) / **풍자**(월諷 찌를刺) 해학은 익살스럽고도 품위가 있는 말이나 행동을, 풍자는 현실의 부정적 현상이나 모순 따위를 빗대어 비웃으면서 폭로하는 것을 말함. 해학과 풍자는 사실을 곧이곧대로 드러내지 않고 과장하거나 왜곡하거나 비꼬아서 표현하여 사회적 현상이나 현실을 우스꽝스럽게 나타내고 웃음을 유발하는 표현 방식임. 그러나 해학은 선의의 웃음을 유발하여 고통과 갈등을 극복하고자 하는 의도가 담긴 반면에, 풍자는 부조리한 사회 현실이나 부정적인 인간에 대해 조롱하는 태도를 취함으로써 대상을 비판하고자 하는 의도가 담겨 있음. 따라서 해학이 동정적 웃음이라면, 풍자는 비판적 웃음이라고 할 수 있음

희화화(놀戲 그림畫 될化) 어떤 인물의 외모나 성격, 또는 사건을 의도적으로 우스꽝스럽게 묘사하는 것

과장(자랑할誇 베풀張)**하다** 사실보다 지나치게 불려서 나타내다.

왜곡(비뚤歪 굽을曲)**하다** 사실과 다르게 해석하거나 그릇되게 하다.

언어유희(말씀言 말씀語 놀遊 놀戲) 소리나 의미의 유사성을 이용하여 말놀이를 하듯 재치 있게 표현하는 것

관용적 표현(버릇慣 쓸用 과녁的 겉表 나타날現) 일상 언어와 달리 구조나 의미가 특이한 고정된 구절. 주로 구비 문학에서 작품의 내용을 재미있고 쉽게 기억할 수 있게 해 주는 역할을 함 예 옛날 옛날에, 호랑이 담배 피던 시절에~

부조리(아닐不 가지條 다스릴理) 이치에 맞지 아니하거나 도리에 어긋남. 또는 그런 일 유 비리

● **다음 빈칸에 들어갈 알맞은 단어를 위에서 찾아 문맥에 맞게 써 보자.**

(1) 그는 작은 일도 큰일인 듯 □□하여 말하는 버릇이 있다.

(2) 구비 문학의 문체적 특징 중 하나인 □□□ 표현은 해학과 풍자의 중요한 기법이 되기도 한다.

(3) 자신들에게 유리하도록 역사를 해석하거나 거짓으로 지어 쓰는 것은 역사를 □□하는 행위이다.

(4) 「흥부전」에서 마음씨가 나쁘고 심술궂은 놀부가 □□의 대상이라면, 착하고 고운 마음씨를 지닌 흥부는 □□의 대상이다.

(5) '가자가자가자 감나무 / 오자오자오자 옻나무'와 같이 소리의 유사성을 이용하여 재미있게 표현하는 것을 □□□□라고 한다.

(6) 조선 시대 민중 예술이었던 탈춤은 허세 가득한 양반들을 모습을 □□□하여 신분 차별이 극심했던 조선 사회의 □□□를 드러낸다.

2단계 문제로 어휘 익히기

1 다음 개념에 해당하는 설명을 찾아 바르게 연결해 보자.

(1) 희화화 •　　• ㉠ 일상 언어와 달리 구조나 의미가 특이한 고정된 구절

(2) 언어유희 •　　• ㉡ 소리나 의미의 유사성을 이용하여 말놀이를 하듯 재치 있게 표현하는 것

(3) 관용적 표현 •　　• ㉢ 어떤 인물의 외모나 성격, 또는 사건을 의도적으로 우스꽝스럽게 묘사하는 것

2 다음 문장에 들어갈 알맞은 단어를 〈보기〉에서 찾아 써 보자.

〈보기〉
왜곡　　풍자　　해학　　희화화

(1) 공정해야 할 언론이 사실을 (　　　　)하는 일이 있어서는 안 된다.

(2) 한국 문학은 힘겨운 삶 속에서도 웃음을 잃지 않는 (　　　　) 정신을 계승하고 있다.

(3) 그녀는 현실 사회를 신랄하게 (　　　　)하는 재치 있는 말솜씨로 시사 프로그램의 진행자가 되었다.

3 제시된 뜻과 예문을 참고하여 다음 초성에 해당하는 단어를 빈칸에 써 보자.

(1) ㄱ ㅈ 하다: 사실보다 지나치게 불려서 나타내다.

예 그의 덩치는 조금 (　　　　)해서 곰보다도 컸다.

(2) ㅂ ㅈ ㄹ : 이치에 맞지 아니하거나 도리에 어긋남. 또는 그런 일

예 자신이 속한 조직의 (　　　　)한 일을 고발하는 데에는 큰 용기가 필요하다.

4 ㉠~㉤에 들어갈 단어로 적절하지 않은 것을 찾아보자.

'풍자'와 '해학'은 대상을 우스꽝스럽게 표현하여 (　㉠　)을/를 유발한다는 공통점이 있다. 하지만 (　㉡　)이/가 대상의 부정적인 모습을 (　㉢　)하는 것이라면, (　㉣　)은/는 대상의 약점이나 실수에 대해 (　㉤　)하는 것이라고 할 수 있다.

① ㉠: 웃음　② ㉡: 풍자　③ ㉢: 공감　④ ㉣: 해학　⑤ ㉤: 동정

02 고전 소설 주제어 _ 출세와 죽음

1단계 문맥으로 어휘 확인하기

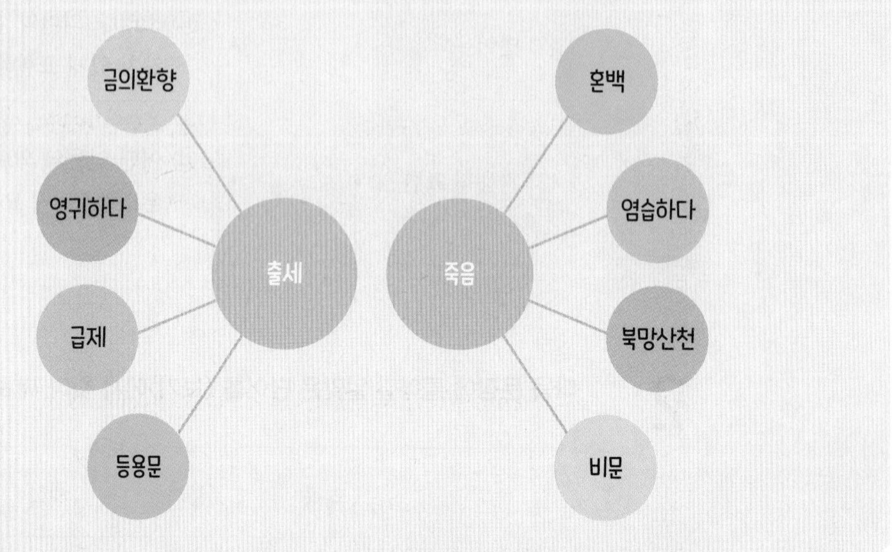

금의환향(비단錦 옷衣 돌아올還 시골鄕) 비단옷을 입고 고향에 돌아온다는 뜻으로, 출세를 하여 고향에 돌아가거나 돌아옴을 비유적으로 이르는 말

영귀(꽃榮 귀할貴)**하다** 지체가 높고 귀하다. 유 존귀하다 반 비천하다

급제(미칠及 차례第) 과거에 합격하던 일 반 낙방, 낙제 참 장원 급제: 과거에서, 합격자를 성적에 따라 나누던 세 등급 가운데 첫째 등급인 갑과의 첫째로 뽑히던 일

등용문(오를登 용龍 문門) 용문(龍門)에 오른다는 뜻으로, 어려운 관문을 통과하여 크게 출세하게 됨. 또는 그 관문을 이르는 말

혼백(넋魂 넋魄) 사람의 몸에 있으면서 몸을 거느리고 정신을 다스리는 비물질적인 것. 몸이 죽어도 영원히 남아 있다고 생각하는 초자연적인 것임 유 넋, 혼, 영혼

염습(염할殮 엄습할襲)**하다** 시신을 씻긴 뒤 수의를 갈아입히고 시체를 묶는 베인 염포로 묶다. 유 염하다

북망산천(북녘北 산 이름邙 뫼山 내川) 무덤이 많은 곳이나 사람이 죽어서 묻히는 곳을 이르는 말 유 북망산

비문(비석碑 글월文) 비석에 새긴 글 참 묘비명: 묘비에 새긴 글. 죽은 사람에 대한 경력이나 그 일생을 상징하는 말 따위를 새김

● **다음 빈칸에 들어갈 알맞은 단어를 위에서 찾아 문맥에 맞게 써 보자.**

(1) 나의 묘비에 새길 □□을 써 보면서 지난 삶을 돌아보게 되었다.

(2) 아버지는 아들이 과거에 □□하여 □□□□하기를 기대하였다.

(3) 제한적이었던 신진 작가들의 □□□이 인터넷상의 다양한 공모전으로 확대되었다.

(4) 이 씨는 아버지의 시신을 □□하고 관에 넣으면서 아버지에 대한 그리움이 더욱 커졌다.

(5) 감포 앞바다의 대왕암에는 죽어서도 나라를 지키려 한 신라 문무왕의 □□이 깃들어 있다.

(6) 할머니는 내가 □□하게 되어 사람들의 존경과 우러름을 한 몸에 받게 될 것이라고 기대하였다.

(7) 죽은 사람의 세계를 가리키는 □□□□은 중국의 베이망산에 무덤이 많다는 데서 유래한다.

2단계 문제로 어휘 익히기

1 **다음 단어의 의미를 찾아 바르게 연결해 보자.**

(1) 비문 •	• ㉠ 비석에 새긴 글
(2) 등용문 •	• ㉡ 무덤이 많은 곳이나 사람이 죽어서 묻히는 곳을 이르는 말
(3) 북망산천 •	• ㉢ 어려운 관문을 통과하여 크게 출세하게 됨. 또는 그 관문을 이르는 말

2 **다음 문장에 들어갈 알맞은 단어를 〈보기〉에서 찾아 써 보자.**

보기

급제　　염습　　혼백　　등용문

(1) 과거에는 사람이 죽으면 집에서 (　　　　)하고 장례를 치렀다.

(2) 각종 오디션 프로그램이 새로운 스타 탄생의 (　　　　)(으)로 자리 잡았다.

(3) '성웅'이라 불리는 이순신은 30세가 넘어서야 느지막이 무과에 (　　　　)하였다.

3 **다음 문장의 괄호 안에 들어갈 알맞은 단어를 골라 보자.**

(1) 이 아이는 (염습 / 영귀)한 운수를 타고 태어났으니 장차 나라를 위해 큰일을 하게 될 것이다.

(2) 선생님의 호통 소리가 어찌나 크던지, 우리는 너무 놀라서 (비문 / 혼백)이 빠져나가는 줄 알았다.

(3) 그는 메이저 리그에 도전한 지 10년 만에 세계적인 스타가 되어 국내 리그로 (등용문 / 금의환향)하였다.

4 **다음 밑줄 친 단어와 의미가 반대되는 단어를 찾아보자.**

아무리 권세가 있는 집안의 자녀라도 본인이 능력이 없으면 과거 시험에서 번번이 <u>낙방</u>할 수밖에 없다.

① 급제　② 낙제　③ 등용　④ 비문　⑤ 영귀

[1~3] 다음 글을 읽고 물음에 답하시오. 2010학년도 6월 고2 전국연합

가 봉사가 옥으로 갈 때 춘향 어미 봉사의 지팡이를 잡고 인도할 제 봉사는 춘향이가 천하일색(天下一色)이란 말을 듣고 반가워한다.

"자네가 춘향 각시인가? 대체 나를 어째 청하였나?"

"예, 다름이 아니라 간밤에 흉몽을 꾸었기에 해몽도 하고 우리 서방님이 어느 때나 나를 찾을까 길흉 여부를 점치려고 청하였소." 〈중략〉

"창 앞의 앵두꽃이 떨어져 보이고, 단장하던 거울이 깨져 보이고 문 위에 허수아비 달려 뵈고 태산이 무너지고 바닷물이 말라 보이니 **나 죽을 꿈** 아니오."

봉사 이윽히 생각하다가 양구(良久)에 왈,

"꽃이 떨어지니 능히 열매를 맺을 것이요, 거울이 깨어지니 어찌 큰 소리 한 번 없겠는가. 문 위에 허수아비 달렸음은 만인이 다 우러러봄이라. 바다가 말랐으니 용의 얼굴을 볼 것이며 산이 무너지면 평지가 되리라. 좋다. ㉠쌍가마 탈 꿈이로세. 걱정 말게. 멀지 않네."

한참 이리 수작할 제 뜻밖에 까마귀가 옥 담에 와 앉더니 까옥까옥 울거늘 춘향이 손을 들어 후여 날리며,

"방정맞은 까마귀야. 나를 잡아 가려거든 조르지나 말려무나."

"가만있소. ⓐ그 까마귀가 가옥가옥 그렇게 울지. 좋다. 좋다. '가' 자(字)는 '아름다울 가(嘉)'요, '옥' 자(字)는 '집 옥(屋)'이라. 아름답고 즐겁고 좋은 일이 불원간 돌아와서 평생에 맺힌 한을 풀 것이니 조금도 걱정 마소. 두고 보고 훗날 ㉡영귀(榮貴)하게 되는 때에 괄시나 부디 마소. 나 돌아가네."

춘향이 장탄수심(長歎愁心)으로 세월을 보내었다.

나 옥중의 춘향이 모친 월매의 음성 듣고 깜짝 놀란다.

"어머니, 어찌 와 계시오? 몹쓸 딸자식을 생각하와 천방지방 다니다가 낙상하기 쉽소. 이후랑은 오실라 마옵소서."

"날랑은 염려 말고 정신을 차려라. 왔다."

"오다니, 누가 와요? 갑갑하여 나 죽겠소. 일러 주오. 혹시나 서방님께서 기별 왔소. 언제 오신단 소식 왔소? 벼슬 띠고 내려온단 노문(路文) 왔소? 애고 답답하여라."

"ⓑ너의 서방(西方)인지 남방(南方)인지, ㉢걸인 하나 내려왔다." 〈중략〉

춘향이 저의 모친 불러,

"가련하다. 이내 신세, 하릴없이 되었구나. 금명간 죽을 년이 세간 두어 무엇 할까. ⓒ용장, 봉장, 반닫이를 되는 대로 팔아다가 별찬 진지 대접하오. 나 죽은 후에라도 나 없다 마시고 날 본 듯이 섬기소서. 서방님, 내 말씀 들으시오. 내일이 본관 사또 ㉣생신이라. 취중에 주망(酒妄) 나면 나를 올려칠 것이니 형문(刑問) 맞은 다리 장독이 났으니 수족인들 놀릴쏜가. ⓓ만수운환(漫垂雲鬟) 헝클어진 머리 이렁저렁 걷어 얹고, 이

감상 체크

1. 이 소설의 주요 인물은?
☐☐과 ☐☐☐

2. 춘향의 처지는?
☐☐에서 서방님이 오기를 기다림

3. 춘향의 정서는?
자신의 죽음에 ☐☐적 태도를 보임

어휘 체크

- **천하일색**: 세상에 드문 아주 뛰어난 미인
- **흉몽**: 불길한 꿈
- **해몽**: 꿈에 나타난 일을 풀어서 좋고 나쁨을 판단함
- **양구**: 시간이 꽤 오램
- **불원간**: 앞으로 오래지 아니한 동안
- **장탄수심**: 크게 탄식하며 근심하는 마음
- **낙상하기**: 떨어지거나 넘어져서 다치기
- **노문**: 조선 시대에, 공무로 지방에 가는 벼슬아치의 도착 예정일을 미리 그곳 관아에 알리던 공문
- **금명간**: 오늘과 내일과 같이 가까운 시간 안
- **세간**: 집안 살림에 쓰는 온갖 물건
- **반닫이**: 앞의 위쪽 절반이 문짝으로 되어 아래로 젖혀 여닫게 된, 궤 모양의 가구
- **별찬**: 보통 때와는 다르게 특별히 만든 반찬
- **주망**: 술주정이 매우 심함. 또는 그런 사람
- **형문**: 형장으로 죄인의 정강이를 때리던 형벌
- **만수운환**: 가닥가닥이 흩어져 드리워진 쪽 찐 머리
- **장폐하여**: 장형을 당하여 죽어
- **수절원사**: 절개를 지키다 원통하게 죽음

리 비틀 저리 비틀 들어가서 장폐하여 죽거들랑, 달려들어 둘러업어 우리 둘이 처음 만나 놀던 부용당의 적막한 데 뉘어 놓고, 서방님 손수 염습하되, 나의 ⓜ혼백 위로하여 북망산천 찾아갈 제, 앞 남산 뒤 남산 다 버리고 한양으로 올려다가 선산 발치에 묻어 주고, ⓔ비문에 새기기를 '수절원사춘향지묘(守節寃死春香之墓)'라 여덟 자만 새겨 주오."

– 작자 미상, 「춘향전(春香傳)」

1 ㉠~㉤ 중, 춘향이 생각하는 '나 죽을 꿈'과 가장 관련이 깊은 것은?

① ㉠ ② ㉡ ③ ㉢ ④ ㉣ ⑤ ㉤

2 ⓐ~ⓔ를 이해한 내용으로 적절하지 않은 것은?

① ⓐ: 소리의 유사성을 이용하여 까마귀 소리를 긍정적으로 해석하고 있군.
② ⓑ: 부정적인 상황에서도 언어유희를 통해 재치 있게 표현하고 있군.
③ ⓒ: 여러 가지 예를 늘어놓아 서방님에 대한 춘향의 정성을 강조하고 있군.
④ ⓓ: 인물의 외모나 성격을 의도적으로 우스꽝스럽게 묘사하여 비꼬고 있군.
⑤ ⓔ: 세련된 한문 투를 사용하여 양반층의 언어를 보여 주고 있군.

기출 문제

3 윗글의 내용을 이해한 것으로 적절하지 않은 것은?

① 춘향은 까마귀 소리를 듣고서 재회에 대해 확신한다.
② 춘향은 간밤에 꿈을 꾼 후 흉몽이라 여기고 좌절한다.
③ 월매는 걸인 행색의 이몽룡을 만난 뒤 실망감을 느낀다.
④ 봉사는 춘향이 들려준 꿈을 긍정적으로 해석하고 있다.
⑤ 춘향은 자신의 죽음을 운명으로 받아들이며 체념하고 있다.

유사성: 서로 비슷한 성질

재회: 다시 만남. 또는 두 번째로 만남

행색: 겉으로 드러나는 차림이나 태도

01 문학 개념어

1단계 문맥으로 어휘 확인하기

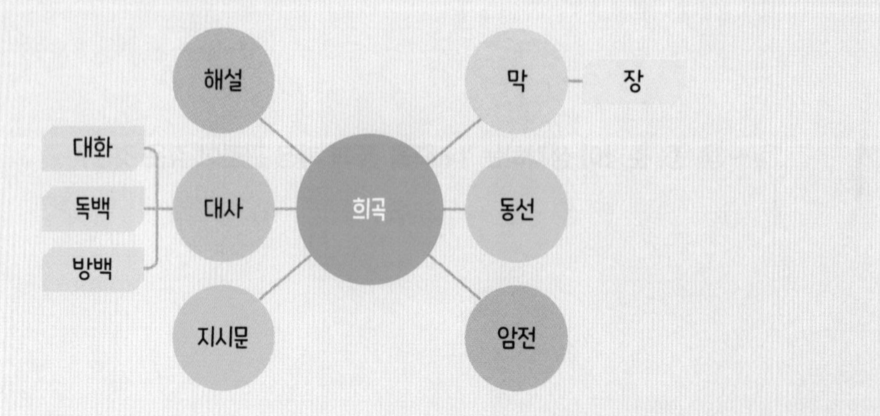

희곡(놀戱 굽을曲) 공연을 목적으로 하는 연극의 대본 ㊟ 시나리오: 영화를 만들기 위하여 쓴 각본. 장면이나 그 순서, 배우의 행동이나 대사 따위를 상세하게 표현함

해설(풀解 말씀說) 희곡에서, 막이 오르기 전 필요한 무대 장치, 인물, 배경(시간, 공간) 등을 설명하는 부분

대사(돈대臺 말씀詞 / 돈대臺 말씀辭) 연극이나 영화 따위에서 배우가 하는 말. 대화, 독백, 방백이 있음

대화(대답할對 말할話) 등장인물끼리 주고받는 말

독백(홀로獨 흰白) 배우가 상대역 없이 혼자 말하는 행위. 또는 그런 대사. 관객에게 인물의 심리 상태를 전달하는 데 효과적임

방백(곁傍 흰白) 등장인물이 말을 하지만 무대 위의 다른 인물에게는 들리지 않고 관객만 들을 수 있는 것으로 약속되어 있는 대사

지시문(가리킬指 보일示 글월文) 희곡에서, 등장인물의 동작·표정·심리·말투, 무대의 장치·조명 효과·분위기 등을 나타내는 부분. 크게 동작 지시문과 무대 지시문으로 나눌 수 있음

막(막幕) 연극의 단락을 세는 단위. 한 막은 무대의 막이 올랐다가 다시 내릴 때까지로 하위 단위인 장(場)으로 구성됨

장(마당場) 연극의 단락을 세는 단위. 막(幕)의 하위 단위로 무대 장면이 변하지 않고 이루어지는 사건의 한 토막을 이름

동선(움직일動 선線) 무대 위에서 배우들이 움직이는 자취나 방향을 나타내는 가상의 선

암전(어두울暗 구를轉) 연극에서, 무대를 어둡게 한 상태에서 무대 장치나 장면을 바꾸는 일 ㊒ 다크 체인지 ㊥ 명전

● **다음 빈칸에 들어갈 알맞은 단어를 위에서 찾아 문맥에 맞게 써 보자.**

(1) 연극은 여러 개의 □이 모여 하나의 □을 이룬다.

(2) 배우들은 무대가 □□되는 동안 의상을 갈아입기에 바빴다.

(3) 배우들은 서로 어느 방향으로 움직일지 □□을 확인하며 대사를 연습했다.

(4) 무대 위에 홀로 남은 주인공이 □□을 하는 장면에서 관객들은 모두 숨을 죽였다.

(5) 그 배우는 상대 배우와 □□를 주고받다가, 관객만 듣도록 □□으로 혼잣말을 했다.

(6) 연극의 대본인 □□은 첫머리에서 무대 장치와 인물, 배경 등을 설명하는 □□, 배우들의 □□, 무대 연출과 배우들의 연기를 지시하는 □□□으로 구성되어 있다.

2단계 문제로 어휘 익히기

1

다음 개념에 해당하는 설명을 찾아 바르게 연결해 보자.

(1) 막 •	• ㉠ 등장인물끼리 주고받는 말
(2) 대화 •	• ㉡ 연극에서 내용의 큰 단락을 세는 단위
(3) 동선 •	• ㉢ 무대 위에서 배우들이 움직이는 자취나 방향을 나타내는 가상의 선

2

다음 문장에 들어갈 알맞은 단어를 〈보기〉에서 찾아 써 보자.

보기

대사 대화 해설 지시문

(1) (　　　　)은/는 연극에서 배우가 주고받는 말이나 혼자 하는 말 등을 통틀어 이른다.

(2) 희곡에서는 글의 첫머리에 무대 장치, 인물, 배경 등을 설명하는 (　　　　)이/가 제시된다.

3

다음 문장의 괄호 안에 들어갈 알맞은 단어를 골라 보자.

(1) 희곡의 구성 요소 중 무대 장치, 인물의 행동이나 표정 등을 나타내는 것은 (대사 / 지시문)이다.

(2) 모노드라마는 한 사람의 배우가 모든 배역을 혼자 맡아 하는 연극으로, (독백 / 방백) 극이라고도 한다.

(3) 연극에서 벌어지는 사건의 작은 단위인 (막 / 장)이 끝나면, 무대의 조명이 꺼지는 (동선 / 암전) 상태로 인물들이 등장하거나 퇴장한다.

4

다음 밑줄 친 부분에 해당하는 희곡 용어를 찾아보자.

> 놀부: 야, 이놈! 여기가 어디라고 넙죽 찾아왔단 말이냐?
> 흥부: (관객에게) <u>형님이 화가 잔뜩 났지만, 제가 용기를 좀 내어 밥 좀 주십사 말을 해 봐야겠습니다요.</u> (놀부에게) 형님, 그간 무탈하셨습니까?

① 대화　② 독백　③ 방백　④ 해설　⑤ 지시문

02 극 주제어 _ 인물의 감정, 심리

1단계 문맥으로 어휘 확인하기

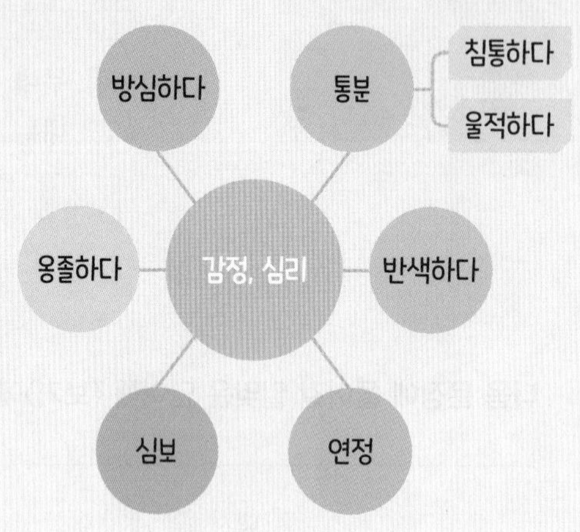

방심(놓을放 마음心)**하다** ① 마음을 다잡지 아니하고 풀어 놓아 버리다. 유 부주의하다 ② 모든 걱정을 떨쳐 버리고 마음을 편히 가지다. 유 안심하다 ③ 염려하던 마음을 놓다. 유 석려하다

옹졸(막을壅 졸할拙)**하다** 성품이 너그럽지 못하고 생각이 좁다.

심(마음心)**보** 마음을 쓰는 속 바탕 유 마음보 관 놀부 심보: 인색하고 심술궂은 마음씨를 비유적으로 이르는 말

통분(아플痛 성낼憤) 원통하고 분함

침통(잠길沈 아플痛)**하다** 슬픔이나 걱정 따위로 몹시 마음이 괴롭거나 슬프다.

울적(막힐鬱 고요할寂)**하다** 마음이 답답하고 쓸쓸하다.

반색하다 매우 반가워하다.

연정(사모할戀 뜻情) 이성을 그리워하고 사모하는 마음 유 염정, 연심

● **다음 빈칸에 들어갈 알맞은 단어를 위에서 찾아 문맥에 맞게 써 보자.**

(1) 어머니는 시집간 딸 내외가 방문하자 ☐☐하며 맞았다.

(2) 그 녀석은 고약한 ☐☐를 가지고 있어 사람들에게 환영을 받지 못한다.

(3) 그녀에 대한 그의 애틋한 ☐☐은 현실적으로 도저히 실현될 수 없는 것이었다.

(4) 나는 마음속에서 끓어오르는 ☐☐을 억제하지 못하고 상대방의 멱살을 잡았다.

(5) 모두 떠나고 혼자만 남겨졌다는 생각에 마음이 ☐☐할 때는 되도록 친구들을 만나 이야기를 나누는 것이 좋다.

(6) 몇 해 전에 전쟁에 나간 아들이 전사했다는 소식을 듣게 된 어머니는 슬픔에 잠겨 ☐☐한 표정을 숨길 수 없었다.

(7) 의사는 아버지를 간병하고 있는 나에게 환자가 위험한 상황을 넘겼다고 해서 ☐☐해서는 안 된다며 거듭 강조했다.

(8) 하루가 다르게 치솟는 고층 건물들로 인해 좁아진 하늘만큼이나 사람들의 마음 또한 ☐☐해지는 것 같아 안타깝다.

2단계 문제로 어휘 익히기

1 다음 단어의 의미를 찾아 바르게 연결해 보자.

(1) 방심하다 • • ㉠ 마음이 답답하고 쓸쓸하다.

(2) 옹졸하다 • • ㉡ 성품이 너그럽지 못하고 생각이 좁다.

(3) 울적하다 • • ㉢ 마음을 다잡지 아니하고 풀어 놓아 버리다.

2 다음 문장에 들어갈 알맞은 단어를 〈보기〉에서 찾아 써 보자.

보기

심보 연정 옹졸 침통

(1) 찬수는 오랫동안 예지에게 품었던 (　　　)의 마음을 어렵게 고백하였다.

(2) 주차 금지 표지판 앞에 자전거를 세워 두다니, 완전히 청개구리 (　　　)이/가 아닌가?

(3) 치열한 연장전 끝에 결국 패배한 선수들은 코트를 나오며 (　　　)한 표정을 감추지 못하였다.

3 다음 문장의 괄호 안에 들어갈 알맞은 단어를 골라 보자.

(1) 시험을 잘 보지 못했다고 그렇게 (방심 / 울적)해 있지만 말고, 어서 기운을 차리도록 해라.

(2) 일제의 패망을 보지 못한 채 숨진 순국 지사들은 지하에서 (연정 / 통분)이 뼈에 사무쳤을 것이다.

4 다음 빈칸에 공통적으로 쓰일 수 있는 단어를 찾아보자.

- 내가 도와주겠다고 하자 친구는 미안해하면서도 (　　　)하는 기색이었다.
- 11개의 오지 마을에 맑은 수돗물이 공급된다고 하자 마을 주민들이 (　　　)하고 나섰다.
- 선수들은 오랜만의 외출에 다들 (　　　)이었지만 감독이나 코치들은 불안하기 짝이 없었다.

① 반색 ② 방심 ③ 옹졸 ④ 침통 ⑤ 통분

3단계 독해로 어휘 다지기

[1~3] 다음 글을 읽고 물음에 답하시오. 2012학년도 11월 고1 전국연합

앞부분 줄거리 | 부서 떼를 발견한 곰치 덕분에 마을 사람들은 부서 떼를 잡으러 바다에 나가지만, 정작 곰치는 배 주인인 임 영감이 빚을 갚지 않으면 배를 빌려주지 않겠다고 하여 바다에 나가지 못한다. 곰치는 아들 도삼의 친구인 연철이와 배 문제를 해결하려고 임 영감을 만나러 갔다. 한편 범쇠 영감은 연철이가 남몰래 연정을 품고 있는 슬슬이를 자신의 아내로 삼겠다며 구포댁을 찾아온다. 그는 자신의 조건을 곰치와 구포댁이 수락한다면 임 영감의 빚을 대신 갚아 주겠다고 제안한다. 그러나 구포댁은 이를 거절한다.

가 **구포댁** 영감 마음은 우리 슬슬이를 예펜네 삼고 싶다는 것이여!

곰치 ⓐ(크게 놀라) 뭣이라고?

연철 예펜네? (말문이 막혀) 어허허— ((㉠) 얼굴로 감전당한 듯 서 있다.) 〈중략〉

연철 (곰치에게 우루루 다가가선 살기 찬 음성으로) 아자씨! 그래 그놈의 영감을 가만둬요? 그런 말을 씨불대는 그놈의 주둥이를 그냥 둬요? (주먹을 불끈 쥐어 허공을 내젓는다.)

곰치 (무뚝뚝하게) 그런 소리 하면 못써! 지놈 욕심이 그런 것을 믄 죄 지었다고 죽여? ⓑ(태연하게) 내버려 둬! 내가 이기면 그만이여! 지면 할 수 없어! 이겨사제!

연철 그라제만 그런 말을. (심한 고통을 참고 섰다.)

나 **구포댁** 그나저나 임 영감 만나 보셨소? / **곰치** 누가 놀러 댕겼어?

구포댁 원, 말도 모지게도 하요거! 일이 으찌께 됐냔 그 말이제……. 은제 임 영감 만나고 은제 고기 잡고…….

곰치 오늘 같은 날 배를 안 타고, 이 곰치가 배겨 날 것 같어? 중선배를 못 타면 남의 똘망배라도 끼어 타야제……. (광적으로) 나도 오늘 배 탔다! 중선배에 부서는 아니어도 똘망배 타고 고기 잡았다! (둑 쪽을 향해 자꾸 손가락질을 해 대며) 느그들만 고기 잡았어? 응? 〈중략〉

곰치 그것을 누가 몰라? (안타깝게) 간쪽이 썩어 문드러진다! 그래 몇십 년 만에 처음 백힌 부서 떼를…… (주먹으로 마루를 텅 치며) 이것을 그냥…… 그냥 남의 그물 속에 다만 처넣어 주고 있단 말여.

구포댁 ⓒ(덩달아 몸을 부르르 떨며) 이고 속 터져! (옷고름으로 두 눈을 꾹 누르고 나선) 시상에! 바다에다 목숨 붙여 묵고삼시러는 좋은 일이 있었어? 물줄 같은 아들들만 셋이나 지사 지내고……. (흐느낀다.) 〈중략〉

구포댁 ⓓ(잠시 심각한 표정으로 말이 없다간 갑자기 곰치의 팔을 붙들고) 예에? 도삼이 아부지! / **곰치** (건성으로) 으째 그려?

구포댁 (애걸 조로) 요참물에 빚만 빼면 아조 뭍으로 나가서는 땅이나 파묵꼬 삽시다! 예에? / **곰치** (두 눈을 부라려 뜨곤) 뭣이라고? (벌떡 일어서며) 미친 소리!

구포댁 (따라 일어서며) 아조 그랍시다. 예에?

감상 체크

1. 이 희곡에서 사건을 전개하는 핵심 소재는?

□□ □와 배

2. 곰치가 바다에 나가지 못하는 이유는?

빚을 갚지 못한 탓에 임 영감이 □를 빌려주지 않았기 때문임

3. (나)에 나타난 주된 갈등은?

뭍에서 살자는 □□□과 바다에서 살자는 □□의 외적 갈등

어휘 체크

- **부서**: 민어과의 바닷물고기
- **살기**: 남을 해치거나 죽이려는 무시무시한 기운
- **만선**: 물고기 따위를 많이 잡아 가득히 실음. 또는 그런 배

곰치 (완강하게 뿌리치며) 미친 소리 마렷! 내가 눈 속에 흙 들 때까지 그물을 놓나 봐라! 그물을 놔? 바다를 떠나? 어림없는 소리 마라! 기어코, 기어코 똘망배 하나라도 장만하고 말 것잉께!

구포댁 ⓔ(악에 받쳐) 그럼 몽땅 죽잔 말이요? 이렇게 눈치 보고만 살다가 밟혀 죽잔 말이요?

곰치 죽어? 아니 이 곰치가 으째 죽어? 곰치는 안 죽는다.

– 천승세, 「만선」

1 ㉠에 들어갈 말로 적절한 것은?

① 교활한 ② 반색한 ③ 방심한
④ 침통한 ⑤ 심드렁한

교활한: 간사하고 꾀가 많은

심드렁한: 마음에 탐탁하지 아니하여서 관심이 거의 없는

2 ⓐ~ⓔ에 대해 연출자가 배우에게 지시했음 직한 내용으로 적절하지 않은 것은?

① ⓐ는 곰치가 새로 알게 된 사실에 대해 어처구니가 없다는 듯이 연기해 주세요.
② ⓑ는 범쇠와의 관계를 생각한 곰치가 현재 상황을 회피하는 것처럼 연기해 주세요.
③ ⓒ는 고기를 잡지 못하는 상황에 대해 구포댁의 분함이 느껴지도록 연기해 주세요.
④ ⓓ는 구포댁이 깊이 생각한 후에 내린 결정을 곰치에게 말하려는 모습으로 연기해 주세요.
⑤ ⓔ는 구포댁이 곰치에게 모질게 대드는 모습이 보이도록 연기해 주세요.

연출자: 연극이나 방송극 등에서, 각본을 바탕으로 배우의 연기, 무대 장치, 의상, 조명, 분장 따위의 여러 부분을 종합적으로 지도하여 작품을 완성하는 일을 맡은 사람

회피하는: 꾀를 부려 마땅히 져야 할 책임을 지지 아니하는

3 윗글에 대한 설명으로 적절하지 않은 것은?

① 사투리를 사용하여 극의 현장감을 부여하고 있다.
② 지시문을 통해 인물의 심리를 생동감 있게 전달하고 있다.
③ 인물들이 주고받는 대화를 중심으로 내용을 전개하고 있다.
④ 사건을 현재화하여 지금 일어나는 것처럼 실감 나게 보여 주고 있다.
⑤ 사건에 대해 해설해 주는 인물을 등장시켜 관객의 이해를 돕고 있다.

주제별로 알아보는 관용 표현

몸통, 마음과 관련된 관용 표현

가슴에 멍이 들다

마음속에 쓰라린 고통과 모진 슬픔이 지울 수 없이 맺히다.

예 사내는 마을 사람들의 천대와 멸시로 가슴에 멍이 들었다.

참 **가슴에 피멍이 들다**: '가슴에 멍이 들다'를 강조하여 이르는 말

가슴에 새기다

잊지 않게 단단히 마음에 기억하다.

예 그는 스승의 가르침을 가슴에 새긴 채 길을 나섰다.

유 마음에 두다

간담이 서늘하다

몹시 놀라서 섬뜩하다.

예 늦은 밤 골목길에서 불쑥 나타난 고양이 때문에 간담이 서늘하였다.

유 간담이 내려앉다, 간담이 떨어지다

등을 떠밀다

일을 억지로 시키거나 부추기다.

예 반 친구들이 등을 떠미는 바람에 나는 축제 무대에서 노래를 불렀다.

마음을 붙이다

어떤 것에 마음을 자리 잡게 하거나 전념하다.

예 소녀는 책에 마음을 붙이기 위해 소리 내어 읽기 시작하였다.

마음이 풀리다

① 마음속에 맺히거나 틀어졌던 것이 없어지다. ② 긴장하였던 마음이 누그러지다.

예 그의 얼굴을 보자 응어리졌던 마음이 풀리고 다시 애정과 신뢰가 싹트는 것이 느껴졌다.

배가 등에 붙다

먹은 것이 없어서 배가 홀쭉하고 몹시 허기지다.

예 제대로 먹지도 못하고 이틀을 걸었더니 배가 등에 붙었다.

배가 아프다

남이 잘되어 심술이 나다.

예 친구가 공모전에서 1등을 해서 배가 아팠지만 그래도 축하해 주었다.

배꼽이 빠지다

몹시 우습다.

예 동생의 황당한 질문에 가족 모두 배꼽이 빠지게 웃었다.

유 배꼽을 빼다

참 **배꼽을 잡다**: 웃음을 참지 못하여 배를 움켜잡고 크게 웃다.

어깨가 무겁다

무거운 책임을 져서 마음에 부담이 크다.

예 내가 학교를 대표한다고 생각하니 두 어깨가 무거워졌다.

반 **어깨가 가볍다**: 무거운 책임에서 벗어나 홀가분하다.

어깨를 견주다

서로 비슷한 지위나 힘을 가지다.

예 보안 서비스 시장에서는 우리 회사와 어깨를 견줄 만한 기업이 없다.

유 어깨를 겨루다

엉덩이가 근질근질하다

한군데 가만히 앉아 있지 못하고 자꾸 일어나 움직이고 싶어 하다.

예 책상 앞에 앉아 공부한 지 얼마나 지났다고 엉덩이가 근질근질해서 못 참겠다.

엉덩이가 무겁다

한번 자리를 잡고 앉으면 좀처럼 일어나지 아니하다.

예 삼촌은 엉덩이가 무거워서 우리 집에 놀러만 오면 돌아갈 줄 모른다.

유 궁둥이가 질기다

반 엉덩이가 가볍다

옆구리를 찌르다

팔꿈치나 손가락으로 옆구리를 찔러서 비밀스럽게 신호를 보내다.

예 누나가 옆구리를 찔렀지만 나는 그동안 부모님께 하고 싶었던 말을 다 하였다.

허리가 휘다

감당하기 어려운 일을 하느라 힘이 부치다.

예 비싼 대학 등록금 때문에 허리가 휘는 가정이 늘고 있다.

참 **허리가 휘청하다**: 경제적으로 매우 힘들다.

[01~06] 다음 뜻에 해당하는 관용 표현을 〈보기〉에서 찾아 기호를 써 보자.

보기

㉠ 등을 떠밀다
㉡ 허리가 휘다
㉢ 가슴에 새기다
㉣ 마음을 붙이다
㉤ 배꼽이 빠지다
㉥ 가슴에 멍이 들다

01 몹시 우습다. (　　　　)

02 일을 억지로 시키거나 부추기다. (　　　　)

03 잊지 않게 단단히 마음에 기억하다. (　　　　)

04 감당하기 어려운 일을 하느라 힘이 부치다. (　　　　)

05 어떤 것에 마음을 자리 잡게 하거나 전념하다. (　　　　)

06 마음속에 쓰라린 고통과 모진 슬픔이 지울 수 없이 맺히다. (　　　　)

[07~08] 다음 뜻풀이를 참고하여 빈칸에 공통적으로 들어갈 단어를 써 보자.

07
- [　　]가 아프다: 남이 잘되어 심술이 나다.
- [　　]가 등에 붙다: 먹은 것이 없어서 배가 홀쭉하고 몹시 허기지다.

08
- [　　]를 견주다: 서로 비슷한 지위나 힘을 가지다.
- [　　]가 무겁다: 무거운 책임을 져서 마음에 부담이 크다.

[09~12] 다음 빈칸에 알맞은 단어를 〈보기〉에서 찾아 써 보자.

보기 1	보기 2
간담 마음 엉덩이 옆구리	무겁다 찌르다 풀리다 서늘하다

09 ☐이/가 ☐: 몹시 놀라서 섬뜩하다.

10 ☐이/가 ☐: 마음속에 맺히거나 틀어졌던 것이 없어지다.

11 ☐이/가 ☐: 한번 자리를 잡고 앉으면 좀처럼 일어나지 아니하다.

12 ☐을/를 ☐: 팔꿈치나 손가락으로 옆구리를 찔러서 비밀스럽게 신호를 보내다.

13 다음 문자 메시지 대화를 읽고, 빈칸에 알맞은 관용 표현을 문맥에 맞게 써 보자.

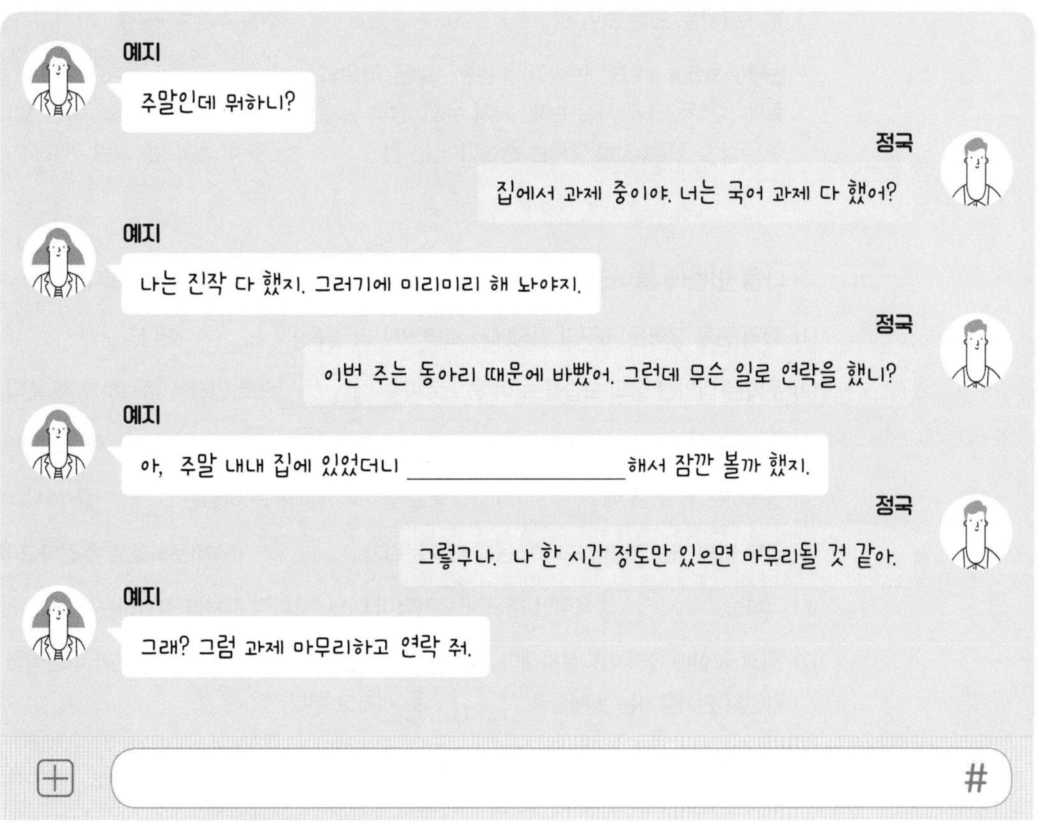

예지
주말인데 뭐하니?
정국
집에서 과제 중이야. 너는 국어 과제 다 했어?
예지
나는 진작 다 했지. 그러기에 미리미리 해 놔야지.
정국
이번 주는 동아리 때문에 바빴어. 그런데 무슨 일로 연락을 했니?
예지
아, 주말 내내 집에 있었더니 ________________해서 잠깐 볼까 했지.
정국
그렇구나. 나 한 시간 정도만 있으면 마무리될 것 같아.
예지
그래? 그럼 과제 마무리하고 연락 줘.
#

01 인문 주제어 _ 철학

1단계 문맥으로 어휘 확인하기

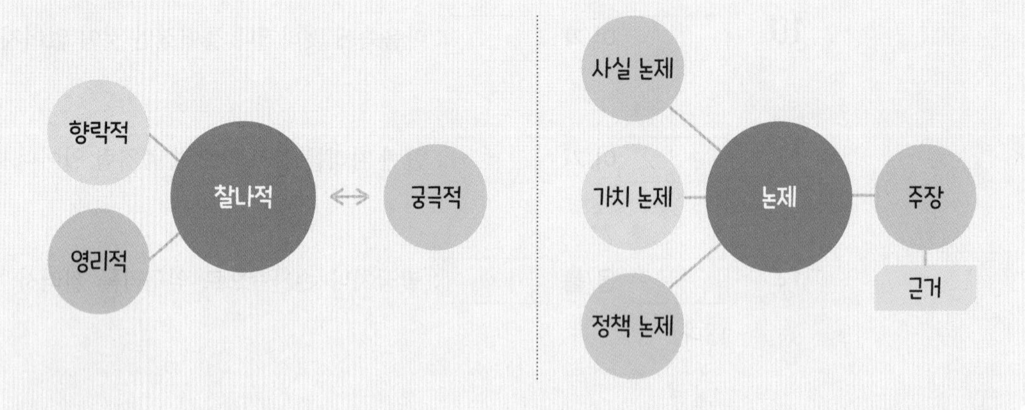

찰나적(절刹 어찌那 과녁的) 매우 짧은 시간에 이루어지는. 또는 그런 것 ㊜ 순간적

향락적(누릴享 즐길樂 과녁的) 놀고 즐기는. 또는 그런 것

영리적(경영할營 이로울利 과녁的) 재산상의 이익을 꾀하는. 또는 그런 것 ㊥ 비영리적

궁극적(다할窮 지극할極 과녁的) 더할 나위 없는 지경에 도달하는. 또는 그런 것

논제(논의할論 제목題) 논설이나 논문, 토론 따위의 주제나 제목. 크게 사실 논제, 가치 논제, 정책 논제로 나뉨 ㊟ 쟁점: 서로 다투는 중심이 되는 점

사실 논제(일事 열매實 논의할論 제목題) 어떤 사실이 참이냐 거짓이냐를 판가름해야 하는 논제

가치 논제(값價 값値 논의할論 제목題) 무엇이 옳고 그른지에 대한 가치 판단을 전제로 하는 논제

정책 논제(정사政 꾀策 논의할論 제목題) 구체적인 사안에 대해 무엇이 바람직한 실행 방안 혹은 해결 방안인지에 대한 논제

주장(주인主 베풀張) 자기의 의견이나 주의를 굳게 내세움. 또는 그런 의견이나 주의

근거(뿌리根 의거할據) 어떤 일이나 의논, 의견에 그 근본이 됨. 또는 그런 까닭

● **다음 빈칸에 들어갈 알맞은 단어를 위에서 찾아 문맥에 맞게 써 보자.**

(1) 45억 년을 살아온 지구의 입장에서 보면 인간의 삶은 ☐☐☐이다.

(2) 문학은 다양한 삶의 모습을 보여 줌으로써 ☐☐☐으로 인간을 이해하게 해 준다.

(3) 오늘 토론에서는 '사형 제도를 폐지해야 한다.'라는 ☐☐로 의견을 나누어 보겠습니다.

(4) 설득하는 글을 쓸 때 ☐☐의 설득력을 높이기 위해서는 타당한 ☐☐를 제시해야 한다.

(5) 일부 비평가는 영화나 드라마 등의 대중문화가 ☐☐☐ 소비문화를 부추긴다고 비판하고 있다.

(6) 그녀는 ☐☐☐ 목적만 추구하는 기업이 아닌, 사회적 가치를 창출하는 기업을 만들겠다고 다짐하였다.

(7) '학교 교실에 CCTV를 설치해야 한다.'와 같이 구체적인 사안에 대해 무엇이 바람직한 실행 방안 혹은 해결 방안인지 판가름하는 논제를 ☐☐ ☐☐라고 한다.

(8) '유전자 조작 식품은 안전하다.'는 사실이냐 거짓이냐를 판가름하는 ☐☐ ☐☐이고, '착한 거짓말은 바람직하다.'는 옳으냐 그르냐를 판가름하는 ☐☐ ☐☐이다.

2단계 문제로 어휘 익히기

1
다음 단어의 의미를 찾아 바르게 연결해 보자.

(1) 가치 논제 •
(2) 사실 논제 •
(3) 정책 논제 •

• ㉠ 어떤 사실이 참이냐 거짓이냐를 판가름해야 하는 논제
• ㉡ 무엇이 옳고 그른지에 대한 가치 판단을 전제로 하는 논제
• ㉢ 구체적인 사안에 대해 무엇이 바람직한 실행 방안 혹은 해결 방안인지에 대한 논제

2
다음 문장에 들어갈 알맞은 단어를 〈보기〉에서 찾아 써 보자.

보기
논제 주장 궁극적 찰나적

(1) 사진은 대상의 (　　　　) 순간을 포착하는 예술 활동이다.

(2) 자기 (　　　　)만 고집하기보다는 상대방의 의견도 충분히 들을 줄 알아야 한다.

(3) 일제 강점기에 여러 민족 운동가들이 (　　　　)(으)로 바라는 것은 오직 하나, 조국의 자주독립뿐이었다.

3
다음 문장의 괄호 안에 들어갈 알맞은 단어를 골라 보자.

(1) 기업은 (영리적 / 향락적) 목적을 위해 물건이나 서비스를 생산하고 판매하는 조직체이다.

(2) 다른 사람을 설득하는 데 주장의 명확성만큼 중요한 것이 주장을 뒷받침하는 (근거 / 논제)의 타당성이다.

(3) '인터넷 신조어를 국어사전에 등재해야 한다.'라는 논제는 어떤 문제에 대한 구체적인 실행 방안을 다루는 (가치 논제 / 정책 논제)이다.

4
다음 밑줄 친 말과 바꾸어 쓰기에 알맞은 단어를 찾아보자.

인상주의 화가들은 대상을 사실적으로 재현하는 회화적 전통에서 벗어나 빛에 따라 시시각각으로 달라지는 사물의 색채와 그에 따른 <u>순간적</u> 인상을 표현하고자 하였다.

① 궁극적　② 영리적　③ 찰나적　④ 향락적　⑤ 비영리적

02 인문 주제어 _ 철학

1단계 문맥으로 어휘 확인하기

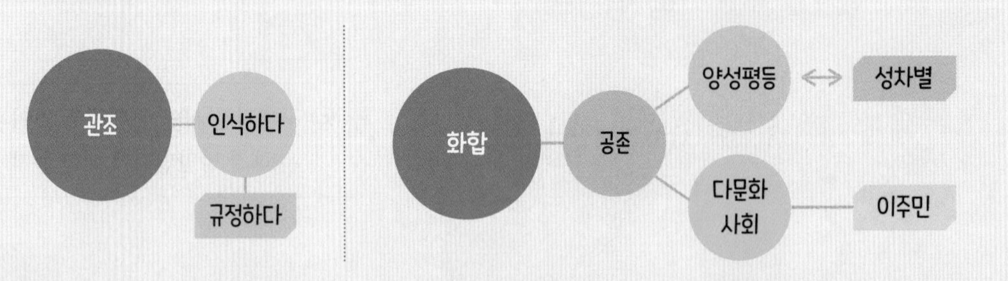

관조(볼觀 비출照) 고요한 마음으로 사물이나 현상을 관찰하거나 비추어 봄 참 반조: 돌이켜 살펴봄

인식(알認 알識)**하다** 사물을 분별하고 판단하여 알다.

규정(법規 정할定)**하다** 내용이나 성격, 의미 따위를 밝혀 정하다.

화합(화목할和 합할合) 화목하게 어울림 유 화해 참 불화: 서로 화합하지 못함. 또는 서로 사이좋게 지내지 못함

공존(함께共 있을存) ① 두 가지 이상의 사물이나 현상이 함께 존재함 유 동존 ② 서로 도와서 함께 존재함

양성평등(두兩 성품性 평평할平 같을等) 양쪽 성별에 권리, 의무, 자격 등이 차별 없이 고르고 한결같음 유 남녀평등

성차별(성품性 어그러질差 다를別) 성별로 인한 차별. 남성이나 여성이라는 이유만으로 받는 차별을 이름 참 인종 차별: 인종적 편견 때문에 특정한 인종에게 사회적, 경제적, 법적 불평등을 강요하는 일

다문화 사회(많을多 글월文 될化 모일社 모일會) 이질적인 여러 문화가 섞여 있는 사회 참 다문화 가정: 국적과 문화가 다른 남녀로 이루어진 가정

이주민(옮길移 살住 백성民) 다른 곳으로 옮겨 가서 사는 사람. 또는 다른 지역에서 옮겨 와서 사는 사람 참 원주민: 그 지역에 본디부터 살고 있는 사람들

● **다음 빈칸에 들어갈 알맞은 단어를 위에서 찾아 문맥에 맞게 써 보자.**

(1) 다음 세대가 살아갈 미래는 인공 지능과 □□하는 사회일 것이다.

(2) 그녀는 이른 아침에 일어나 명상을 통해 자신의 삶을 □□하며 하루를 시작한다.

(3) 중간고사 결과 전체 꼴찌인 우리 반의 현재 상황을 담임 선생님과 학생들 모두가 비상사태라고 □□하고 있다.

(4) 학생의 품행이나 생활 태도를 확인하지 않은 채 단순히 학업 성적이 우수한 것만 보고 모범생이라고 □□할 수는 없다.

(5) 입학이나 취업 과정에서 다른 이유 없이 남성이나 여성이라는 이유만으로 차별을 받았다면 이는 □□□이라고 할 수 있다.

(6) 우리나라가 발전하면서 유입되는 해외 □□□들의 수가 급격히 증가하였고, 이를 통해 우리나라는 빠르게 □□□ □□로 옮겨 가고 있다.

(7) □□□□은 남성과 여성을 무조건 똑같이 대우한다고 해서 이루어지는 것이 아니라, 남성과 여성이 서로를 존중하고 □□할 때 비로소 이루어질 수 있다.

2단계 문제로 어휘 익히기

1

다음 단어의 의미를 찾아 바르게 연결해 보자.

(1) 관조 •	• ㉠ 화목하게 어울림
(2) 화합 •	• ㉡ 고요한 마음으로 사물이나 현상을 관찰하거나 비추어 봄
(3) 성차별 •	• ㉢ 성별로 인한 차별. 남성이나 여성이라는 이유만으로 받는 차별을 이름

2

다음 문장에 들어갈 알맞은 단어를 〈보기〉에서 찾아 써 보자.

보기

규정　　인식　　이주민　　양성평등

(1) 새로 유입된 (　　　　)과 원주민의 갈등은 그 지역의 오랜 문젯거리였다.

(2) 역사 시간에 조별 토론을 통해 삼일 운동에 대하여 명확한 (　　　　)을 내려 보았다.

(3) 현재 초중고교에서는 학생들이 성평등 의식을 형성할 수 있도록 (　　　　) 교육을 실시하고 있다.

3

제시된 뜻과 예문을 참고하여 다음 초성에 해당하는 단어를 빈칸에 써 보자.

(1) ㅇㅅ하다: 사물을 분별하고 판단하여 알다.

예 인간의 감정을 (　　　　)할 수 있는 로봇이 개발되었다.

(2) ㄷㅁㅎㅅㅎ: 이질적인 여러 문화가 섞여 있는 사회

예 교통과 인터넷이 발달하면서 세계는 점점 (　　　　)로 변화해 가고 있다.

(3) ㅇㅅㅍㄷ: 양쪽 성별에 권리, 의무, 자격 등이 차별 없이 고르고 한결같음

예 여성과 남성이 상생할 수 있는 (　　　　) 사회를 실현하기 위해서는 정부는 물론 국민 개개인의 노력이 필요하다.

4

다음 빈칸에 들어갈 알맞은 단어를 찾아보자.

수필은 글쓴이가 자연과 인생을 (　　　　) 그 형상과 존재의 의미를 밝힘으로써 독자에게 깨달음을 전달하는 문학 갈래이다.

① 공존하여　② 관조하여　③ 규정하여　④ 인식하여　⑤ 화합하여

독해로 어휘 다지기

[1~3] 다음 글을 읽고 물음에 답하시오. 2016학년도 11월 고1 전국연합

1 그리스어인 '에우다이모니아(eudaimonia)'는 일반적으로 '행복'이라고 번역된다. 현대인들은 행복을 물질적인 것을 통해 느끼는 안락이나 단순한 쾌감과 동일시하는 경향이 있다. 그러나 아리스토텔레스는 에우다이모니아를 현대인들이 생각하는 행복과는 다르게 설명한다. 그는 에우다이모니아를 인간 고유의 기능인 이성을 발휘하여 그것을 완전하게 실현한 상태라고 규정하였다. 막스 쉘러는 아리스토텔레스가 말한 에우다이모니아에 시간적 속성을 부여하여 이를 세 가지 측면으로 나누어 설명하였다. 막스 쉘러의 견해는 다음과 같다.

2 첫째, ⓐ'감각적 향유로서의 에우다이모니아'는 먹고 마시는 행위와 같은 신체적 감각을 통한 향유가 이성의 테두리 안에서 이루어질 때 얻게 되는 것이다. 인간은 정신과 신체의 통일체로서 존재하기 때문에 감각을 통한 향유도 무시할 수 없다. 다만 감각적 향유가 이성을 벗어나 타인을 배려하지 않고 ㉠극단적 탐닉에 빠질 때에는 부정적인 것으로 인식된다. 그런데 감각적 향유 자체는 ㉡찰나적인 것이므로 감각적 향유의 과정에서 실현할 수 있는 에우다이모니아는 순간적인 것으로 규정된다.

3 둘째, '공동체적 삶을 통해 실현할 수 있는 에우다이모니아'는 공동체 속에서 인간이 자유를 누리면서도 이성을 발휘하여 책임 있는 행동을 함으로써 얻게 되는 것이다. 인간의 이성은 공동체의 훈육을 통해서만 개발될 수 있으므로 인간은 공동체를 떠나서 에우다이모니아를 구하려고 해서는 안 된다. 그런데 공동체에서의 인간의 행위는, 수시로 변화하는 역사적 상황 속에서 이루어지기 때문에 이러한 에우다이모니아는 역사적 시간에 의해 규정되는 것이다.

4 셋째, ⓑ'관조(觀照)의 삶을 통해 실현할 수 있는 에우다이모니아'는 인간이 세계의 영원한 질서를 인식하게 됨으로써 얻을 수 있는 것이다. 여기서 '관조'란 쾌락을 목적으로 하는 ㉢향락적 활동이나 부를 목적으로 하는 ㉣영리적 활동이 아니라, 감각적으로 포착할 수 없는 영원불변한 진리를 학문을 통해 바라보는 영혼의 활동을 말한다. 이는 이성을 통해 이루어지며 인간에게 가장 ㉤궁극적인 에우다이모니아를 가져다준다. 이러한 에우다이모니아는 시간적 한계를 뛰어넘는 영원성을 갖는다.

5 쉘러에 따르면 인간의 이성을 통해 실현되는 에우다이모니아는 모두 그 자체로 의미가 있다. 그리고 그는 에우다이모니아의 순간성, 역사성, 영원성이 서로 무관한 것이 아니므로, 인간은 전 생애에 걸쳐 이 세 가지 에우다이모니아를 함께 구현하기 위해 노력해야 한다고 보았다.

독해 체크

1. 이 글의 핵심어는?
□□(에우다이모니아)

2. 문단별 중심 내용은?
1 현대인이 생각하는 행복과 □□□□□ □□가 규정한 행복
2 감각적 □□로서의 행복
3 □□□적 삶을 통해 실현할 수 있는 행복
4 □□의 삶을 통해 실현할 수 있는 행복
5 올바른 행복 □□ 방법

3. 이 글의 주제는?
□□의 세 가지 측면과 올바른 행복 추구 방법

어휘 체크

- **안락**: 몸과 마음이 편안하고 즐거움
- **동일시하는**: 둘 이상의 것을 똑같은 것으로 보는
- **향유**: 누리어 가짐
- **탐닉**: 어떤 일을 몹시 즐겨서 거기에 빠짐
- **수시로**: 아무 때나 늘

1 **㉠~㉤의 사전적 의미로 적절하지 않은 것은?**

① ㉠: 중용을 잃고 한쪽으로 크게 치우치는. 또는 그런 것
② ㉡: 매우 짧은 시간에 이루어지는. 또는 그런 것
③ ㉢: 놀고 즐기는. 또는 그런 것
④ ㉣: 재산상의 이익을 꾀하지 않는. 또는 그런 것
⑤ ㉤: 더할 나위 없는 지경에 도달하는. 또는 그런 것

기출 문제

2 **ⓐ와 ⓑ에 대한 설명으로 적절하지 않은 것은?**

① ⓐ는 감각적 향유의 과정에서 극단적 탐닉에 빠지지 않음으로써 실현된다.
② ⓑ는 감각적 차원을 넘어선 질서에 대한 인식을 통해서 실현된다.
③ ⓐ와 ⓑ는 모두 이성의 발휘를 통해 이루어질 수 있다.
④ ⓐ는 ⓑ와 달리 정신을 배제한 신체적 감각을 중시하는 가치 판단을 전제한다.
⑤ ⓑ는 ⓐ와 달리 시간적 속성에 있어서 순간성이 아니라 영원성에 의해서 규정된다.

가치 판단: 판단하는 사람의 가치관이 개입되는 판단
전제한다: 어떠한 사물이나 현상을 이루기 위해 먼저 내세운다.

3 **윗글을 바탕으로 〈보기〉를 이해한 내용으로 적절한 것은?**

동생은 케이크를 좋아해서 많이 먹다 보니 다른 가족을 고려하지 않고 그들의 몫까지 다 먹어 버렸다.

① 동생이 케이크를 먹는 행위는 공동체적 삶을 통해 실현할 수 있는 행복에 해당하는군.
② 동생이 케이크를 먹지 않는다면 관조의 삶을 통해 실현할 수 있는 행복을 실현할 수 있겠군.
③ 동생이 케이크를 좋아해서 많이 먹는 행위는 궁극적인 행복을 추구하는 것으로 볼 수 있겠군.
④ 동생이 다른 가족 몫의 케이크까지 다 먹어 버린 행위는 극단적 탐닉에 빠진 것이라고 볼 수 있겠군.
⑤ 동생이 다른 가족을 배려하여 케이크를 나누어 먹는다면 감각적 향유로서의 행복을 실현할 수 없겠군.

01 인문 주제어 _ 심리학

1단계 문맥으로 어휘 확인하기

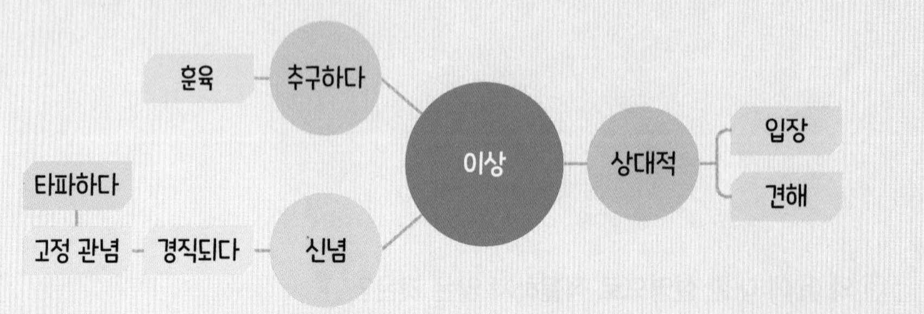

이상(다스릴理 생각想) 생각할 수 있는 범위 안에서 가장 완전하다고 여겨지는 상태 반 현실: 현재 실제로 존재하는 사실이나 상태

추구(쫓을追 구할求)하다 목적을 이룰 때까지 뒤쫓아 구하다.

훈육(가르칠訓 기를育) 품성이나 도덕 따위를 가르쳐 기름

신념(믿을信 생각할念) 굳게 믿는 마음

경직(굳을硬 곧을直)되다 ① 사고방식, 태도, 분위기 따위가 부드럽지 못하여 융통성이 없고 엄격하게 되다. ② 몸 따위가 굳어서 뻣뻣하게 되다.

고정 관념(굳을固 정할定 볼觀 생각할念) 잘 변하지 아니하는, 행동을 주로 결정하는 확고한 의식이나 관념 유 고착 관념

타파(칠打 깨뜨릴破)하다 부정적인 규정, 관습, 제도 따위를 깨뜨려 버리다.

상대적(서로相 대답할對 과녁的) 서로 맞서거나 비교되는 관계에 있는. 또는 그런 것 참 절대적: 비교하거나 상대될 만한 것이 없는. 또는 그런 것

입장(설立 마당場) 당면하고 있는 상황

견해(볼見 풀解) 어떤 사물이나 현상에 대한 자기의 의견이나 생각

● **다음 빈칸에 들어갈 알맞은 단어를 위에서 찾아 문맥에 맞게 써 보자.**

(1) 공업의 발달은 농업의 중요성을 □□□으로 감소시켰다.

(2) 그는 현실에서 이루기 어려운, 너무나 높은 □□을 품고 있다.

(3) 그는 농담을 하며 자칫 □□되기 쉬운 대화 분위기를 풀어 주었다.

(4) 이 문제를 해결하지 못한다면 우리의 □□이 매우 난처해질 것이다.

(5) '여자는 분홍, 남자는 파랑'이라는 □□ □□이 차별적 성 인식을 강화한다.

(6) 서로의 □□가 상반되는 경우에는 다투지 말고 대화를 통해 타협점을 찾아야 한다.

(7) 요즘의 텔레비전 프로그램은 지나치게 오락성만을 □□하고 있는 것 같아 안타깝다.

(8) 자본가, 노동자, 농민 들은 신분제로 유지되던 낡은 중세적 사회 질서를 □□하고자 했다.

(9) '존재하고 있는 것은 절대 부수지 않는다.'라는 □□으로 공간 리모델링 작업을 해 온 건축가가 올해 큰 상을 받았다.

(10) 부모가 □□하면서 아이들에게 충분히 관심을 가질 때, 아이들은 자신이 사랑받고 있다고 느낀다는 연구 결과가 나왔다.

2단계 문제로 어휘 익히기

1

다음 단어의 의미를 찾아 바르게 연결해 보자.

(1) 견해 •　　• ㉠ 굳게 믿는 마음

(2) 신념 •　　• ㉡ 품성이나 도덕 따위를 가르쳐 기름

(3) 훈육 •　　• ㉢ 어떤 사물이나 현상에 대한 자기의 의견이나 생각

2

다음 문장에 들어갈 알맞은 단어를 〈보기〉에서 찾아 써 보자.

보기

경직　　추구　　상대적　　고정 관념

(1) 그는 무슨 색 재킷에는 어떤 색 타이가 어울린다는 (　　　　)을/를 버린 지 오래라고 말했다.

(2) 나는 (　　　　)된 사고방식의 틀을 깨고, 앞으로는 다른 사람의 의견에 귀를 기울이기로 다짐했다.

(3) 간접 광고는 직접 광고에 비해 시청자가 채널을 돌려 광고를 회피하기가 (　　　　)(으)로 어려워 시청자에게 노출될 확률이 더 높다.

3

다음 문장의 괄호 안에 들어갈 알맞은 단어를 골라 보자.

(1) 그 화가는 자신의 예술적 (이상 / 훈육)을 달성하기 위해 가족을 버리고 멀리 혼자 떠났다.

(2) 예술 작품의 내용은 형식에 담기므로, 감상자의 (신념 / 입장)에서 보면 형식으로써 내용을 알게 된다고 할 수 있다.

(3) 언론의 보도 내용을 무비판적으로 받아들이는 것을 경계하고 항상 균형 있는 시각을 (추구 / 타파)하려는 자세가 필요하다.

4

다음 빈칸에 들어갈 알맞은 단어를 찾아보자.

통화 정책은 민간의 신뢰가 없이는 성공을 거둘 수 없다. 따라서 중앙은행은 정책 신뢰성이 손상되지 않게 유의해야 한다. 그런데 어떻게 통화 정책이 민간의 신뢰를 얻을 수 있는지에 대해서는 전문가들마다 (　　　　)에 차이가 있다.

① 견해　　② 신념　　③ 이상　　④ 훈육　　⑤ 고정 관념

02 인문 주제어 _윤리

1단계 문맥으로 어휘 확인하기

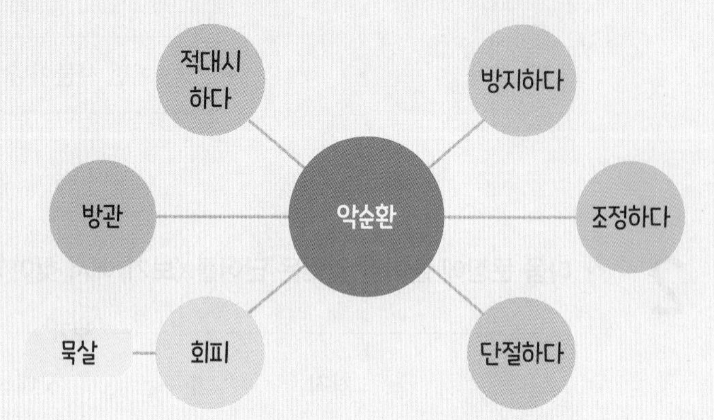

악순환(악할惡 좇을循 고리環) 순환이 좋지 않음. 또는 나쁜 현상이 끊임없이 되풀이됨

적대시(원수敵 대답할對 볼視)**하다** 적으로 여겨 보다. ㊌ 적시하다

방관(곁傍 볼觀) 어떤 일에 직접 나서서 관여하지 않고 곁에서 보기만 함 ㊌ 방관시, 좌시

회피(돌아올回 피할避) ① 몸을 숨기고 만나지 아니함 ② 꾀를 부려 마땅히 져야 할 책임을 지지 아니함 ③ 일하기를 꺼리어 선뜻 나서지 않음

묵살(잠잠할默 죽일殺) 의견이나 제안 따위를 듣고도 못 들은 척함

단절(끊을斷 끊을絶)**하다** 유대나 연관 관계를 끊다. ㊌ 절단하다

조정(고를調 머무를停)**하다** 분쟁을 중간에서 화해하게 하거나 서로 타협점을 찾아 합의하도록 하다. ㊌ 조제하다

방지(막을防 그칠止)**하다** 어떤 일이나 현상이 일어나지 못하게 막다.

● **다음 빈칸에 들어갈 알맞은 단어를 위에서 찾아 문맥에 맞게 써 보자.**

(1) 그녀의 새로운 기획은 상사의 일방적인 ☐☐로 채택되지 않았다.

(2) 나는 반갑지 않은 사람이 찾아올 경우에는 자리를 뜸으로써 상황을 ☐☐한다.

(3) 토론을 할 때는 단지 자신과 의견이 다르다는 이유만으로 상대를 ☐☐☐해서는 안 된다.

(4) 미국에서는 인종 차별을 ☐☐하기 위해 이력서에 사진을 부착하는 것을 법으로 금지하고 있다.

(5) 수능 출제진들은 한 달 이상 외부와의 연락을 ☐☐한 채 문제를 출제하고 검토하며 수정하는 과정을 반복한다.

(6) 아버지께서는 내가 약속한 것을 이번에도 지키지 않는다면 두 번 다시 나의 행동을 ☐☐하지 않을 거라고 말씀하셨다.

(7) 지구 온난화로 인해 더욱 무더운 여름에는 냉방기 사용이 급증하여 온난화가 더욱 가속화되는 ☐☐☐이 반복되고 있다.

(8) 일반적으로 국제기구는 이해관계가 얽혀 있는 여러 국가가 연합된 단체로서, 국가 간에 분쟁이 발생했을 때 이를 ☐☐하는 역할을 한다.

2단계 문제로 어휘 익히기

1 **다음 단어의 의미를 찾아 바르게 연결해 보자.**

(1) 묵살 • • ㉠ 의견이나 제안 따위를 듣고도 못 들은 척함

(2) 방관 • • ㉡ 꾀를 부려 마땅히 져야 할 책임을 지지 아니함

(3) 회피 • • ㉢ 어떤 일에 직접 나서서 관여하지 않고 곁에서 보기만 함

2 **다음 문장에 들어갈 알맞은 단어를 〈보기〉에서 찾아 써 보자.**

보기
묵살 방지 악순환 적대시

(1) 남북이 상대를 (   )하는 태도를 보인다면 통일을 이루기 어려울 것이다.

(2) 한국은행은 지폐의 위조를 (   )하기 위해 지폐에 홀로그램을 넣기로 결정했다.

(3) ○○ 대학교 측은 등록금을 인하해 달라는 학생들의 요구를 (   )하여 반발을 샀다.

3 **다음 문장의 괄호 안에 들어갈 알맞은 단어를 골라 보자.**

(1) 매년 겨울이면 보도블록을 부수고 다시 까는 (회피 / 악순환)이/가 되풀이되고 있다.

(2) 그동안 극심하게 대립했던 노사 간의 대립을 (방지 / 조정)하기 위해 위원회가 설치되었다.

(3) 오래된 친구와 다져 놓은 교우 관계를 이렇게 한 번의 갈등으로 (단절 / 적대시)할 수는 없다.

4 **다음 밑줄 친 말과 바꾸어 쓰기에 알맞은 단어를 찾아보자.**

내가 누구보다도 아끼는 제자의 일이었으므로, 그 일을 남의 일처럼 강 건너 불구경하는 식으로 방관만 할 수는 없었다.

① 단절 ② 방지 ③ 조정 ④ 좌시 ⑤ 적대시

3단계 독해로 어휘 다지기

[1~3] 다음 글을 읽고 물음에 답하시오. 2009학년도 11월 고1 전국연합

1 편견이란 고정 관념을 토대로 어떤 사회 구성원에 대해 갖고 있는 부정적인 태도를 말한다. 이러한 편견은 선천적으로 타고나는 것이 아니라 주로 학습의 결과로 발생하는데, 그 원인은 네 가지로 지적할 수 있다. 먼저 정치·경제적 갈등 또는 경쟁을 들 수 있다. 이것은 편견이 직업, 적당한 주택, 좋은 학교, 그리고 기타 바람직한 생산물에 대한 경쟁으로부터 유발되고, 이러한 경쟁이 지속됨에 따라 이에 관계된 집단의 구성원들은 상대방을 점점 더 부정적인 시각으로 보게 된다는 것이다. 결국 그들은 상대방을 적대시하게 되고, 자신의 집단을 도덕적으로 더 우수하다고 생각하게 된다. 이는 자신들과 상대방과의 경계선을 더 확고하게 하는 결과를 가져오게 된다.

2 다음으로는 전위된 공격을 들 수 있다. 공격성은 신체적 고통이나 권태, 혹은 좌절과 같은 불쾌한 심리적 상황에서 생성된다. 그중에서 ⓐ좌절한 사람은 좌절의 원인을 공격하려는 경향을 보이는데, 이때 좌절을 초래한 원인이 너무 강한 존재일 경우에는 쉽게 공격할 수 없다. 이럴 경우, 좌절한 사람은 원인 제공자를 대신할 애꿎은 대리인을 찾기 마련이다. 이 대리인은 좌절한 사람보다 힘이나 지위가 약한 존재일 경우가 많다. 이렇듯 약한 대리인에 대한 공격이 편견으로 발전하는 것이다.

3 사람들은 외부적 원인이 아니라, 성격적인 원인 때문에 편견을 가질 수 있다. ⓑ'권위주의 성격'을 가진 사람은 자신의 신념에 지나치게 ㉠경직되어 있고, 자기 자신이나 타인이 나약한 것을 참지 못한다. 또한 지나칠 정도로 권위를 중시하며, 타인에게 가혹하고 의심이 많다. 이러한 성격적인 특징이 편견을 유발할 수 있다.

4 마지막으로 사회 규범에 대한 동조를 들 수 있다. 많은 사람들이 다양한 편견을 부모의 무릎에서 학습하게 된다. 또한 사람들은 문화의 규범과 사회의 구체적 편견에 동조하기도 한다. 이러한 동조 현상에서 편견이 발생하기도 한다.

5 편견의 구체적인 원인이 무엇이든 간에 그것은 대체로 인간 생활에 부정적인 영향을 미치는 동기가 된다. 그러므로 편견을 감소시키고 그것의 영향을 없애는 것은 아주 중요한 과제이다. 편견을 줄이기 위해서는 먼저 가정, 학교 그리고 사회에서 편견을 타파하도록 학습시켜야 한다. 아동들은 편견과 이에 관련된 반응들을 부모, 교사, 그리고 친구들로부터 습득한다. 그러므로 부모나 교사들이 아동들을 편견 속에서 훈육하지 않아야 하며, 타인에 대해 좀 더 긍정적인 견해를 갖도록 교육해야 한다.

6 다음으로는 다른 집단과의 접촉 빈도를 높여서 편견을 감소시키는 방법을 들 수 있다. 다른 집단 사람과의 접촉을 증가시키는 것은 친밀감 및 인식의 유사성을 높이고, 편견과 일치하지 않는 정보를 경험하게 하여 편견을 타파하는 효과적인 수단이 될 수 있다.

독해 체크

1. 이 글의 핵심어는?

☐☐

2. 문단별 중심 내용은?

1 편견의 발생 원인 ①: 정치·경제적 ☐☐ 또는 경쟁

2 편견의 발생 원인 ②: ☐☐된 공격

3 편견의 발생 원인 ③: ☐☐적인 원인

4 편견의 발생 원인 ④: 사회 규범에 대한 ☐☐

5 편견을 줄이기 위한 방법 ①: ☐☐

6 편견을 줄이기 위한 방법 ②: 다른 집단과의 ☐☐

3. 이 글의 주제는?

편견의 발생 ☐☐과 감소 방법

어휘 체크

- **토대:** 어떤 사물이나 사업의 밑바탕이 되는 기초와 밑천을 비유적으로 이르는 말
- **선천적:** 태어날 때부터 지니고 있는. 또는 그런 것
- **전위된:** 일정한 대상으로 향하여 있던 태도나 감정이 다른 대상으로 돌려진
- **권태:** 어떤 일이나 상태에 시들해져서 생기는 게으름이나 싫증
- **동조:** 남의 주장에 자기의 의견을 일치시키거나 보조를 맞춤

1 **㉠과 같은 의미로 쓰인 것은?**

① 그는 나이가 들면서 점점 사고가 경직되었다.
② 여자의 팔은 얼음 막대기처럼 차갑게 경직되어 있었다.
③ 그녀는 너무 놀라 그만 몸이 뻣뻣하게 경직되어 버렸다.
④ 나는 사장님을 대할 때마다 긴장감에 얼굴이 경직되곤 하였다.
⑤ 너무 많이 걸었더니 다리가 경직되어 더 이상 움직일 수 없었다.

기출 문제

2 **ⓐ와 ⓑ의 공통점으로 가장 적절한 것은?**

① 좌절의 원인을 공격하려 한다.
② 외부의 자극에 대해 체념하기 쉽다.
③ 자기 자신의 나약함을 참지 못한다.
④ 자신의 신념에 대한 확신이 강하다.
⑤ 약한 존재에 대해 부정적 태도를 보인다.

체념하기: 희망을 버리고 아주 단념하기

3 **윗글의 내용과 일치하는 것을 〈보기〉에서 모두 고른 것은?**

ㄱ. 편견은 후천적으로 학습된 결과로 형성된다.
ㄴ. 편견은 개인뿐만 아니라 집단적인 원인으로도 발생한다.
ㄷ. 편견은 원인에 따라 긍정적 편견과 부정적 편견으로 나뉜다.
ㄹ. 편견이 있는 사람은 자신과 타인을 모두 부정적으로 인식한다.

① ㄱ, ㄴ ② ㄱ, ㄷ ③ ㄱ, ㄹ ④ ㄴ, ㄷ ⑤ ㄷ, ㄹ

후천적: 성질, 체질, 질환 따위가 태어난 후에 얻어진. 또는 그런 것

주제별로 알아보는 한자 성어

충, 효와 관련된 한자 성어

견마지심
(개犬 말馬 갈之 마음心)

개나 말이 주인을 위하는 마음이라는 뜻으로, 신하나 백성이 임금이나 나라에 충성하는 마음을 낮추어 이르는 말

예 당선인은 국민을 위해 최선을 다하겠다는 견마지심을 나타내었다.

유 구마지심(狗馬之心), 견마지로(犬馬之勞): 개나 말 정도의 하찮은 힘이라는 뜻으로, 윗사람에게 충성을 다하는 자신의 노력을 낮추어 이르는 말

낙락장송
(떨어질落 떨어질落 길長 소나무松)

가지가 길게 축축 늘어진 키가 큰 소나무라는 뜻으로, 지조와 절개가 굳은 사람의 표상으로 쓰이는 말. '독야청청(獨也靑靑)'과 함께, 조선 시대 충신 가운데 한 명인 성삼문의 시조에 나옴

예 이 몸이 죽어 가서 무엇이 될꼬 하니 / 봉래산 제일봉에 낙락장송 되어 있어 / 백설이 만건곤할 제 독야청청하리라.

독야청청
(홀로獨 어조사也 푸를靑 푸를靑)

홀로 푸르다는 뜻으로, 남들이 모두 절개를 꺾는 상황 속에서도 홀로 절개를 굳세게 지키고 있음을 비유적으로 이르는 말. '낙락장송(落落長松)'과 함께, 조선 시대 충신 가운데 한 명인 성삼문의 시조에 나옴

예 이 몸이 죽어 가서 무엇이 될꼬 하니 / 봉래산 제일봉에 낙락장송 되어 있어 / 백설이 만건곤할 제 독야청청하리라.

망운지정
(바랄望 구름雲 갈之 뜻情)

구름을 바라보는 마음이라는 뜻으로, 자식이 객지에서 고향에 계신 어버이를 생각하는 마음을 이르는 말

예 해마다 바쁘다는 핑계로 부모님을 직접 찾아뵙지도 못하고 전화 통화만으로 망운지정을 달래고 있다.

유 망운지회(望雲之懷)

반의지희
(얼룩질斑 옷衣 갈之 놀戲)

때때옷을 입고 하는 놀이라는 뜻으로, 늙어서 효도함을 이르는 말. 중국 초나라의 노래자가 일흔 살에 늙은 부모님을 위로하려고 색동저고리를 입고 어린이처럼 기어 다녀 보였다는 데서 유래함

예 초고령화 사회로 접어들면서 반의지희의 모습도 흔히 볼 수 있게 되었다.

반포보은
(돌이킬反 먹을哺 갚을報 은혜恩)

까마귀 새끼가 자라서 늙은 어미 까마귀에게 먹이를 물어다 주어 보답한다는 뜻으로, 자식이 자라서 어버이의 은혜에 보답함으로써 효를 행함을 이르는 말

예 뉘라서 까마귀를 검고 흉타 하였던고. / 반포보은이 그 아니 아름다운가.

유 반포지효(反哺之孝)

오상고절
(거만할傲 서리霜 외로울孤 마디節)

서릿발이 심한 속에서도 굴하지 아니하고 외로이 지키는 절개라는 뜻으로, 충신 또는 국화를 이르는 말

예 국화야 너는 어이 삼월동풍 다 지내고 / 낙목한천에 네 홀로 피었느냐. / 아마도 오상고절은 너뿐인가 하노라.

유 상풍고절(霜風高節)

위국충절
(할爲 나라國 충성忠 마디節)

나라를 위한 충성스러운 절개
예 이순신 장군의 위국충절은 후세 사람들에게 모범이 되고 있다.

일편단심
(하나一 조각片 붉을丹 마음心)

한 조각의 붉은 마음이라는 뜻으로, 진심에서 우러나오는 변치 아니하는 마음을 이르는 말. 임금에 대한 신하의 변함없는 충성심이나 임을 향한 여인의 굳은 사랑을 나타냄
예 임 향한 일편단심이야 가실 줄이 있으랴.

진충보국
(다할盡 충성忠 갚을報 나라國)

충성을 다하여서 나라의 은혜를 갚음
예 국군은 광복군의 정통성과 진충보국의 정신을 잇고자 한다.

유 갈충보국(竭忠報國)

충군애국
(충성忠 임금君 사랑愛 나라國)

임금에게 충성을 다하고 나라를 사랑함
예 국난이 닥칠 때마다 선비들은 충군애국의 마음으로 붓 대신 칼을 들었다.

유 충애(忠愛)

풍수지탄
(바람風 나무樹 갈之 탄식할歎/嘆)

바람과 나무의 탄식이라는 뜻으로, 효도를 다하지 못한 채 어버이를 여읜 자식의 슬픔을 이르는 말. '나무는 고요하고자 하나 바람이 그치지 않고, 자식은 봉양하고자 하나 어버이가 기다려 주지 않는다.'라는 구절에서 유래함
예 할아버지의 기일 때마다 아버지의 풍수지탄을 듣게 된다.

혼정신성
(어두울昏 정할定 새벽晨 살필省)

밤에는 부모의 잠자리를 보아 드리고 이른 아침에는 부모의 밤새 안부를 묻는다는 뜻으로, 부모를 잘 섬기고 효성을 다함을 이르는 말
예 부모님과 멀리 떨어져 살더라도 혼정신성의 마음은 변하지 말아야 하겠다.

유 조석정성(朝夕定省)
참 동온하정(冬溫夏凊): 겨울에는 따뜻하게, 여름에는 서늘하게 한다는 뜻으로, 부모를 잘 섬기어 효도함을 이르는 말

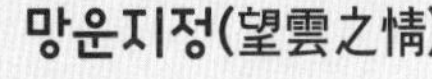

유래로 보는 한자 성어

망운지정(望雲之情)

당나라 때의 장수 적인걸이 부모님과 멀리 떨어진 곳에서 근무할 때, 높은 산에 올라 구름 너머 먼 곳을 가리키며 주위 사람들에게 "내 어버이가 저 구름 너머에 계신데, 멀리서 바라만 보고 가서 뵙지 못하니 슬퍼함이 오래되었다."라고 말하고는 구름이 다 지나간 뒤에야 산에서 내려왔다. 이때부터 사람들이 적인걸의 효심을 기리며 '구름을 바라보는 마음[望雲之情]'을 객지에서 어버이를 생각하는 자식의 마음을 뜻하는 말로 사용하게 되었다.

[01~06] 다음 뜻에 해당하는 한자 성어를 찾아 가로, 세로, 대각선으로 표시해 보자.

지	사	지	위	구	고	식	지	계
진	충	보	국	와	신	상	담	륵
위	편	삼	충	군	애	국	지	사
마	가	편	절	모	복	검	음	하
마	출	산	각	주	당	기	견	담
간	반	포	보	은	구	호	마	상
산	포	의	비	수	풍	수	지	탄
형	지	무	지	이	월	세	심	인
박	효	중	가	희	락	어	사	연

01 나라를 위한 충성스러운 절개

02 임금에게 충성을 다하고 나라를 사랑함

03 개나 말이 주인을 위하는 마음이라는 뜻으로, 신하나 백성이 임금이나 나라에 충성하는 마음을 낮추어 이르는 말

04 충성을 다하여서 나라의 은혜를 갚음

05 때때옷을 입고 하는 놀이라는 뜻으로, 늙어서 효도함을 이르는 말

06 바람과 나무의 탄식이라는 뜻으로, 효도를 다하지 못한 채 어버이를 여읜 자식의 슬픔을 이르는 말

[07~11] 다음 한자 성어의 뜻을 찾아 바르게 연결해 보자.

07 독야청청(獨也靑靑) •　　　• ㉠ 구름을 바라보는 마음이라는 뜻으로, 자식이 객지에서 고향에 계신 어버이를 생각하는 마음을 이르는 말

08 오상고절(傲霜孤節) •　　　• ㉡ 서릿발이 심한 속에서도 굴하지 아니하고 외로이 지키는 절개라는 뜻으로, 충신 또는 국화를 이르는 말

09 망운지정(望雲之情) •　　　• ㉢ 홀로 푸르다는 뜻으로, 남들이 모두 절개를 꺾는 상황 속에서도 홀로 절개를 굳세게 지키고 있음을 비유적으로 이르는 말

10 반포보은(反哺報恩) •　　　• ㉣ 밤에는 부모의 잠자리를 보아 드리고 이른 아침에는 부모의 밤새 안부를 묻는다는 뜻으로, 부모를 잘 섬기고 효성을 다함을 이르는 말

11 혼정신성(昏定晨省) •　　　• ㉤ 까마귀 새끼가 자라서 늙은 어미 까마귀에게 먹이를 물어다 주어 보답한다는 뜻으로, 자식이 자라서 어버이의 은혜에 보답함으로써 효를 행함을 이르는 말

12 다음 문자 메시지 대화를 읽고, 빈칸에 알맞은 한자 성어를 써 보자.

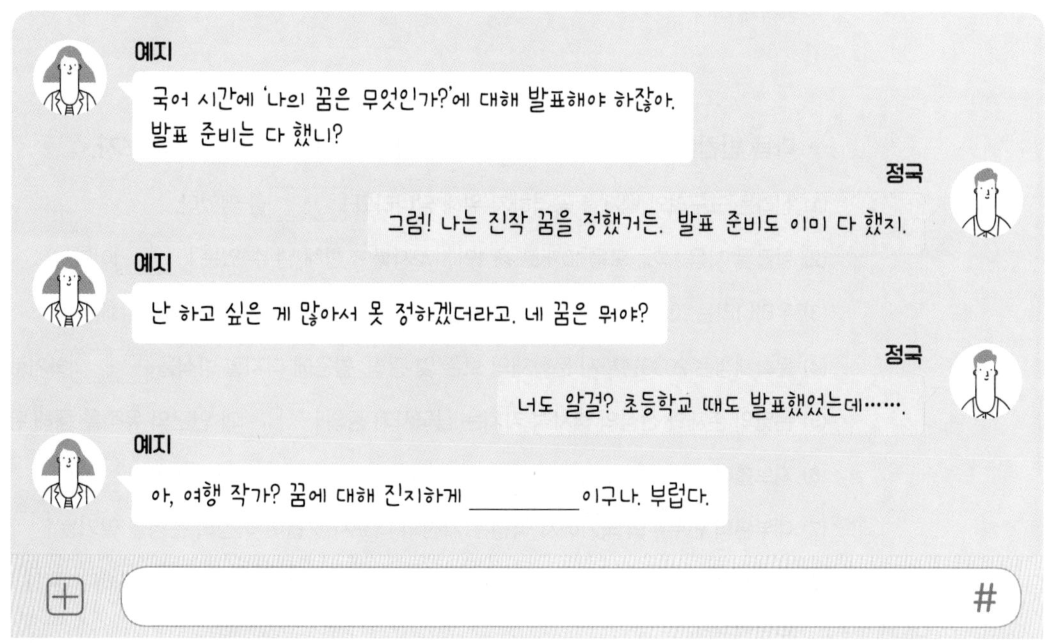

예지
국어 시간에 '나의 꿈은 무엇인가?'에 대해 발표해야 하잖아. 발표 준비는 다 했니?
정국
그럼! 나는 진작 꿈을 정했거든. 발표 준비도 이미 다 했지.
예지
난 하고 싶은 게 많아서 못 정하겠더라고. 네 꿈은 뭐야?
정국
너도 알걸? 초등학교 때도 발표했었는데…….
예지
아, 여행 작가? 꿈에 대해 진지하게 ________ 이구나. 부럽다.
#

01 인문 주제어 _역사

1단계 문맥으로 어휘 확인하기

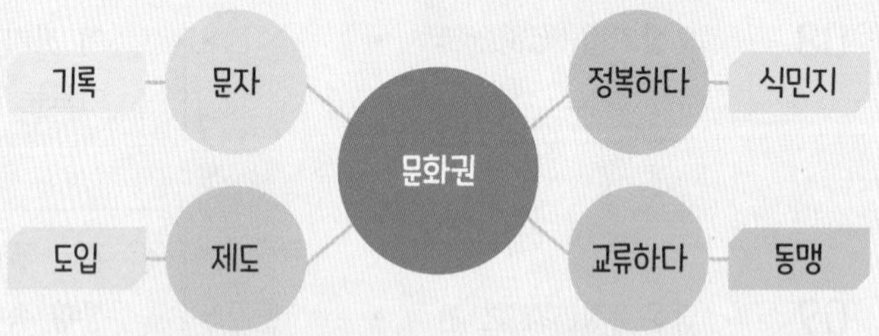

문화권(글월文 될化 우리圈) 공통된 특징을 보이는 어떤 문화가 지리적으로 분포하는 범위 ㊌ 문화 지역

문자(글월文 글자字) 인간의 언어를 적는 데 사용하는 시각적인 기호 체계. 한자와 같은 표의 문자(하나하나의 글자가 언어의 음과 상관없이 일정한 뜻을 나타내는 문자)와 로마자, 한글과 같은 표음 문자(말소리를 그대로 기호로 나타낸 문자)로 크게 나뉨

기록(기록할記 기록할錄) 주로 후일에 남길 목적으로 어떤 사실을 적음. 또는 그런 글 ㊌ 서록, 저록

제도(억제할制 법도度) 관습이나 도덕, 법률 따위의 규범이나 사회 구조의 체계

도입(이끌導 들入) 기술, 방법, 물자 따위를 끌어 들임

교류(사귈交 흐를流)**하다** ① 근원이 다른 물줄기가 서로 섞이어 흐르다. ② 문화나 사상 따위를 서로 통하게 하다.

동맹(같을同 맹세할盟) 둘 이상의 개인이나 단체, 또는 국가가 서로의 이익이나 목적을 위하여 동일하게 행동하기로 맹세하여 맺는 약속이나 조직체. 또는 그런 관계를 맺음

정복(칠征 입을服)**하다** ① 남의 나라나 이민족 따위를 정벌하여 복종시키다. ② 높은 산 따위의 매우 가기 힘든 곳을 어려움을 이겨 내고 가다. ③ 다루기 어렵거나 힘든 대상 따위를 뜻대로 다룰 수 있게 되다. ④ 질병 따위를 완치할 수 있게 되다.

식민지(심을植 백성民 땅地) 정치적·경제적으로 다른 나라에 예속되어 국가로서의 주권을 상실한 나라. 경제적으로는 식민지 본국에 대한 원료 공급지, 상품 시장, 자본 수출지의 기능을 하며, 정치적으로는 종속국이 됨 ㊌ 외지: 식민지를 본국에 상대하여 이르는 말

● **다음 빈칸에 들어갈 알맞은 단어를 위에서 찾아 문맥에 맞게 써 보자.**

(1) 신라는 고구려와 백제를 공격하기 위해 당나라와 □□을 맺었다.

(2) 한글은 자음 14개, 모음 10개로 총 1만 1172자를 조합해 낼 수 있는 □□이다.

(3) 우리나라는 고려 시대 이전부터 이슬람 □□□과 접촉하며 □□해 왔다.

(4) 문화재청은 2030년까지 문화재의 보존 및 관리, 활용에 디지털 방식을 □□하기로 했다.

(5) 온달의 존재와 산성의 역사적 가치는 삼국사기 등의 □□과 인근의 유적을 통해 유추할 수 있다.

(6) 지브롤터는 스페인의 반환 요구가 계속되고 있는 곳이지만 아직도 영국의 □□□로 남아 있다.

(7) 대부분의 민주주의 국가에서 국민은 자신의 대표자를 뽑아 국정의 운영을 맡기는 □□를 채택하고 있다.

(8) 카이사르는 지금의 프랑스와 벨기에 등을 포함한 갈리아 지역을 □□하기 위해 7년간 전쟁을 치른 끝에 승리하였다.

2단계 문제로 어휘 익히기

1

다음 단어의 의미를 찾아 바르게 연결해 보자.

(1) 기록 • • ㉠ 인간의 언어를 적는 데 사용하는 시각적인 기호 체계

(2) 문자 • • ㉡ 관습이나 도덕, 법률 따위의 규범이나 사회 구조의 체계

(3) 제도 • • ㉢ 주로 후일에 남길 목적으로 어떤 사실을 적음. 또는 그런 글

2

다음 문장에 들어갈 알맞은 단어를 〈보기〉에서 찾아 써 보자.

보기

기록 도입 동맹 정복

(1) 그 나라는 이웃 나라와 (   )을 맺고 적의 침공에 대비했다.

(2) 삼국 시대의 건축술은 불교의 (   )과 함께 발전을 이루었다.

(3) 그의 출생이나 성장과 관련한 역사적인 (   )은 거의 남아 있지 않다.

3

다음 문장의 괄호 안에 들어갈 알맞은 단어를 골라 보자.

(1) 강대국들은 약소국의 경제권과 사법권을 빼앗아 (문화권 / 식민지)(으)로 삼았다.

(2) 남북한이 문화적 산물들을 서로 (교류 / 정복)하게 된다면 통일도 머지않았다고 볼 수 있다.

(3) 금 본위 (기록 / 제도)은/는 금의 일정량의 가치를 기준으로 단위 화폐의 가치를 재는 체계를 말한다.

4

다음 빈칸에 공통적으로 들어갈 알맞은 단어를 찾아보자.

(   )은/는 말이나 소리를 눈으로 볼 수 있도록 적기 위한 일정한 체제의 부호이다. 인류가 눈으로 볼 수 있는 기호의 필요성을 느끼게 된 것은, 음성이 시간적으로는 전개됨과 동시에 사라지고 공간적으로는 멀리까지 전달될 수 없다는 약점을 지니고 있기 때문이다. 따라서 이를 보완하기 위해 (   )을/를 고안해 낸 것이다.

① 기록 ② 도입 ③ 문자 ④ 제도 ⑤ 문화권

02 인문 주제어 _역사

1단계 문맥으로 어휘 확인하기

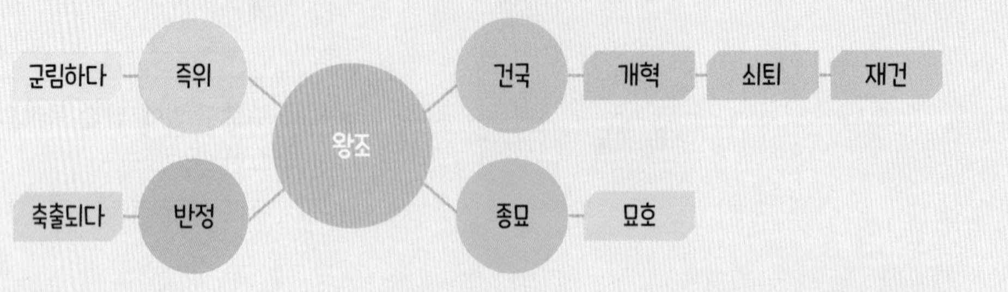

즉위(곧卽 자리位) 임금이 될 사람이 예식을 치른 뒤 임금의 자리에 오름 ㊒ 등극 ㊤ 퇴위

군림(임금君 임할臨)**하다** ① 임금으로서 나라를 거느려 다스리다. ② (비유적으로) 어떤 분야에서 절대적인 세력을 가지고 남을 압도하다.

반정(돌이킬反 바를正) ① 본래의 바른 상태로 돌아감. 또는 그 상태로 돌아가게 함 ② 난리를 진압하여 태평한 세상을 만듦 ③ 옳지 못한 임금을 폐위하고 새 임금을 세워 나라를 바로잡음. 또는 그런 일

축출(쫓을逐 날出)**되다** 쫓겨나거나 몰아내어지다.

건국(세울建 나라國) 나라가 세워짐. 또는 나라를 세움 ㊒ 개국

개혁(고칠改 가죽革) 제도나 기구 따위를 새롭게 뜯어고침 ㊒ 개변

쇠퇴(쇠할衰 물러날退 / 쇠할衰 무너질頹) 기세나 상태가 쇠하여 전보다 못하여 감 ㊒ 쇠잔 ㊤ 흥성, 번성

재건(다시再 세울建) ① 허물어진 건물이나 조직 따위를 다시 일으켜 세움 ② 없어지거나 쇠퇴한 이념이나 사상 따위를 다시 일으켜 세움

종묘(마루宗 사당廟) 역대 왕과 왕비의 위패(죽은 사람의 이름을 적은 나무패)를 모시던 사당

묘호(사당廟 부르짖을號) 임금이 죽은 뒤에 생전의 공덕을 기리어 붙인 이름

● **다음 빈칸에 들어갈 알맞은 단어를 위에서 찾아 문맥에 맞게 써 보자.**

(1) 시간이 지나면서 농업은 발전하지 못하고 ☐☐하는 길을 걸었다.

(2) 클레오파트라는 주변 속국을 차지하며 헬레니즘 세계의 여왕으로 ☐☐하였다.

(3) 3년간의 전쟁이 종결되지 못한 채 휴전이 성립된 후, 대한민국은 황폐한 국토의 ☐☐과 부흥에 전력을 기울였다.

(4) 우리나라 삼국 시대의 삼국 가운데 신라는 기원전 57년에 박혁거세가 지금의 영남 지방을 중심으로 ☐☐한 나라이다.

(5) 조선을 건국한 태조가 1394년 한양으로 도읍을 옮긴 후 제일 먼저 서두른 일은 조상들을 모실 ☐☐를 설치하는 것이었다.

(6) 새로 ☐☐한 왕은 10년 동안 막강하게 권력을 휘두르며, 백성들에게 과중한 부담을 주었던 기존 조세 제도의 ☐☐을 실현하였다.

(7) 성희안, 박원종 등이 일으킨 ☐☐으로 왕위에서 ☐☐된 탓에, 연산군은 임금의 사후에 붙이는 이름인 ☐☐를 얻지 못하였다.

• 정답과 해설 20쪽

2단계 문제로 어휘 익히기

1 **다음 단어의 의미를 찾아 바르게 연결해 보자.**

(1) 건국 •　　• ㉠ 나라가 세워짐. 또는 나라를 세움

(2) 반정 •　　• ㉡ 임금이 될 사람이 예식을 치른 뒤 임금의 자리에 오름

(3) 즉위 •　　• ㉢ 옳지 못한 임금을 폐위하고 새 임금을 세워 나라를 바로잡음. 또는 그런 일

2 **다음 문장에 들어갈 알맞은 단어를 〈보기〉에서 찾아 써 보자.**

보기

개혁　　쇠퇴　　재건　　축출

(1) 수산 자원의 감소는 어업이 (　　　　)하는 결과를 낳았다.

(2) 스님은 불에 타 버린 사찰을 (　　　　)하기 위하여 시주를 받았다.

(3) 조선 후기 실학자들은 우리나라의 뒤떨어진 문물제도를 (　　　　)하려고 하였다.

3 **다음 문장의 괄호 안에 들어갈 알맞은 단어를 골라 보자.**

(1) 단군 신화는 우리나라 최초의 국가인 고조선의 (건국 / 재건) 내력을 밝혀 준다.

(2) 왕이 어린 나이로 (즉위 / 퇴위)하자, 왕실의 웃어른이 왕의 후견인 노릇을 했다.

(3) 그 독재자는 유력한 잡지들을 폐간하였으며, 많은 언론인들을 (반정 / 축출)하였다.

(4) 조선을 창건한 이성계의 (묘호 / 종묘)는 태조(太祖)로, '조(祖)'는 대체로 나라를 세운 왕의 이름에 붙였다.

4 **다음 빈칸에 공통적으로 들어갈 알맞은 단어를 찾아보자.**

• 그녀는 세계 선수권 대회를 휩쓸면서 탁구계의 여제로 (　　　　)하고 있다.
• 군주란 백성 위에 (　　　　)하기만 하는 자가 아니라, 백성을 편안하게 잘살도록 하는 존재이다.

① 군림　　② 쇠퇴　　③ 재건　　④ 즉위　　⑤ 축출

독해로 어휘 다지기

독해 체크

1. 이 글의 핵심어는?

☐☐

2. 문단별 중심 내용은?

1 묘호의 ☐☐
2 묘호에 '☐'와 '☐'을 붙이는 원칙
3 묘호에 '☐'와 '☐'을 붙이는 다른 경우
4 묘호를 후에 ☐☐한 사례
5 ☐이었으나 묘호를 받지 못한 사례
6 사후에 왕으로 ☐☐되어 묘호를 받은 사례

3. 이 글의 주제는?

☐☐의 개념과 다양한 관련 사례

[1~3] 다음 글을 읽고 물음에 답하시오. 2008학년도 6월 고1 전국연합

1 묘호(廟號)란 '－조(祖)', 또는 '－종(宗)'을 붙인 임금들의 호칭을 말합니다. 태조, 태종, 세종, 세조, 성종, 선조와 같은 호칭은 사실 왕들의 이름이 아닙니다. 이는 임금들이 죽은 후에 신주를 모시는 종묘의 사당에 붙인 칭호이기 때문에 묘호라고 합니다.

2 묘호는 왕이 죽은 후 조정에서 의논해 정하는 것으로, 원칙적으로 창업 개국한 왕과 그의 4대조(四代祖)까지만 '할아비 조(祖)'를 붙이고 그 뒤를 이은 왕들에게는 종통(宗統)의 계승자라 하여 '종(宗)'을 붙이는 것이 원칙이었습니다. 그러나 망한 나라를 다시 일으켜 세운 왕의 경우에도 '조(祖)'를 붙이는 경우가 있었습니다.

3 묘호를 정할 때는 흔히 '조공종덕(祖功宗德)'이니 '유공왈조(有功曰祖), 유덕왈종(有德曰宗)'이라 하여, 공(功)이 많으면 '조(祖)', 덕(德)이 많으면 '종(宗)'을 붙이기도 했습니다. 그러나 공이 많은지 덕이 많은지 판단하는 것은 그야말로 주관적인 것이므로 묘호를 정할 때의 의논에 좌우되기 마련입니다. 이로 인하여 때로는 조정에서 공론이 분열되어 소동이 일어나는 일도 있었습니다. 한편, 대개 '종(宗)'보다 '조(祖)'가 더 명예로운 것으로 생각하였으므로 신하들이 아첨하느라고 억지로 '조(祖)'를 붙이는 경우도 있었습니다.

4 묘호는 후에 개정(改定)하는 일도 있었습니다. 인조(仁祖)의 묘호는 본래 열종(烈宗)이었는데 효종(孝宗)의 명령으로 고친 것이고, 영조(英祖)와 정조(正祖)의 묘호는 원래 영종(英宗)과 정종(正宗)이었으나 1897년 조선이 국호를 대한제국으로 개정하면서 종(宗)을 조(祖)로 고쳤습니다.

5 정종(定宗)과 단종(端宗)은 오랫동안 묘호 없이 공정왕(恭靖王)과 노산군(魯山君)으로 불리었으나, 숙종 때 와서 비로소 정하여 올린 묘호입니다. 연산군과 광해군은 ㉠반정으로 축출되고 죽은 후 종묘에 들어가지 못하였기 때문에 당연히 묘호가 없습니다. 연산군과 광해군이라는 칭호는 왕자 시절에 받은 봉군(封君) 작호(爵號)입니다.

6 반면 왕으로 즉위하여 군림하지는 못하였으나 후에 왕으로 추존된 이들에게는 묘호를 올렸습니다. 성종(成宗)의 생부인 덕종(德宗), 인조(仁祖)의 생부인 원종(元宗), 헌종(憲宗)의 생부인 익종(翼宗)이 그들입니다. 이들은 모두 왕자의 신분이었으나 사후에 아들들이 왕이 되어 국왕의 지위로 예우가 격상된 것입니다. 그러나 선조의 생부인 덕흥대원군(德興大院君)이나 고종의 생부인 흥선 대원군(興宣大院君)은 왕자가 아니었고, 또 계승의 차례에도 맞지 않아 왕으로 추존되지 못하였습니다.

어휘 체크

- **신주**: 죽은 사람의 위패
- **종통**: 종가 맏아들의 혈통
- **공론**: 여럿이 의논함. 또는 그런 의논
- **봉군**: 조선 시대에, 임금의 적자를 대군으로, 후궁에서 태어난 왕자나 왕비의 아버지 또는 이품 이상의 종친과 공신 등을 군으로 봉하던 일
- **작호**: 관직과 작위의 칭호
- **추존된**: 왕위에 오르지 못하고 죽은 이에게 임금의 칭호가 주어진

1 ㉠과 가장 가까운 뜻으로 쓰인 것은?

① 그가 이번 난리를 반정하여 큰 공을 세웠다.
② 그들은 모두 그곳에 비석을 세울 반정은 꿈에도 생각하지 않았다.
③ 백성들은 반정이 일어나 왕이 바뀌었다는 소식을 듣고 영문을 몰라 했다.
④ 나는 곧 그가 나에게 반정을 가지고 있다는 사실을 직감적으로 알 수 있었다.
⑤ 반정을 이루는 광물은 지하에서 마그마가 상승하는 도중에 서서히 냉각될 때 생긴 것이다.

기출 문제

2 윗글의 내용 전개에 대한 설명으로 옳은 것은?

① 통시적 관점에 따라 대상의 특성을 소개하고 있다.
② 전문가의 말을 인용하여 글의 신뢰성을 확보하고 있다.
③ 반론을 제시하고 비교를 통해 자신의 주장을 펼치고 있다.
④ 통념을 비판하고 문헌을 현대적 관점에서 재해석하고 있다.
⑤ 핵심 개념을 소개하고 사례를 들어 독자의 이해를 돕고 있다.

통시적: 어떤 시기를 종적(어떤 일이나 사물의 관계가 상하로 연결되어 있는 것)으로 바라보는

반론: 남의 논설이나 비난, 논평 따위에 대하여 반박함. 또는 그런 논설

통념: 일반적으로 널리 통하는 개념

문헌: 옛날의 제도나 문물을 아는 데 증거가 되는 자료나 기록

3 윗글을 읽은 학생들의 반응으로 적절하지 않은 것은?

① 태조는 조선을 건국한 왕이기 때문에 묘호에 '조(祖)'가 붙은 것이로군.
② 묘호를 붙이는 과정은 제도에 따라 합리적으로 이루어졌던 것은 아니었어.
③ 묘호는 왕의 이름이 아니라, 왕의 사후에 신주를 모시는 종묘의 사당에 붙인 칭호구나.
④ 왕으로 즉위하지 않았던 덕종에게 묘호가 주어진 것으로 볼 때, 그 역시 종묘에 모셔졌을 거야.
⑤ 연산군과 광해군의 사례는 생전에 왕으로 군림했어도 죽은 후에 묘호를 빼앗길 수 있음을 보여 주는군.

01 사회 주제어 _ 사회 문화

1단계 문맥으로 어휘 확인하기

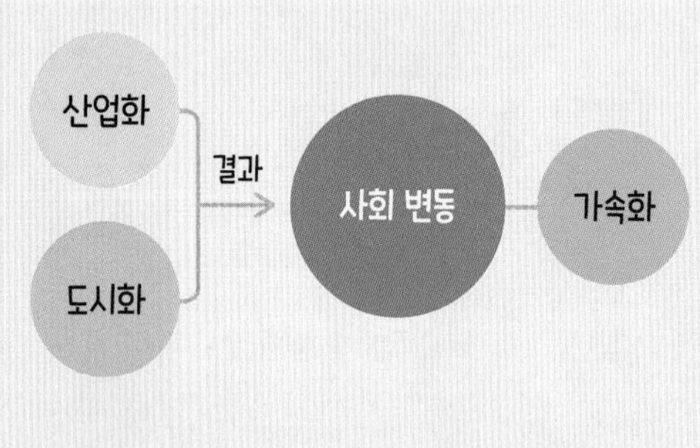

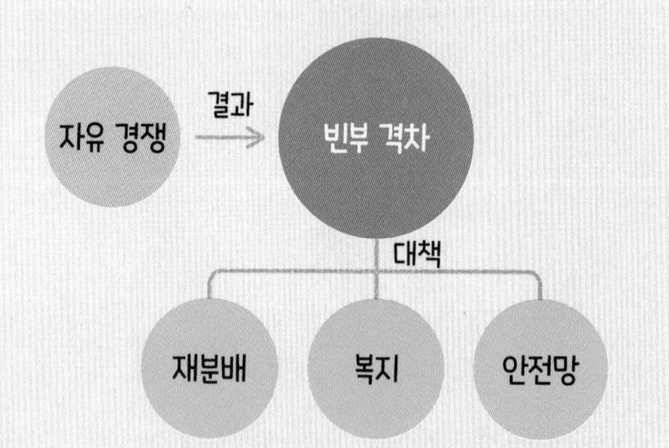

산업화(낳을産 업業 될化) 산업의 형태가 됨. 또는 그렇게 되게 함 참 산업: 인간의 생활을 경제적으로 풍요롭게 하기 위하여 재화나 서비스를 생산하는 사업. 농업·목축업·임업·광업·공업을 비롯한 유형물의 생산 이외에 상업·금융업·운수업·서비스업 따위와 같이 생산에 직접 결부되지 않는 사업도 포함함

도시화(도읍都 시장市 될化) 도시의 문화 형태가 도시 이외의 지역으로 발전·확대됨. 또는 그렇게 만듦. 구체적으로는 서비스업이나 유통 기능의 증대, 공공시설의 증가, 토지의 집약적 이용 따위의 현상을 들 수 있으며, 인구 밀도의 증가나 시가지화뿐만 아니라 생활 형태나 사회 상황의 변화도 포함함

사회 변동(모일社 모일會 변할變 움직일動) 사회 질서나 구조가 일부 또는 전체적으로 변하는 현상

가속화(더할加 빠를速 될化) 속도를 더하게 됨. 또는 그렇게 함

자유 경쟁(스스로自 말미암을由 다툴競 다툴爭) 국가의 간섭이나 사적인 제약이 없고, 수요와 공급이 자유로운 상태에서 이루어지는 시장 경쟁

빈부 격차(가난할貧 부유할富 막을隔 어그러질差) 가난한 사람과 부유한 사람의 경제적 차이

재분배(다시再 나눌分 짝配) 이미 분배하였던 것을 다시 분배함

복지(복福 복祉) ① 행복한 삶 ② 좋은 건강, 윤택한 생활, 안락한 환경이 어우러져 행복을 누릴 수 있는 상태가 보장되는 것

안전망(편안할安 온전할全 그물網) 빌딩같이 높은 곳에서 일하는 사람의 안전이나 그 밑을 지나는 사람의 안전을 위하여 치는 그물 참 사회 안전망: 노령, 실업, 재해, 질병 따위의 사회적인 위험 요소로부터 국민을 보호하기 위한 제도적 장치

● **다음 빈칸에 들어갈 알맞은 단어를 위에서 찾아 문맥에 맞게 써 보자.**

(1) □□ 정책의 목표는 불우한 계층의 생존권을 보호하는 것이다.

(2) 건설 현장에서는 추락 사고에 대비하여 □□□을 철저히 갖추어야 한다.

(3) 마을이 점차 □□□·□□□되어 감에 따라, 교통이 발달하고 인구가 점점 늘어 갔다.

(4) □□ □□은 수요와 공급 사이의 불일치와 □□ □□의 심화라는 문제를 낳았다.

(5) 인터넷의 발달이 우리의 생활을 바꾼 것처럼, 새로운 물건의 발명은 □□ □□을 가져온다.

(6) □□□ 정책은 소득과 부를 많이 가진 집단에게서 적게 가진 집단으로 그 일부를 이전시키는 정책이다.

(7) 지구 온난화에 따른 해수면 상승과 아열대화 현상으로 우리나라 동해안 어종의 변화가 □□□되고 있다.

2단계 문제로 어휘 익히기

1 **다음 단어의 의미를 찾아 바르게 연결해 보자.**

(1) 산업화 • • ㉠ 이미 분배하였던 것을 다시 분배함

(2) 재분배 • • ㉡ 산업의 형태가 됨. 또는 그렇게 되게 함

(3) 사회 변동 • • ㉢ 사회 질서나 구조가 일부 또는 전체적으로 변하는 현상

2 **다음 문장에 들어갈 알맞은 단어를 〈보기〉에서 찾아 써 보자.**

보기

재분배　　빈부 격차　　사회 변동　　자유 경쟁

(1) (　　　　)의 요인으로는 새로운 문화나 문물의 도입, 사람들의 인식과 사상의 변화 등을 들 수 있다.

(2) (　　　　)은/는 결국 자본가나 대기업이 거두는 소득의 쏠림 현상을 가져와 사회적 갈등을 심화시킨다.

(3) 그 나라는 높은 경제 성장률에도 불구하고 부의 분배가 공정하게 이루어지지 않아 (　　　　)이/가 크다.

3 **다음 문장의 괄호 안에 들어갈 알맞은 단어를 골라 보자.**

(1) 계층 간 양극화가 심화될수록 사회 (안전망 / 재분배)의 필요성은 커진다.

(2) (복지 / 도시화) 시설에는 양로원, 모자원, 보육원, 아동 상담소, 점자 도서관 따위가 있다.

(3) 자연 파괴의 (가속화 / 산업화)와 오염 물질의 누적으로 지구의 생태 위기가 심각해지고 있다.

4 **다음 빈칸에 들어갈 알맞은 단어를 찾아보자.**

사회 (　　　　)은/는 국민을 실업, 노령, 빈곤, 질병, 재해 등 사회적인 위험으로부터 보호하기 위한 제도적 장치를 말한다. 예를 들면 노동자가 직장에서 해고를 당했을 때 그가 노숙자로 전락하는 것을 막기 위하여, 정부에서는 실업 급여를 지급하여 최소 생계를 유지하게 하고 직업 훈련을 받을 수 있도록 지원하여 재취업을 도울 수 있다.

① 복지　　② 가속화　　③ 도시화　　④ 산업화　　⑤ 안전망

02 사회 주제어 _ 사회 문화

1단계 문맥으로 어휘 확인하기

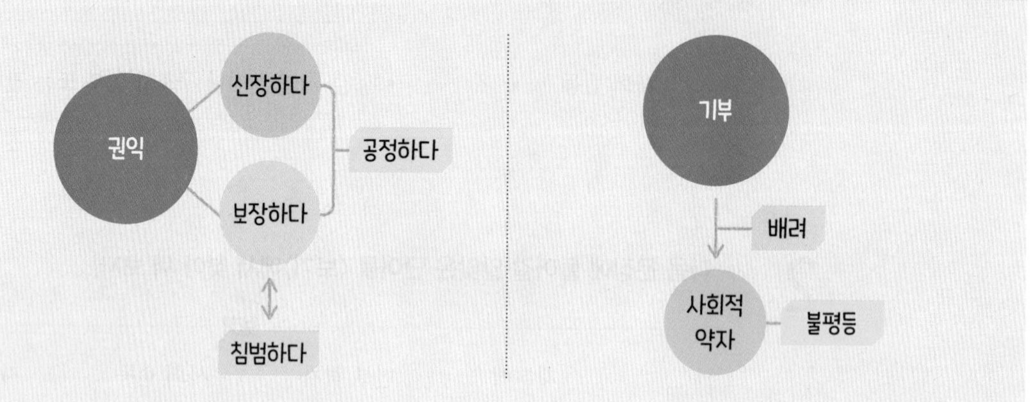

권익(권세權 더할益) 권리와 그에 따르는 이익

신장(펼伸 베풀張)**하다** 세력이나 권리 따위가 늘어나다. 또는 늘어나게 하다.

보장(보전할保 가로막을障)**하다** 어떤 일이 어려움 없이 이루어지도록 조건을 마련하여 보증하거나 보호하다.

공정(공변될公 바를正)**하다** 공평하고 올바르다. ㊒ 정당하다 ㊥ 불공정하다

침범(침노할侵 범할犯)**하다** 남의 영토나 권리, 재산, 신분 따위를 침노하여 범하거나 해를 끼치다.

기부(부칠寄 붙을附) 자선 사업이나 공공사업을 돕기 위하여 돈이나 물건 따위를 대가 없이 내놓음

배려(짝配 생각할慮) 도와주거나 보살펴 주려고 마음을 씀

사회적 약자(모일社 모일會 과녁的 약할弱 놈者) 신체 또는 인지 기능이 다른 사람보다 약한 사람을 포함하여 정치·경제·문화 면에서 일반 주류 구성원들에게 명시적 또는 암묵적으로 차별을 받거나 받는다고 느끼는 집단을 아울러 이르는 말

불평등(아닐不 평평할平 같을等) 차별이 있어 고르지 아니함

● **다음 빈칸에 들어갈 알맞은 단어를 위에서 찾아 문맥에 맞게 써 보자.**

(1) 국회에서는 노동자의 □□을 보호하는 법을 통과시켰다.

(2) 예전에 비하여 자동차 회사의 서비스가 많이 □□하였다.

(3) 귀족 사회에서는 계급에 따른 □□□이 엄연히 존재하고 있었다.

(4) 국민들로부터 세금을 거두어들일 때는 법에 따라 □□하게 집행해야 한다.

(5) 최근 드론을 이용해 일반인들의 사생활을 □□하는 사례가 부쩍 늘고 있다.

(6) 언론의 자유는 □□되어야 하지만 개인의 명예와 인권 또한 존중되어야 한다.

(7) 평생을 자기중심적으로 자라 온 탓에 그는 남에 대한 □□를 전혀 할 줄 모른다.

(8) 아버지는 넉넉지 않은 형편에도 당신의 용돈을 조금씩 모아 양로원이나 고아원에 □□하는 등 꾸준히 선행을 실천하셨다.

(9) 자유 경쟁에 맡겼을 경우에 상대적으로 불리한 처지에 놓이게 될 □□□ □□를 지원하기 위한 제도적 장치가 필요하다.

2단계 문제로 어휘 익히기

1

다음 단어의 의미를 찾아 바르게 연결해 보자.

(1) 권익 •　　• ㉠ 권리와 그에 따르는 이익

(2) 기부 •　　• ㉡ 도와주거나 보살펴 주려고 마음을 씀

(3) 배려 •　　• ㉢ 자선 사업이나 공공사업을 돕기 위하여 돈이나 물건 따위를 대가 없이 내놓음

2

다음 문장에 들어갈 알맞은 단어를 〈보기〉에서 찾아 써 보자.

(1) 그는 (　　　　)의 생활화를 통해 나눔을 베푸는 사회를 만들 수 있다고 믿는다.

(2) 사회적 차별이란, 개인이나 집단이 사회생활에서 (　　　　)한 대우를 받는 일을 말한다.

(3) '사회적 (　　　　)'은/는 노약자, 장애인, 빈곤층, 외국인 노동자 등 차별의 대상이 되는 사람들을 이른다.

3

다음 문장의 괄호 안에 들어갈 알맞은 단어를 골라 보자.

(1) 법률에 따라 (공정 / 불공정)한 판결을 내리는 것이 판사의 소임이다.

(2) 우리나라의 국력이 (신장 / 불평등)하면서 한국어를 학습하려는 외국인이 점차 늘고 있다.

(3) 헌법은 국민의 기본권을 (보장 / 침범)하지만, 때로는 공익을 위해 기본권을 제한하기도 한다.

4

다음 빈칸에 공통적으로 들어갈 알맞은 단어를 찾아보자.

> 사회적 (　　　　) 대상자는, 소득 수준 등의 사회·경제적 기준에 따라 국가나 지방 자치 단체에서 정책적·제도적으로 지원을 제공받는 대상자를 가리킨다. 국가나 지방 자치 단체가 사회적 소외 계층이나 경제적 약자를 제도적으로 (　　　　)함으로써 기회 균등을 보장하고 사회적 통합을 이루고자 한 데서 착안했다. 사회적 (　　　　) 대상자를 위한 정책으로는 입시에서의 특별 전형 도입, 공공요금 감면, 전세 자금 지원 등이 있다.

① 권익　② 기부　③ 배려　④ 보장　⑤ 불평등

독해 체크

1. 이 글의 핵심어는?

□□로운 사회

2. 문단별 중심 내용은?

1 '정의로운 사회란 무엇일까?'라는 □□ 제시

2 정의로운 사회에 대한 □□의 견해

3 정의로운 사회에 대한 □□의 견해

4 노직의 견해와 롤스의 견해의 □□□과 □□□

3. 이 글의 주제는?

정의로운 사회에 대한 노직과 롤스의 □□ 차이

어휘 체크

- **지상주의자**: 그 명사가 가리키는 것을 가장 으뜸으로 삼아 따르거나 주장하는 사람
- **누진세**: 과세 대상의 수량이나 값이 증가함에 따라 점점 높은 세율을 적용하는 세금. 소득세, 법인세, 상속세 따위임
- **자발적**: 남이 시키거나 요청하지 아니하여도 자기 스스로 나아가 행하는

[1~3] 다음 글을 읽고 물음에 답하시오. 2013학년도 11월 고1 전국연합

1 사람들은 누구나 정의로운 사회에 살기를 원한다. 그렇다면 정의로운 사회란 무엇일까? 이에 대해 철학자 로버트 노직과 존 롤스는 서로 다른 견해를 보인다.

2 자유 지상주의자인 노직은 타인에게 피해를 주지 않는 한, 개인의 모든 자유가 보장되는 사회를 정의로운 사회라고 말한다. 개인이 정당하게 얻은 결과를 온전히 소유할 수 있도록 자유를 보장하는 것이 정의라는 것이다. 따라서 개인의 소유에 대해 국가가 간섭하는 것은 소유권이라는 개인의 자유를 침해하는 것이기 때문에 정의롭지 못하다고 주장한다. 그렇기 때문에 노직은 선천적인 능력의 차이와 사회적 빈부 격차를 당연한 것으로 본다. 따라서 복지 제도나 누진세 등과 같은 국가의 간섭에 의한 재분배 시도에 대해서는 강력하게 반대한다. 다만 빈부 격차를 해소하기 위한 사람들의 자발적 기부에 대해서는 인정한다.

3 롤스는 개인의 자유를 보장하면서도 사회적 약자를 배려하는 사회가 정의로운 사회라고 말한다. 롤스는 정의로운 사회가 되기 위해서는 세 가지 조건을 만족해야 한다고 주장한다. 첫 번째 조건은 사회 원칙을 정하는 데 있어서 사회 구성원 간의 합의 과정이 있어야 한다는 것이다. 이러한 합의를 통해 정의로운 세계의 규칙 또는 기준이 만들어진다고 보았다. 두 번째 조건은 사회적 약자의 입장을 고려해야 한다는 것이다. 롤스는 인간의 출생, 신체, 지위 등에는 우연의 요소가 많은 영향을 미칠 수 있다고 본다. 따라서 누구나 우연에 의해 사회적 약자가 될 수 있기 때문에 사회적 약자를 차별하는 것은 정당하지 못한 것이 된다. 마지막 조건은 개인이 정당하게 얻은 소유일지라도 그 이익의 일부는 사회적 약자에게 돌아가야 한다는 것이다. 왜냐하면 사회적 약자가 될 가능성은 누구에게나 있으므로 자발적 기부나 사회적 제도를 통해 사회적 약자의 처지를 최대한 배려하는 것이 사회 전체로 볼 때 ㉠공정하고 정의로운 것이기 때문이다.

4 노직과 롤스는 이윤 추구나 자유 경쟁 등을 허용한다는 면에서는 공통점을 보인다. 그러나 노직은 개인의 자유를 중시하여 사회적 약자의 자연적·사회적 불평등의 해결을 개인의 선택에 맡긴다. 반면에 롤스는 개인의 자유를 중시하는 한편, 사람들이 공정한 규칙에 합의하는 과정도 중시하며, 자연적·사회적 불평등을 복지를 통해 보완해야 한다고 주장한다. 롤스의 주장은 소수의 권익을 위한 이론적 틀을 제시했으며, 평등의 이념을 확장시켜 복지 국가에 대한 이론적 근거를 마련했다고 할 수 있다.

1 **문맥상 ㉠과 바꾸어 쓰기에 가장 적절한 것은?**

① 당연하고 ② 정당하고 ③ 슬기롭고
④ 만족스럽고 ⑤ 안정적이고

2 **윗글의 서술 방식으로 가장 적절한 것은?**

① 예상되는 반론을 반박하며 주장을 강화하고 있다.
② 논의된 내용을 종합하여 새로운 문제를 제기하고 있다.
③ 하나의 논점에 대한 두 견해를 소개하면서 비교하고 있다.
④ 두 이론의 장점을 절충하여 새로운 이론으로 통합하고 있다.
⑤ 이론이 등장한 시대적 상황을 구체적 자료를 통해 제시하고 있다.

절충하여: 서로 다른 사물이나 의견, 관점 따위를 알맞게 조절하여 서로 잘 어울리게 하여

통합하고: 여러 요소들이 조직되어 하나의 전체를 이루고

기출 문제

3 **윗글의 노직, 롤스가 〈보기〉의 신문 기사를 읽은 후 보일 반응으로 적절하지 않은 것은?**

보기

'부상 투혼' ○○○, 또 다른 감동을 주다

프로 야구 선수 ○○○은 발목 부상에도 불구하고 등판하여 승리 투수가 되었다. ○○○은 1승을 올릴 때마다 1백만 원씩 난치병 치료 재단에 기부하기로 했다. 2010년에는 다승왕 상금으로 받은 1천만 원을 내놓기도 했다. 몇 년에 걸쳐 난치병 치료를 위한 기금 1억 원을 여러 사람들과 함께 조성하여 난치병 치료 재단에 기부했다. 그에게 감동받은 팬들은 정부에 세금으로 난치병 환자를 지원하는 복지법 제정을 청원하고 있다.

– △△ 신문

등판하여: 야구에서, 투수가 마운드에 서서

① 노직은 기부하는 행동 자체를 반대하겠군.
② 노직은 복지법이 제정되는 것을 반대하겠군.
③ 롤스는 복지법 제정으로 정의로운 사회가 이루어질 수 있다고 생각하겠군.
④ 롤스는 사회적 약자들을 위해 기부한 ○○○ 선수의 행동을 정의롭다고 판단하겠군.
⑤ 노직, 롤스는 모두 ○○○ 선수가 다승왕 상금을 받은 것은 자유 경쟁을 통해 얻은 결과라는 점에서 인정하겠군.

주제별로 알아보는 속담

협동과 관련된 속담

속담	뜻과 예	유의 속담
공중에 나는 기러기도 길잡이는 한 놈이 한다	무슨 일을 하든지 오직 한 사람의 지휘자가 이끌고 나가야지 여러 사람들이 제각기 나서서 길잡이 노릇을 하려고 해서는 안 된다는 말 예 여럿이 나서니 일이 전혀 진행되지 않는구나. 공중에 나는 기러기도 길잡이는 한 놈이 한다고 했으니, 지금부터는 철수가 이끄는 방향과 순서에 따라 차근히 다시 해 보자.	
도둑질을 해도 손발이 맞아야 한다	무슨 일이든지 두 편에서 서로 뜻이 맞아야 이루어질 수 있다는 말 예 나와 함께 과제를 하던 지혜는 "너랑 의견이 안 맞아서 더 이상 못하겠어. 도둑질을 해도 손발이 맞아야 하는 건데……."라고 말하며 얼굴을 잔뜩 찌푸렸다.	유 두 손뼉이 맞아야 소리가 난다
때리는 시늉하면 우는 시늉을 한다	서로 손발이 잘 맞는다는 말 예 둘이 어찌나 죽이 척척 잘 맞는지, 때리는 시늉하면 우는 시늉을 한다니까.	
먹기는 혼자 먹어도 일은 혼자 못 한다	일은 힘을 합쳐 하는 것이 효과적이라는 말 예 먹기는 혼자 먹어도 일은 혼자 못 하는 법이지. 너 혼자 끙끙 고민하지 말고 친구들에게 부탁해 보면 어때?	
백지장도 맞들면 낫다	쉬운 일이라도 협력하여 하면 훨씬 쉽다는 말 예 백지장도 맞들면 낫다고 하잖아. 내가 도와주면 교실 청소를 더 빨리 끝낼 수 있을 거야!	유 동냥자루도 마주 벌려야 들어간다
사공이 많으면 배가 산으로 간다	여러 사람이 저마다 제 주장대로 배를 몰려고 하면 결국에는 배가 물로 못 가고 산으로 올라간다는 뜻으로, 주관하는 사람 없이 여러 사람이 자기주장만 내세우면 일이 제대로 되기 어려움을 비유적으로 이르는 말 예 아무리 좋은 선수들이 모여 있다고 해도 이들을 이끌어 줄 리더가 없으면 좋은 결과를 얻을 수 없어. 사공이 많으면 배가 산으로 간다는 말도 있잖아.	유 목수가 많으면 집을 무너뜨린다, 상좌가 많으면 가마솥을 깨뜨린다
사람이 많으면 길이 열린다	사람의 지혜와 힘을 합치면 그 어떤 큰일도 할 수 있는 방도를 찾게 됨을 이르는 말 예 사람이 많으면 길이 열린다고 했으니, 우리 힘을 합쳐 이 문제를 풀어 보자.	
세 사람만 우겨 대면 없는 호랑이도 만들어 낼 수 있다	① 셋이 모여 우겨 대면 누구나 곧이듣게 된다는 뜻으로, 여럿이 힘을 합치면 안되는 일이 없음을 비유적으로 이르는 말 ② 여럿이 떠들어 소문내면 사실이 아닌 것도 사실처럼 됨을 비유적으로 이르는 말 예 세 사람만 우겨 대면 없는 호랑이도 만들어 낼 수 있다고, 여럿이 만들어 내는 터무니없는 소문 때문에 피해를 보는 사람들이 너무 많아.	유 삼인성호(三人成虎): 세 사람이 짜면 거리에 범이 나왔다는 거짓말도 꾸밀 수 있다는 뜻으로, 근거 없는 말이라도 여러 사람이 말하면 곧이듣게 됨을 이르는 말

손이 많으면 일도 쉽다

무슨 일이나 여러 사람이 같이 힘을 합하면 쉽게 잘 이룰 수 있다는 말

예 가족이 모두 모여 김장을 하니 오전 나절에 다 끝났네. 역시 손이 많으면 일도 쉽다는 말이 맞아.

열의 한 술 밥이 한 그릇 푼푼하다

열 사람이 한 술씩 보태서 밥 한 그릇을 만든다는 뜻으로, 여럿이 각각 조금씩 도와주어 큰 보탬이 됨을 비유적으로 이르는 말

예 열의 한 술 밥이 한 그릇 푼푼하다고, 함께 조금씩 돈을 모았더니 꽤 큰돈이 모였구나.

유 **십시일반(十匙一飯)**: 밥 열 술이 한 그릇이 된다는 뜻으로, 여러 사람이 조금씩 힘을 합하면 한 사람을 돕기 쉬움을 이르는 말

외손뼉이 못 울고 한 다리로 가지 못한다

① 두 손뼉이 마주쳐야 소리가 나지 외손뼉만으로는 소리가 나지 아니한다는 뜻으로, 일은 상대가 같이 응하여야지 혼자서만 해서는 잘 되는 것이 아님을 비유적으로 이르는 말 ② 상대 없는 분쟁이 없음을 비유적으로 이르는 말

예 외손뼉이 못 울고 한 다리로 가지 못한다고, 중앙 정부와 지방 자치 단체가 서로 협력해야 나라가 발전할 수 있어.

유 **고장난명(孤掌難鳴)**: ① 외손뼉만으로는 소리가 울리지 아니한다는 뜻으로, 혼자의 힘만으로 어떤 일을 이루기 어려움을 이르는 말 ② 맞서는 사람이 없으면 싸움이 일어나지 아니함을 이르는 말

종이도 네 귀를 들어야 바르다

종이도 네 귀를 다 들어야 어느 한 귀도 처짐이 없이 판판해진다는 뜻으로, 무슨 일이나 하나도 빠짐없이 모두 힘을 합쳐야 올바르게 되어 감을 비유적으로 이르는 말

예 자꾸 너만 이 일에서 빠지려고 하지 마. 종이도 네 귀를 들어야 바르다고 했어.

상황으로 보는 속담

사공이 많으면 배가 산으로 간다

[01~06] 다음 뜻에 해당하는 속담을 〈보기〉에서 찾아 기호를 써 보자.

보기

㉠ 사람이 많으면 길이 열린다
㉡ 종이도 네 귀를 들어야 바르다
㉢ 사공이 많으면 배가 산으로 간다
㉣ 때리는 시늉하면 우는 시늉을 한다
㉤ 먹기는 혼자 먹어도 일은 혼자 못 한다
㉥ 외손뼉이 못 울고 한 다리로 가지 못한다

01 서로 손발이 잘 맞는다는 말 (　　　　　　)

02 일은 힘을 합쳐 하는 것이 효과적이라는 말 (　　　　　　)

03 사람의 지혜와 힘을 합치면 그 어떤 큰일도 할 수 있는 방도를 찾게 됨을 이르는 말 (　　　　　　)

04 일은 상대가 같이 응하여야지 혼자서만 해서는 잘되는 것이 아님을 비유적으로 이르는 말 (　　　　　　)

05 무슨 일이나 하나도 빠짐없이 모두 힘을 합쳐야 올바르게 되어 감을 비유적으로 이르는 말 (　　　　　　)

06 주관하는 사람 없이 여러 사람이 자기주장만 내세우면 일이 제대로 되기 어려움을 비유적으로 이르는 말 (　　　　　　)

07 다음 글을 읽고, 밑줄 친 내용에 해당하는 적절한 속담을 써 보자.

A 씨와 B 씨 두 사람은 각자 알고 지내던 방송 작가들에게서 <u>들은 소문을 흥밋거리로 지인들에게 전송했다. '너만 알고 있어.'라는 형태로 전송된 메시지는 순식간에 사람들에게 퍼져 나갔고, 전혀 근거 없는 소문이었던 해당 내용은 어느새 사실로 둔갑해 기사화되었다.</u> 기사에 실린 당사자들은 명백한 허위 사실이라며 경찰에 신고하였고, A 씨와 B 씨는 결국 불구속 상태로 검찰에 넘겨졌다.

→

[08~11] **다음 빈칸에 알맞은 단어를 쓰고, 속담의 뜻을 찾아 바르게 연결해 보자.**

	속담		뜻
08	[ ]도 맞들면 낫다		㉠ 쉬운 일이라도 협력하여 하면 훨씬 쉽다는 말
09	[ ]이 많으면 일도 쉽다		㉡ 무슨 일이든지 두 편에서 서로 뜻이 맞아야 이루어질 수 있다는 말
10	[ ]을 해도 손발이 맞아야 한다		㉢ 여럿이 각각 조금씩 도와주어 큰 보탬이 됨을 비유적으로 이르는 말
11	열의 한 술 [ ]이 한 그릇 푼푼하다		㉣ 무슨 일이나 여러 사람이 같이 힘을 합하면 쉽게 잘 이룰 수 있다는 말

12 다음 문자 메시지 대화를 읽고, 빈칸에 알맞은 속담을 문맥에 맞게 써 보자.

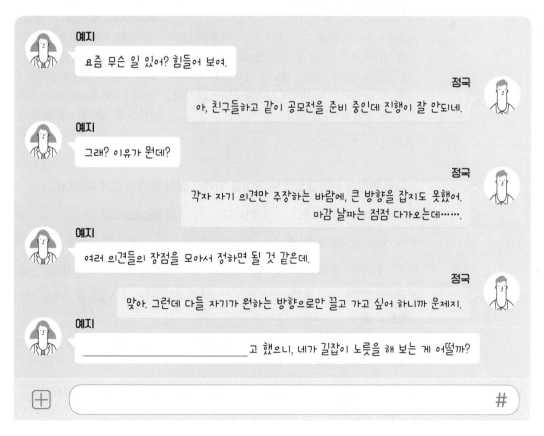

예지: 요즘 무슨 일 있어? 힘들어 보여.

정국: 아, 친구들하고 같이 공모전을 준비 중인데 진행이 잘 안되네.

예지: 그래? 이유가 뭔데?

정국: 각자 자기 의견만 주장하는 바람에, 큰 방향을 잡지도 못했어. 마감 날짜는 점점 다가오는데…….

예지: 여러 의견들의 장점을 모아서 정하면 될 것 같은데.

정국: 맞아. 그런데 다들 자기가 원하는 방향으로만 끌고 가고 싶어 하니까 문제지.

예지: ____________________고 했으니, 네가 길잡이 노릇을 해 보는 게 어떨까?

01 사회 주제어 _경제

1단계 문맥으로 어휘 확인하기

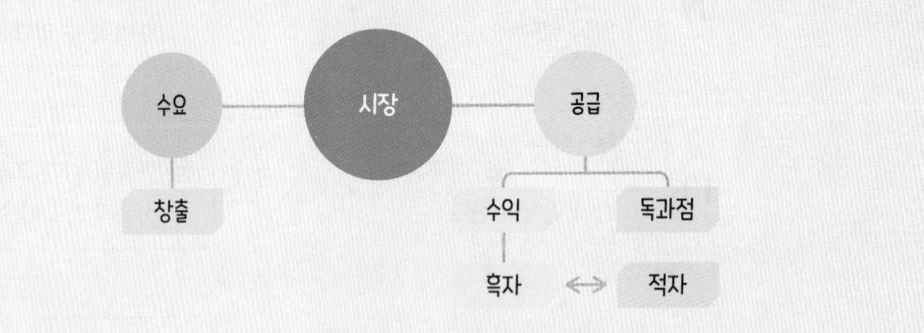

시장(시장市 마당場) 상품으로서의 재화와 서비스의 거래가 이루어지는 추상적인 영역 참 재화: 사람이 바라는 바를 충족시켜 주는 모든 물건

수요(구할需 중요할要) 어떤 재화나 노동을 일정한 가격으로 사려고 하는 욕구 참 수요 법칙: 가격 외의 요인, 즉 소득이나 기호 등 다른 요인들은 일정할 때 재화의 가격이 오르면 그 재화의 수요량이 감소하는 법칙

창출(비롯할創 날出) 전에 없던 것을 처음으로 생각하여 지어내거나 만들어 냄

공급(이바지할供 줄給) ① 교환하거나 판매하기 위하여 시장에 재화나 노동을 제공하는 일. 또는 그 제공된 상품의 양 ② 요구나 필요에 따라 물품 따위를 제공함 참 공급 법칙: 재화의 가격이 오르면 그 재화의 공급량이 증가하는 법칙

수익(거둘收 더할益) ① 기업이 경제 활동의 대가로서 얻은 경제 가치 ② 이익을 거두어들임. 또는 그 이익

흑자(검을黑 글자字) 수입이 지출보다 많아 잉여 이익이 생기는 일. 수입 초과액을 표시할 때 주로 흑색 잉크를 쓰는 데서 유래함 반 적자

적자(붉을赤 글자字) 지출이 수입보다 많아서 생기는 결손액. 장부에 기록할 때 붉은 글자로 기입한 데서 유래함 반 흑자

독과점(홀로獨 적을寡 차지할占) 하나의 기업이 다른 경쟁자를 제외시키고 이익을 차지하는 '독점'과, 몇몇 기업이 어떤 상품 시장의 대부분을 지배하는 상태인 '과점'을 아울러 이르는 말. 즉, 어떤 상품의 생산이나 유통을 하나 또는 아주 적은 수의 기업만이 차지하는 경제 현상을 말함

● **다음 빈칸에 들어갈 알맞은 단어를 위에서 찾아 문맥에 맞게 써 보자.**

(1) 경제가 살아나면서 소비 심리가 확산되고 □□이 활성화되었다.

(2) 지난해 신규 게임을 출시한 △△ 게임사는 막대한 □□을 올려 기록적인 □□를 보았다.

(3) 특정 상품의 시장을 전적으로 또는 대부분 지배하여 경쟁자 없이 행하는 사업을 □□□ 사업이라고 한다.

(4) 급변하고 있는 산업 구조에 맞춰 미래 산업에 주력하고 있는 신사업부는 새로운 시장을 □□하기 위해 고민하고 있다.

(5) 시장에서 소비자와 생산자의 관계를 나타내는 □□와 □□은 서로 영향을 주고받으며 상호 작용함으로써 가격을 결정한다.

(6) ○○ 분유 업체는 위장 기관이 약하거나 일반 분유가 맞지 않는 유아들을 위해 □□를 감수하더라도 특수 분유의 생산을 이어 나가겠다고 발표하였다.

2단계 문제로 어휘 익히기

1

다음 단어의 의미를 찾아 바르게 연결해 보자.

(1) 공급 •　　• ㉠ 어떤 재화나 노동을 일정한 가격으로 사려고 하는 욕구

(2) 수요 •　　• ㉡ 교환하거나 판매하기 위하여 시장에 재화나 노동을 제공하는 일

(3) 시장 •　　• ㉢ 상품으로서의 재화와 서비스의 거래가 이루어지는 추상적인 영역

2

다음 문장에 들어갈 알맞은 단어를 〈보기〉에서 찾아 써 보자.

보기

수요　　수익　　적자　　독과점

(1) 정부는 소비자를 보호하기 위해 (　　　　) 규제를 강화하겠다고 발표하였다.

(2) 한 시민 단체는 음식 배달 및 포장 (　　　　)이/가 확대되면서 일회용품의 사용량이 급증하였다고 발표하였다.

(3) 각 지방 자치 단체들은 지역 축제 개최, 지역 관광지 개발, 지역 특산품 판매 등의 (　　　　) 사업을 확장하고 있다.

3

다음 문장의 괄호 안에 들어갈 알맞은 단어를 골라 보자.

(1) 공급량이 수요량보다 많은 상태를 초과 (공급 / 수요)(이)라고 한다.

(2) 우리 회사는 올해 신상품들이 잇달아 성공하여 상당한 규모의 (적자 / 흑자)를 냈다.

(3) 그녀는 기자 회견에서 대기업이 사회적 가치 (수익 / 창출)에 앞장서야 한다고 말하였다.

4

다음 밑줄 친 단어와 바꾸어 쓰기에 적절한 단어를 찾아보자.

이용하는 고객이 적은 시내버스의 노선을 유지하기 위해 정부는 시내버스 운행으로 인한 결손액을 지원하고 있다.

① 공급　　② 수요　　③ 수익　　④ 적자　　⑤ 흑자

02 사회 주제어 _ 경제

문맥으로 어휘 확인하기

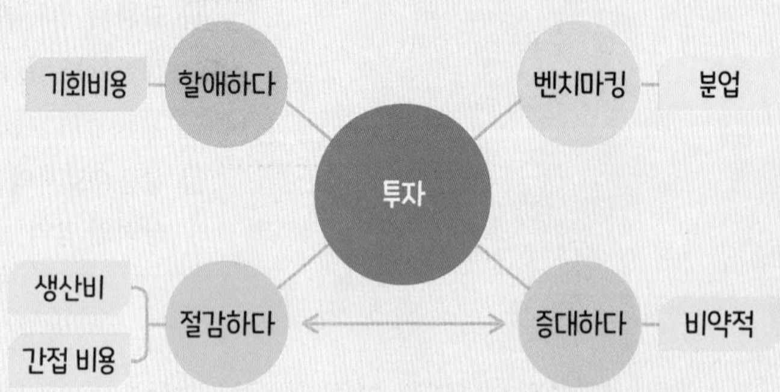

투자(던질投 재물資) 이익을 얻기 위하여 어떤 일이나 사업에 자본을 대거나 시간이나 정성을 쏟음

할애(나눌割 사랑愛)**하다** 소중한 시간, 돈, 공간 따위를 아깝게 여기지 아니하고 선뜻 내어 주다.

기회비용(틀機 모일會 쓸費 쓸用) 한 품목의 생산이 다른 품목의 생산 기회를 놓치게 한다는 관점에서, 어떤 품목의 생산 비용을 그것 때문에 생산을 포기한 품목의 가격으로 계산한 것

절감(마디節 덜減)**하다** 아끼어 줄이다.

생산비(날生 낳을産 쓸費) 물질적 재화를 생산하는 데 드는 비용을 통틀어 이르는 말 ㊜ 생산 원가

간접 비용(사이間 접할接 쓸費 쓸用) 개별 상품이나 서비스의 생산에 직접 관련되지 않은 비용

증대(더할增 큰大)**하다** 양이 많아지거나 규모가 커지다. 또는 양을 늘리거나 규모를 크게 하다. ㊜ 늘다, 늘이다

비약적(날飛 뛸躍 과녁的) 지위나 수준 따위가 갑자기 빠른 속도로 높아지거나 향상되는. 또는 그런 것 ㊜ 급진적

벤치마킹(benchmarking) 경쟁업체의 경영 방식을 면밀히 분석하여 경쟁업체를 따라잡음. 또는 그런 전략 ㊜ 본따르기

분업(나눌分 업業) ① 생산의 모든 과정을 여러 전문적인 부문으로 나누어 여러 사람이 나누어 맡아 일을 완성하는 노동 형태 ㊜ 협업, 결합 노동 ② 일을 나누어서 함 ㊟ 분장: 일이나 임무를 나누어 맡아 처리함

● **다음 빈칸에 들어갈 알맞은 단어를 위에서 찾아 문맥에 맞게 써 보자.**

(1) 유망한 산업일수록 자본가들의 □□가 활발하게 이루어진다.

(2) 여러 사람이 함께하는 □□을 통해 시간과 비용을 □□할 수 있다.

(3) 이번 공모전에는 시간과 정성을 더 많이 □□하였기에 합격할 자신이 있다.

(4) 중요한 선택을 할 때에는 □□□□을 고려하여 신중하게 결정해야 한다.

(5) 의학의 발달과 생활 환경의 개선을 통해 수명 연장의 가능성이 □□되고 있다.

(6) 정보 통신 분야의 □□□인 기술 혁신을 통해 우리의 삶은 하루가 다르게 바뀌고 있다.

(7) 아시아 여러 국가에서 우리나라의 선진화된 IT 산업을 □□□□하려는 움직임을 보이고 있다.

(8) 어떤 상품을 생산하는 데 드는 비용인 □□□에는 상품의 생산에 직접 관련되지 않은 비용인 □□□□이 포함된다.

2단계 문제로 어휘 익히기

1 **다음 단어의 의미를 찾아 바르게 연결해 보자.**

(1) 절감하다 •　　• ㉠ 아끼어 줄이다.

(2) 증대하다 •　　• ㉡ 소중한 시간, 돈, 공간 따위를 아깝게 여기지 아니하고 선뜻 내어 주다.

(3) 할애하다 •　　• ㉢ 양이 많아지거나 규모가 커지다. 또는 양을 늘리거나 규모를 크게 하다.

2 **다음 문장에 들어갈 알맞은 단어를 〈보기〉에서 찾아 써 보자.**

보기

분업　　절감　　투자　　비약적

(1) 새로운 사회를 만들어 나가기 위해서는 교육에 (　　　　)해야 한다.

(2) 한국 영화는 (　　　　)(으)로 발전하여 세계적으로 인정받을 정도로 성장하였다.

(3) 산업 사회에서 (　　　　)은/는 생산력을 향상시키지만, 인간 소외를 초래할 수도 있다는 문제가 제기되었다.

3 **제시된 뜻과 예문을 참고하여 다음 초성에 해당하는 단어를 빈칸에 써 보자.**

(1) ㅂㅊㅁㅋ: 경쟁업체의 경영 방식을 면밀히 분석하여 경쟁업체를 따라잡음. 또는 그런 전략

예 우리나라의 아이돌 시스템을 (　　　　)하는 사례가 전 세계적으로 늘어나고 있다.

(2) ㄱㅎㅂㅇ: 한 품목의 생산이 다른 품목의 생산 기회를 놓치게 한다는 관점에서, 어떤 품목의 생산 비용을 그것 때문에 생산을 포기한 품목의 가격으로 계산한 것

예 인류는 환경 오염에 따른 엄청난 (　　　　)을 지불해야 한다.

4 **㉠~㉤과 바꾸어 쓰기에 적절하지 <u>않은</u> 단어를 찾아보자.**

• 많은 기업이 기술 개발을 통해 ㉠<u>생산비를</u> ㉡<u>줄이기</u> 위해 노력한다.
• 신세대는 기성세대에 비해 자기 개발을 위해 ㉢<u>쓰는</u> 비용이 ㉣<u>눈에 띄게</u> ㉤<u>늘었다</u>.

① ㉠: 기회비용을　　② ㉡: 절감하기　　③ ㉢: 투자하는
④ ㉣: 비약적으로　　⑤ ㉤: 증대하였다

독해로 어휘 다지기

독해 체크

1. 이 글의 핵심어는?

□□ □□

2. 문단별 중심 내용은?

1 □□□□의 성공

2 □□ □□과 블루 오션의 개념과 특징

3 레드 오션의 □□ 및 블루 오션 □□의 이유와 요건

4 □□ □□ 창출의 촉구

3. 이 글의 주제는?

□□ □□의 개념과 특징 및 블루 오션 창출의 필요성

[1~3] 다음 글을 읽고 물음에 답하시오. 2006학년도 11월 고1 전국연합

1 1984년 길거리 공연가 몇 사람이 모여 설립한 캐나다 최대 문화 산업 기업인 솔레이유의 공연 작품은 세계 90여 개 도시에서 4천만 명이 관람했다. 이 회사는 서커스 업계에서 세계 최고라고 인정받는 베일리가 100년 이상 걸려 달성한 수입 규모를 20년도 채 안 걸려 벌어들였다. 주목할 것은 솔레이유의 급속한 성장이 잠재 성장력이 한계에 달한 사양 산업에서 이루어졌다는 점이다. 솔레이유는 이렇게 축소되고 있는 ㉠시장에서 경쟁자의 고객을 빼앗는 방법으로 승리한 것이 아니다. 경쟁과 무관한 미개척 시장 공간을 새로 개발하여 참신한 엔터테인먼트로 전통 서커스 공연보다 몇 배나 비싼 요금을 지불할 의사가 있는 새로운 고객들의 마음을 사로잡았다. 즉 솔레이유는 레드 오션(Red ocean) 전략이 아니라 블루 오션(Blue ocean) 전략으로 승부한 것이다.

2 ⓐ레드 오션은 존재하는 모든 산업을 뜻하며 이미 세상에 알려진 시장 공간이다. ⓑ블루 오션은 현재 존재하지 않는 모든 산업을 나타내는 미지의 시장 공간이다. 레드 오션에서는 산업 간의 경계선이 명확하게 그어져 있고 경영자는 이를 받아들이고 그 게임의 법칙 또한 알고 있다. 기업들은 기존 수요에서 보다 큰 점유율을 얻기 위해 경쟁자를 능가하려 애쓴다. 시장 참가자 수가 늘어남에 따라 ㉡수익과 성장에 대한 기대치는 낮아진다. 이와는 대조적으로 블루 오션은 미개척 시장 공간으로 새로운 수요 ㉢창출과 고수익 성장을 향한 기회로 정의된다. 블루 오션은 기존 산업의 경계선 밖에서 완전히 새롭게 창출되기도 하고 기존 산업을 확장하여 만들기도 한다. 블루 오션에서는 게임의 규칙이 정해지지 않았기 때문에 경쟁과는 무관하다.

3 레드 오션에서는 경쟁자를 능가하기 위해 붉은 바다를 잘 헤쳐 나가는 것이 중요하다. ㉣공급이 수요를 초과하는 대부분 산업의 경우, 축소되는 시장 공간에서 점유율 경쟁이 필요한 것이 사실이다. 그러나 점유율에서 우위를 점한다고 하더라도 지속적으로 높은 실적을 내기는 어렵다. 기업은 이러한 한계를 뛰어넘어야 한다. 그리고 수익과 성장의 새로운 기회를 잡기 위해 블루 오션을 창출해야 한다. 그러나 아쉽게도 블루 오션은 항해 지도에 잘 나타나 있지 않다. 지난 20년간 절대적 영향력을 미친 기업의 경영 전략 포커스는 경쟁을 바탕으로 한 레드 오션이었다. 그 결과, 우리는 경제 구조 분석에서부터 원가 ㉤절감, 품질의 차별화, 경쟁자 벤치마킹 등 여러 가지 효과적인 기술로 레드 오션에서 경쟁하는 방법을 배워 왔다. 블루 오션 창출은 가치 혁신의 패러다임 전환 없이는 실제 전략으로 추구하기에는 위험 부담이 커서 단순히 희망 사항으로만 머무를 가능성이 있다.

4 블루 오션이란 용어는 분명 새로운 것이지만 블루 오션 자체가 과거에 존재하지 않았던 것은 아니다. 그럼에도 불구하고 지금까지의 전략적 사고의 최우선 초점은 레드 오션 전략이었다. 이제는 레드 오션이냐 블루 오션이냐 결론을 내려야 한다. 세계 시장에서 살아남기 위해서는 경쟁사를 이기는 데 포커스를 맞추지 말고 기업의 가치를 비약

어휘 체크

- **사양**: 새로운 것에 밀려 점점 몰락해 감을 비유적으로 이르는 말
- **미개척**: 아직 개척하지 못하거나 아니함
- **우위**: 남보다 나은 위치나 수준
- **실적**: 실제로 이룬 업적이나 공적
- **패러다임**: 어떤 한 시대 사람들의 견해나 사고를 근본적으로 규정하고 있는 테두리로서의 인식의 체계. 또는 사물에 대한 이론적인 틀이나 체계

적으로 증대시키고 비용을 절감함으로써 시장 경쟁에서 자유로워지고 이를 통해 새로운 시장 공간을 창출하는 비즈니스 세계의 탁월한 힘을 발휘해야 할 때다.

1 **㉠~㉤을 활용하여 만든 문장으로 적절하지 않은 것은?**

① ㉠: 한국 웹툰이 세계 시장에서 주목을 받고 있다.
② ㉡: 우리 회사는 수익의 일부를 환경을 위해 기부한다.
③ ㉢: 정부는 일자리 창출을 위해 다양한 방안을 내놓았다.
④ ㉣: 업체는 축구 대표 팀과 장비 공급 계약을 체결하였다.
⑤ ㉤: 병원에 입원해 있는 동안 운동의 필요성을 절감하였다.

2 **ⓐ와 ⓑ를 비교한 내용으로 적절하지 않은 것은?**

	ⓐ	ⓑ
①	존재하는 모든 산업	존재하지 않는 모든 산업
②	이미 알려진 시장 공간	미지의 시장 공간
③	산업 간의 경계선 명확	산업 간의 경계선 해체
④	기존의 수요 제거	새로운 수요 창출
⑤	수익에 대한 기대치 하락	수익에 대한 기대치 상승

해체: 체제나 조직 따위가 붕괴함. 또는 그것을 붕괴하게 함

3 **윗글에 대한 반응으로 적절하지 않은 것은?**

① 블루 오션은 21세기에 새롭게 등장한 경영 전략이군.
② 기업이 레드 오션에서 블루 오션으로 전환될 수도 있겠군.
③ 시간이 지나면 블루 오션도 레드 오션으로 바뀔 수 있겠군.
④ 시대의 흐름을 읽지 못하면 블루 오션도 외면당할 수 있겠군.
⑤ 블루 오션의 초기에는 해당 영역의 시장을 독차지할 수 있겠군.

외면: 어떤 사상이나 이론, 현실, 사실, 진리 따위가 인정하지 않고 도외시함

01 사회 주제어 _법률

1단계 문맥으로 어휘 확인하기

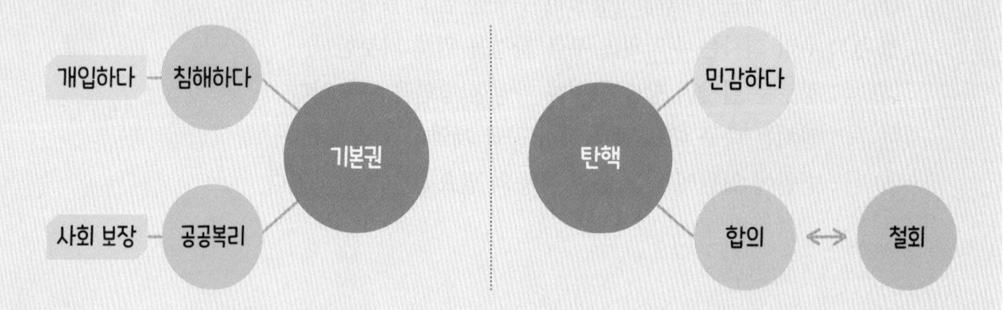

기본권(터基 근본本 권세權) 국민이 누릴 수 있는 기본적인 권리로, 헌법을 통하여 보장됨. 우리 헌법은 인간의 존엄과 가치 및 행복 추구권을 포괄적 기본권으로 규정하고, 이를 구체적으로 실현할 수 있도록 자유권, 평등권, 사회권(국가에 대하여 인간다운 생활의 보장을 요구할 수 있는 권리), 참정권(국민이 국가의 의사 결정 과정에 참여할 수 있는 권리), 청구권(국가에 대해 일정한 행위를 신청할 수 있는 권리) 등을 보장하고 있음 ㊌ 기본적 인권 ㊟ 자연권: 자연법에 의하여 인간이 태어나면서부터 가지고 있는 권리. 자기 보존이나 자기 방위의 권리, 자유나 평등의 권리 따위가 있음

침해(침노할侵 해로울害)**하다** 침범하여 해를 끼치다. ㊟ 침범: 남의 영토나 권리 따위를 쳐들어가 해침

개입(끼일介 들入)**하다** 자신과 직접적인 관계가 없는 일에 끼어들다.

공공복리(공변될公 함께共 복福 이로울利) 사회 구성원 전체에 두루 관계되는 복지나 이익 ㊌ 공공복지

사회 보장(모일社 모일會 보전할保 가로막을障) 출산, 양육, 실업, 은퇴, 장애, 질병, 빈곤, 사망 따위의 사회적 위험으로부터 국민을 보호하고 국민의 삶의 질을 유지, 향상하는 데 필요한 소득과 서비스를 국가 및 지방 자치 단체가 보장하는 일. 사회 보험, 공공 부조, 사회 서비스의 형식으로 제공됨

탄핵(탄알彈 캐물을劾) 보통의 징계 절차를 거쳐 관직을 빼앗을 수 없거나 검찰 기관에 의한 소추(검사가 법원에 재판을 청구하는 일)가 곤란한 대통령·국무위원·법관 등의 고위 공무원을 국회에서 의견을 정하여 자격을 빼앗거나 처벌하는 일. 또는 그런 제도

민감(민첩할敏 느낄感)**하다** 자극에 빠르게 반응을 보이거나 쉽게 영향을 받는 데가 있다. ㊖ 둔감하다: 감정이나 감각이 무디다.

합의(합할合 뜻意) ① 둘 이상의 당사자의 의사가 일치함. 또는 그런 일 ② 서로 의견이 일치함. 또는 그 의견

철회(거둘撤 돌아올回) 이미 제출하였던 것이나 주장하였던 것을 다시 회수하거나 번복함

● **다음 빈칸에 들어갈 알맞은 단어를 위에서 찾아 문맥에 맞게 써 보자.**

(1) 그는 정치적으로 ☐☐한 질문에 대해서는 답변을 거부하였다.

(2) 각 국가는 국민의 최저 생계 수준을 보장하기 위한 공공 부조에 적극적으로 ☐☐한다.

(3) ☐☐ ☐☐ 제도가 발달된 나라일수록 무료로 치료를 받을 수 있는 수혜의 폭이 넓다.

(4) '공공복지'와 비슷한 말인 ☐☐☐☐는 국민 전체의 이익과 관련된 만큼 중요할 수밖에 없다.

(5) 모든 국민은 헌법이 정한 ☐☐☐을 누릴 수 있으며, 이것은 누구도 절대 ☐☐해서는 안 된다.

(6) 국회에서는 중대한 위법 행위를 저지른 고위 공무원 김 씨를 ☐☐하기로 ☐☐하였다가, 며칠 뒤 이를 번복하여 ☐☐하였다.

• 정답과 해설 24쪽

2단계 문제로 어휘 익히기

1 **다음 단어의 의미를 찾아 바르게 연결해 보자.**

(1) 탄핵 •　　　• ㉠ 국민이 누릴 수 있는 기본적인 권리

(2) 기본권 •　　　• ㉡ 사회 구성원 전체에 두루 관계되는 복지나 이익

(3) 공공복리 •　　　• ㉢ 고위 공무원을 국회에서 의견을 정하여 자격을 빼앗거나 처벌하는 일

2 **다음 문장에 들어갈 알맞은 단어를 〈보기〉에서 찾아 써 보자.**

보기

개입　　민감　　침해　　합의

(1) 아기가 가장 (　　　　)하게 반응하는 소리는 엄마의 목소리이다.

(2) 남과 북은 함께 머리를 맞대고 겨레말 사전을 만드는 것에 (　　　　)했다.

(3) 다른 사람의 글을 표절하는 것은 저작권을 (　　　　)하는 심각한 범죄이다.

3 **다음 문장의 괄호 안에 들어갈 알맞은 단어를 골라 보자.**

(1) 경찰은 그 사건에 (개입 / 민감)한 관련자들을 모두 불러들여 조사하기로 했다.

(2) 그가 내놓은 주장에 대해 여러 사람이 반박하였고, 결국 그는 스스로 자신의 주장을 (합의 / 철회)할 수밖에 없었다.

4 **다음 빈칸에 들어갈 알맞은 단어를 찾아보자.**

(　　　　)(이)란 인간다운 삶을 추구하기 위한 기본적인 권리를 의미함과 동시에 이를 실천하기 위한 제도, 규범적 실천 활동 모두를 포함하는 개념이다. 질병·장애·노령·실업·사망 등 각종 사회적 위험으로부터 모든 국민을 보호하고 빈곤을 해소하며 국민 생활의 질을 향상시키기 위하여 제공되는 사회 보험, 공공 부조, 사회 복지 서비스 및 관련 복지 제도를 말한다.

① 탄핵　　② 합의　　③ 기본권　　④ 공공복리　　⑤ 사회 보장

02 사회 주제어 _법률

1단계 문맥으로 어휘 확인하기

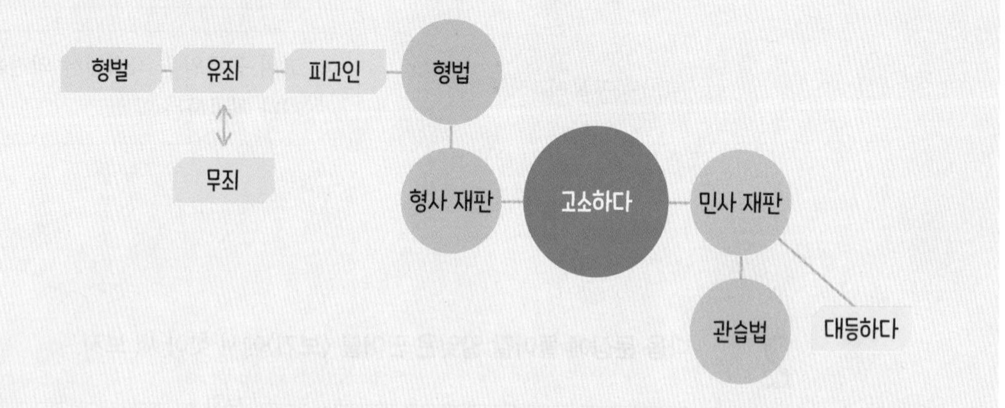

고소(아뢸告 하소연할訴)**하다** (사람이 자신에게 피해를 준 다른 사람이나 단체의) 범죄 사실을 법률 수사 기관에 신고하여 법적 처리를 구하다.

형사 재판(형벌刑 일事 마를裁 판가름할判) 형법의 적용을 받는 형사 사건에 관한 재판. 범죄자에게 형벌을 과하기 위한 것임

형법(형벌刑 법도法) 범죄와 형벌에 관한 법률 체계. 어떤 행위가 처벌되고 그 처벌은 어느 정도이며 어떤 종류의 것인가를 규정함

피고인(입을被 아뢸告 사람人) 형사 소송에서, 검사에 의하여 형사 책임을 져야 할 자로 소송을 당한 사람

유죄(있을有 허물罪) 잘못이나 죄가 있음 ⓑ 무죄

무죄(없을無 허물罪) 아무 잘못이나 죄가 없음 ⓑ 유죄

형벌(형벌刑 벌줄罰) 국가가 범죄를 저지른 사람에게 범죄의 책임을 전제로 부과하는, 법률상의 처벌이나 금지

민사 재판(백성民 일事 마를裁 판가름할判) 개인 사이의 경제적·신분적 생활 관계에 관한 민사 사건을 다루는 재판

관습법(버릇慣 익힐習 법도法) 사회생활에서 습관이나 관행이 굳어져서 법의 효력을 갖게 된 것 ⓤ 관례법, 습관법

대등(대답할對 같을等)**하다** 서로 견주어 높고 낮음이나 낫고 못함이 없이 비슷하다.

● **다음 빈칸에 들어갈 알맞은 말을 위에서 골라 문맥에 맞게 써 보자.**

(1) 그의 행위는 ☐☐에 근거하면 폭행죄에 해당된다.

(2) ☐☐의 무거움이 반드시 범죄 예방의 효과에 비례하지는 않는다.

(3) ☐☐☐은 법원의 어떤 결정에도 담담히 승복하겠다고 말하였다.

(4) 유명 가수인 이 씨는 허위 사실을 유포한 혐의로 김 기자를 ☐☐하였다.

(5) 민사 재판에서는 법률에 규정이 없으면 ☐☐☐에 따르도록 되어 있다.

(6) 그는 ☐☐가 판결되면 풀려날 것이고, ☐☐가 인정되면 최소 20년 징역을 선고받을 것이다.

(7) 국내 연구진이 이번에 개발한 부품은 미국, 유럽의 제품과 성능이 ☐☐하면서도 부피를 450배나 줄였다.

(8) 개인 사이에서 발생한 손해 배상을 청구하는 것은 ☐☐ 재판이며, 중대한 범죄를 저지른 사람에게 형벌을 부과하는 것은 ☐☐ 재판이다.

2단계 문제로 어휘 익히기

1

다음 단어의 의미를 찾아 바르게 연결해 보자.

(1) 유죄 • 　 • ㉠ 잘못이나 죄가 있음

(2) 형법 • 　 • ㉡ 범죄와 형벌에 관한 법률 체계

(3) 관습법 • 　 • ㉢ 사회생활에서 습관이나 관행이 굳어져서 법의 효력을 갖게 된 것

2

다음 문장에 들어갈 알맞은 단어를 〈보기〉에서 찾아 써 보자.

보기

고소　　대등　　관습법　　피고인

(1) 우리 축구 대표 팀은 남미 축구팀과 (　　　　)한 경기를 펼쳤다.

(2) 주인집 아저씨는 일주일 안에 돈을 갚지 않으면 우리를 (　　　　)하겠다고 말했다.

(3) 검사는 (　　　　)이/가 잘못한 점을 지적하여 판사가 적당한 벌을 내리도록 요구한다.

3

다음 문장의 괄호 안에 들어갈 알맞은 단어를 골라 보자.

(1) 소음 문제를 둘러싼 이웃 간의 분쟁이 (민사 재판 / 형사 재판)으로 번지는 경우가 자주 있다.

(2) (민사 재판 / 형사 재판)에서는 범죄자에게 형벌을 주고자 하는 검사가 원고가 되고, 죄를 지은 범죄자가 피고인이 된다.

(3) 수사 기관에 의해 현행범으로 체포 및 구속된 사람이라 할지라도 법원에서 확정적으로 형을 선고받기 전까지는 (무죄 / 유죄)라는 원칙이 있다.

4

다음 빈칸에 공통적으로 들어갈 알맞은 단어를 찾아보자.

벌금은 범죄를 저지른 책임을 물어 일정 금액의 돈을 국가에 납부하게 하는 (　　　　)이다. 현재는 판사가 범죄자의 경제적 차이를 고려하지 않고 '총액'만 정해 벌금을 선고한다. 그러나 같은 액수의 벌금이라도 소득과 재산에 따라 처벌 효과는 다르게 마련이다. 이런 이유로 '총액 벌금제'에 대해 (　　　　)의 불평등을 초래한다는 지적이 나오곤 한다.

① 유죄　② 형벌　③ 형법　④ 관습법　⑤ 민사 재판

3단계 독해로 어휘 다지기

독해 체크

1. 이 글의 핵심어는?

□의 적용

2. 문단별 중심 내용은?

1 '법률적 □□ □ □'의 개념

2 '법률적 삼단 논법'을 통한 법 □□의 예

3 □□에 적용할 수 있는 적당한 법 규정을 찾아내기 어려운 이유

4 적당한 법 규정이 없을 경우, □□ 재판에서의 판결

5 적당한 법 규정이 없을 경우, □□ 재판에서의 판결

3. 이 글의 주제는?

□을 사건에 적용하는 과정과, 적당한 법 규정이 없을 경우 형사 재판과 민사 재판의 □□

어휘 체크

- **추상적**: 구체성이 없이 사실이나 현실에서 멀어져 막연하고 일반적인. 또는 그런 것
- **개정되고**: 주로 문서의 내용 따위가 바르게 고쳐지고
- **배상**: 남의 권리를 침범하여 손해를 입힌 사람이 그 손해를 물어 주는 일

[1~3] 다음 글을 읽고 물음에 답하시오. 2010학년도 3월 고1 전국연합

1 법은 추상적인 규정으로 만들어진다. 그렇기 때문에 법을 현실의 구체적인 사건에 적용하는 과정은 이른바 '법률적 삼단 논법'에 의해 이루어진다. '법률적 삼단 논법'이란 추상적인 법 규정은 대전제로, 구체적인 사건은 소전제로 놓고, 법 규정이 그 사건에 적용될 수 있는지 판단하여 결론을 이끌어 내는 것을 말한다.

2 예컨대 A의 노트북 컴퓨터를 B가 몰래 가져가서 사용하다 발각되어 A가 B를 검찰에 ㉠고소했다고 하자. ⓐ검사는 이 사건이 어떤 법 규정에 해당되는지 검토한 후, 법정에서 B의 행위가 절도죄를 규정한 형법 규정에 해당되므로 형벌을 받아야 한다고 주장한다. 이에 대해 ⓑB의 변호사는 B가 노트북 컴퓨터를 훔쳐 간 것이 아니라 잠시 빌려 쓰려고 했던 것이므로, 검사가 내세운 형법 규정에 해당되지 않는다고 검사와는 다른 주장을 한다. 그러면 법관은 양쪽의 주장을 참고하여 B의 행위가 과연 검사가 내세운 형법 규정에 해당되는지를 최종적으로 판단한다. 만약 해당된다고 판단되면 법관은 그에 맞는 결론, 즉 유죄 판결을 내린다. 이와 같이 검사, 변호사, 법관은 모두 '어떤 사건이 어느 법 규정에 해당되는지'를 다룬다.

3 그런데, 많은 훈련을 거친 법률가들이라 하더라도 어떤 사건에 적용할 수 있는 적당한 법 규정을 찾아내는 일은 결코 쉬운 일이 아니다. 적당한 법 규정 찾기가 어려운 이유는 현재 시행되고 있는 법 규정의 수가 엄청나게 많을 뿐 아니라, 기존의 법 규정도 수시로 개정되고, 새로운 법 규정도 계속 만들어지고 있기 때문이다. 그뿐만 아니라 어떤 사건에 적용될 가능성이 있는 법 규정이 여러 개 발견되는 경우도 있다. 이로 인해 어떤 사건이 발생하였을 때 그 사건에 적용할 수 있는 적당한 법 규정을 찾지 못하게 되는 경우도 생긴다.

4 만일 이와 같이 어떤 사건에 적용할 수 있는 적당한 법 규정을 찾지 못하게 되면 어떻게 될까? 이 경우에 형사 재판과 민사 재판은 서로 다른 결론을 내리게 된다. 국가와 국민이라는 관계를 기반으로 하는 형법에서는, 법률에 미리 범죄와 형벌이 규정되지 않은 경우에는 벌할 수 없다는 죄형 법정주의 원리가 엄격하게 적용된다. 따라서 형사 재판에서는 어떠한 사건에 적용할 수 있는 적당한 법 규정이 발견되지 않으면 법관은 법 규정의 적용을 포기하고 피고인에게 무죄를 선고해야 한다.

5 반면, 기본적으로 대등한 두 당사자를 대상으로 하는 민사 재판에서는 법 규정이 없다고 해서 그 판결을 포기하는 것이 아니라, 최대한 그 사건과 관련된 일반 원칙을 찾아내서 손해와 이익을 공평하게 조정하려고 노력한다. 즉, 법 규정 찾기에 실패해도 관습법이나 건전한 상식을 기준으로 판결을 내리는 것이다. 따라서 형사 재판에서 무죄를 선고받은 자라 하더라도, 어떤 사람에게 손해를 입힌 사실이 분명하다면 민사 재판에서는 피해자의 손해에 대해 배상을 하라고 판결할 수 있는 것이다.

1

㉠과 같은 의미로 쓰인 것은?

① 우리 고향에는 고소가 남아 있지 않다.
② 그는 고소 공포증이 있어 비행기를 못 탄다.
③ 이 튀김은 올리브유로 튀겨서 바삭바삭하고 고소하다.
④ 잘못한 사람이 도리어 화를 내는 것을 보고 고소를 금할 수 없었다.
⑤ 저작권을 침해한 사람은 저작 재산권 등의 침해죄로 고소당할 수 있다.

저작권: 문학, 예술, 학술에 속하는 창작물에 대하여 저작자나 그 권리 승계인이 행사하는 배타적·독점적 권리

기출 문제

2

ⓐ와 ⓑ가 서로 다른 주장을 하게 된 이유로 가장 적절한 것은?

① ⓐ만 법률적 삼단 논법을 사용하였기 때문에
② ⓑ만 법률적 삼단 논법을 사용하였기 때문에
③ ⓐ와 ⓑ가 대전제를 서로 다르게 보았기 때문에
④ ⓐ와 ⓑ가 소전제를 서로 다르게 보았기 때문에
⑤ ⓐ가 자신이 세운 대전제를 사건에 적용하지 못했기 때문에

3

윗글을 읽고 알게 된 내용으로 적절한 것은?

① 형법은 국민과 국민 사이의 관계를 기반으로 형성된 법이다.
② 민사 재판에서는 관습법이나 건전한 상식도 판결의 기준으로 삼을 수 있다.
③ 어떤 사건이 발생하였을 때 적용할 수 있는 법 규정은 시간이 지나도 동일하다.
④ 형사 재판에서는 적당한 법 규정이 없으면 법 규정이 만들어질 때까지 판결을 미룬다.
⑤ 형사 재판에서는 대등한 두 당사자를 대상으로 손해와 이익을 공평하게 조정하려고 노력한다.

기반: 기초가 되는 바탕. 또는 사물의 토대

주제별로 알아보는 한자 성어

학문, 노력과 관련된 한자 성어

등화가친
(등잔燈 불火 옳을可 친할親)

등불을 가까이할 만하다는 뜻으로, 서늘한 가을밤은 등불을 가까이하여 글 읽기에 좋음을 이르는 말

예 가을이 등화가친의 계절이라지만, 막상 사람들은 들로 산으로 나들이를 가느라 오히려 책을 잘 안 읽는다고 한다.

분골쇄신
(가루粉 뼈骨 부술碎 몸身)

뼈를 가루로 만들고 몸을 부순다는 뜻으로, 정성으로 노력함을 이르는 말. 또는 그렇게 하여 뼈가 가루가 되고 몸이 부서짐

예 장병들은 분골쇄신이 되더라도 조국을 위해 목숨을 바치겠다고 다짐했다.

불철주야
(아닐不 거둘撤 낮晝 밤夜)

어떤 일에 몰두하여 조금도 쉴 사이 없이 밤낮을 가리지 아니함

예 시민들은 우리의 안전을 위해 불철주야 헌신하는 소방관들에게 응원을 보냈다.

수불석권
(손手 아닐不 풀釋 책卷)

손에서 책을 놓지 아니하고 늘 글을 읽음

예 스마트폰을 손에서 떼지 못하는 요즘 세대들에게 수불석권은 실천하기 어려운 옛말이 되었다.

수적천석
(물水 물방울滴 뚫을穿 돌石)

떨어지는 물방울이 돌에 구멍을 낸다는 뜻으로, 무슨 일이든지 끈기로 계속 밀고 나가면 반드시 성공한다는 의미임

예 사장은 직원들에게 어려운 여건이지만 수적천석의 마음으로 끊임없이 노력하자며 새해 각오를 다졌다.

유 우공이산(愚公移山)

우공이산
(어리석을愚 공변될公 옮길移 뫼山)

우공이 산을 옮긴다는 뜻으로, 어떤 일이든 끊임없이 노력하면 반드시 이루어짐을 이르는 말. 우공(愚公)이라는 노인이 집을 가로막은 산을 옮기려고 대대로 산의 흙을 파서 나르겠다고 하여 이에 감동한 하느님이 산을 옮겨 주었다는 데서 유래함

예 그가 불가능한 일을 해낸 건 우공이산의 정신이 있었기 때문이야.

참 지성이면 감천, 하늘은 스스로 돕는 자를 돕는다

위편삼절
(가죽韋 엮을編 석三 끊을絕)

공자가 주역을 즐겨 읽어 책의 가죽끈이 세 번이나 끊어졌다는 뜻으로, 책을 열심히 읽음을 이르는 말

예 위편삼절까진 바라지도 않으니, 제발 이 책을 한 번만이라도 끝까지 읽어 보아라.

자강불식
(스스로自 강할強 아닐不 숨쉴息)

스스로 힘써 몸과 마음을 가다듬어 쉬지 아니함

예 김구 선생은 해방된 조국에 오자마자 "또 한번 역사의 패배자가 되지 않으려면 스스로 마음을 굳세게 다지며 쉬지 않고 노력해야 한다."며 자강불식을 강조했다.

반 **자포자기(自暴自棄)**: 절망에 빠져 자신을 스스로 포기하고 돌아보지 아니함

절차탁마
(끊을切 갈磋 쪼을琢 갈磨)

옥이나 돌 따위를 갈고 닦아서 빛을 낸다는 뜻으로, 부지런히 학문과 덕행을 닦음을 이르는 말

예 글쓰기란 한마디로 절차탁마, 즉 끝없이 자르고 갈고 쪼아 내고 문지르는 고뇌의 작업이다.

주경야독
(낮晝 밭갈耕 밤夜 읽을讀)

낮에는 농사짓고, 밤에는 글을 읽는다는 뜻으로, 어려운 여건 속에서도 꿋꿋이 공부함을 이르는 말

예 그는 공부에 대한 미련을 버리지 못해 주경야독으로 야간 대학을 다니고 있다.

유 **청경우독(晴耕雨讀)**: 날이 개면 논밭을 갈고 비가 오면 글을 읽는다는 뜻으로, 부지런히 일하며 공부함을 이르는 말

칠전팔기
(일곱七 머리顚 여덟八 일어날起)

일곱 번 넘어지고 여덟 번 일어난다는 뜻으로, 여러 번 실패하여도 굴하지 아니하고 꾸준히 노력함을 이르는 말

예 한 번 실패했다고 포기하지 말고 칠전팔기의 정신으로 도전하세요.

유 **백절불굴(百折不屈)**: 백 번 꺾일지언정 휘어지지 않는다는 뜻으로, 어떠한 난관에도 결코 굽히지 않음을 이르는 말

형설지공
(개똥벌레螢 눈雪 갈之 공功)

반딧불·눈과 함께 하는 노력이라는 뜻으로, 고생을 하면서 부지런하고 꾸준하게 공부하는 자세를 이르는 말

예 가정 형편이 어려웠던 환경에서도 그는 자신의 꿈을 이루기 위해 형설지공의 자세로 열심히 공부했다.

유래로 보는 한자 성어

형설지공(螢雪之功)

옛날 진나라에는 차윤이라는 소년이 있었다. 소년은 어린 시절부터 글공부를 좋아했지만, 집안이 너무 가난해 등불을 켜는 데 사용할 기름이 없었다. 밤에도 책을 읽고 싶었던 소년은 생각한 끝에 엷은 명주 주머니 속에 반디를 수십 마리 집어넣어 거기서 나오는 빛으로 책을 비추어 읽었다. 이렇게 열심히 노력한 끝에 차윤은 '상서랑(尙書郞)'이라는 중앙 정부의 고급 관리로 출세했다. 또 같은 시대에 살았던 손강이라는 소년 역시 어릴 때부터 열심히 공부했지만, 집안이 가난해 등불을 켤 기름을 살 수가 없었다. 소년은 궁리 끝에 겨울밤 추위를 견디며 창으로 몸을 내밀고 쌓인 눈에 반사되는 달빛에 의지해 책을 읽었다. 그 결과 그는 관원을 단속하는 관청의 장관인 '어사대부(御史大夫)'가 되었다.

주제별로 알아보는 **한자 성어**

[01~06] 다음 뜻에 해당하는 한자 성어를 찾아 가로, 세로, 대각선으로 표시해 보자.

장	삼	이	사	전	대	문	규	능
난	제	부	우	수	불	석	권	한
형	설	지	공	자	강	불	식	비
난	상	불	이	불	철	주	야	어
제	가	식	산	형	위	경	간	등
칠	상	부	팔	분	편	야	절	화
불	로	장	생	후	골	독	차	가
전	절	차	탁	마	삼	쇄	탁	친
미	우	공	지	혜	절	기	신	과

01 어떤 일에 몰두하여 조금도 쉴 사이 없이 밤낮을 가리지 아니함

02 우공이 산을 옮긴다는 뜻으로, 어떤 일이든 끊임없이 노력하면 반드시 이루어짐을 이르는 말

03 낮에는 농사짓고, 밤에는 글을 읽는다는 뜻으로, 어려운 여건 속에서도 꿋꿋이 공부함을 이르는 말

04 뼈를 가루로 만들고 몸을 부순다는 뜻으로, 정성으로 노력함을 이르는 말

05 옥이나 돌 따위를 갈고 닦아서 빛을 낸다는 뜻으로, 부지런히 학문과 덕행을 닦음을 이르는 말

06 반딧불·눈과 함께 하는 노력이라는 뜻으로, 고생을 하면서 부지런하고 꾸준하게 공부하는 자세를 이르는 말

[07~11] 다음 한자 성어의 뜻을 찾아 바르게 연결해 보자.

07	등화가친(燈火可親) •	•	㉠ 손에서 책을 놓지 아니하고 늘 글을 읽음
08	수불석권(手不釋卷) •	•	㉡ 스스로 힘써 몸과 마음을 가다듬어 쉬지 아니함
09	수적천석(水滴穿石) •	•	㉢ 책의 가죽끈이 세 번이나 끊어졌다는 뜻으로, 책을 열심히 읽음을 이르는 말
10	위편삼절(韋編三絕) •	•	㉣ 등불을 가까이할 만하다는 뜻으로, 서늘한 가을밤은 등불을 가까이 하여 글 읽기에 좋음을 이르는 말
11	자강불식(自强不息) •	•	㉤ 떨어지는 물방울이 돌에 구멍을 낸다는 뜻으로, 무슨 일이든지 끈기로 계속 밀고 나가면 반드시 성공한다는 의미임

12 다음 문자 메시지 대화를 읽고, 빈칸에 알맞은 한자 성어를 써 보자.

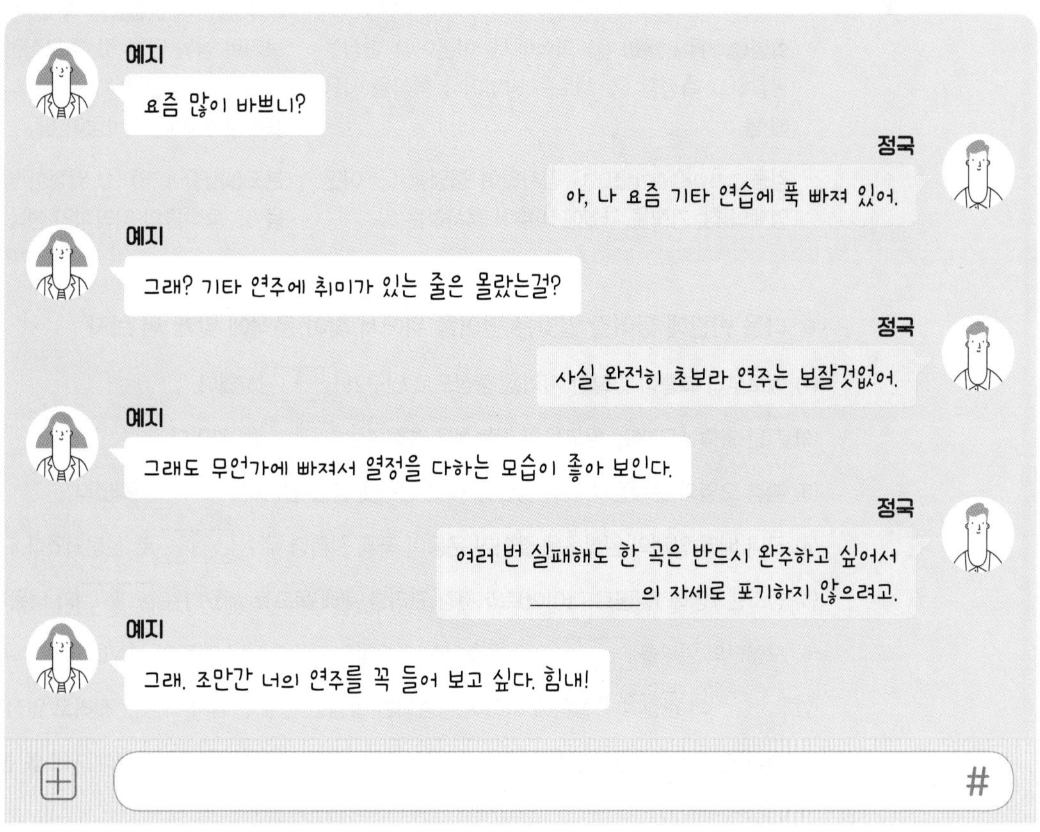

01 과학 주제어 _ 과학 일반

문맥으로 어휘 확인하기

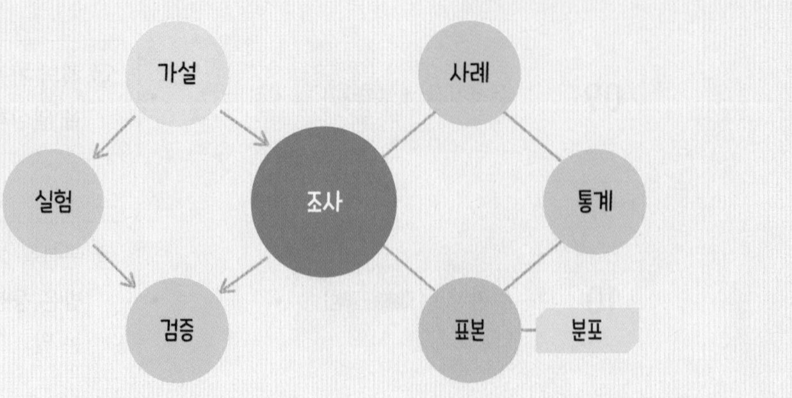

조사(고를調 사실할査) 사물의 내용을 명확히 알기 위하여 자세히 살펴보거나 찾아봄

가설(거짓假 말씀說) ① 어떤 사실을 설명하거나 어떤 이론 체계를 연역하기 위하여 설정한 가정. 이로부터 이론적으로 도출된 결과가 관찰이나 실험에 의하여 검증되면, 가설의 위치를 벗어나 일정한 한계 안에서 타당한 진리가 됨 ② 사회 조사나 연구에서, 주어진 문제에 대하여 미리 추측하여 내어놓은 해답

실험(열매實 시험驗) ① 과학에서, 이론이나 현상을 관찰하고 측정함 ② 새로운 방법이나 형식을 사용해 봄

검증(검사할檢 증거證) ① 검사하여 증명함 ② 어떤 명제의 참, 거짓을 사실에 비추어 검사하는 일

사례(일事 법식例) 어떤 일이 전에 실제로 일어난 예

통계(거느릴統 꾀할計) 어떤 현상을 종합적으로 한눈에 알아보기 쉽게 일정한 체계에 따라 숫자로 나타냄. 또는 그런 것. 사회나 자연 현상을 정리·분석하는 수단으로 쓰기도 함

표본(표標 근본本) ① 여러 통계 자료를 포함하는 집단 속에서 그 일부를 뽑아내어 조사한 결과로써 본디의 집단의 성질을 추측할 수 있는 통계 자료 ② 본보기로 삼을 만한 것 참 모집단: 통계적인 관찰의 대상이 되는 집단 전체. 측정이나 조사를 하기 위하여 표본을 뽑아내는 바탕이 됨

분포(나눌分 베布) ① 일정한 범위에 흩어져 퍼져 있음 ② 동식물의 지리적인 생육 범위

● **다음 빈칸에 들어갈 알맞은 단어를 위에서 찾아 문맥에 맞게 써 보자.**

(1) 예로부터 교통이 발달한 지역을 중심으로 인구가 □□하였다.

(2) 지난 과학 시간에는 알코올의 끓는점을 측정하는 □□을 하였다.

(3) 환경 오염의 문제점과 해결 방안을 책과 인터넷 등을 활용하여 □□하였다.

(4) 국내 배달 업체의 일회용품 줄이기 운동이 국제 친환경 우수 □□로 선정되었다.

(5) 청소년 7명에 1명꼴로 다이어트와 건강 관리를 새해 목표로 세웠다는 □□가 나왔다.

(6) 모집단의 일부를 □□으로 추출하여 조사함으로써 모집단 전체의 성질을 추측할 수 있다.

(7) □□이 관찰이나 실험에 의하여 검증되면 일정한 한계 안에서 타당한 진리로 인정받는다.

(8) 백신 접종률이 높은 지역일수록 전염병의 감염자 수가 현저히 적다는 통계 자료를 통해 백신의 효과가 □□되었다.

• 정답과 해설 26쪽

2단계 문제로 어휘 익히기

1 **다음 단어의 의미를 찾아 바르게 연결해 보자.**

(1) 가설 •　　• ㉠ 일정한 범위에 흩어져 퍼져 있음

(2) 분포 •　　• ㉡ 어떤 일이 전에 실제로 일어난 예

(3) 사례 •　　• ㉢ 어떤 사실을 설명하거나 어떤 이론 체계를 연역하기 위하여 설정한 가정

(4) 표본 •　　• ㉣ 여러 통계 자료를 포함하는 집단 속에서 그 일부를 뽑아내어 조사한 결과로써 본디의 집단의 성질을 추측할 수 있는 통계 자료

2 **다음 문장에 들어갈 알맞은 단어를 〈보기〉에서 찾아 써 보자.**

보기

가설　　검증　　실험　　조사　　표본

(1) 이 약은 관련 기관의 (　　　　)을/를 받은 안전한 제품입니다.

(2) 소백산맥에서 인공 강우 (　　　　)이/가 국내 최초로 시도되었다.

(3) 그 과학자는 자신의 (　　　　)을/를 뒷받침하는 연구 결과를 제시하였다.

(4) 학교에서 일어난 안전사고의 원인에 대한 철저한 (　　　　)이/가 필요하다.

3 **다음 문장의 괄호 안에 들어갈 알맞은 단어를 골라 보자.**

(1) 이번에 설문 조사를 한 내용은 수량적으로 (통계 / 표본)을/를 내야 합니다.

(2) 이 지역은 천연자원이 풍부하지만 자원별로 그 (분포 / 사례)가 편중되어 있다.

4 **다음 빈칸에 공통적으로 들어갈 알맞은 단어를 찾아보자.**

• 철수는 학생의 (　　　　)와/과도 같은 모범생이다.
• 우리는 불특정 다수의 (　　　　)을/를 뽑아 전화로 여론 조사를 하였습니다.

① 가설　　② 검증　　③ 사례　　④ 통계　　⑤ 표본

02 과학 주제어 _ 지구 과학

1단계 문맥으로 어휘 확인하기

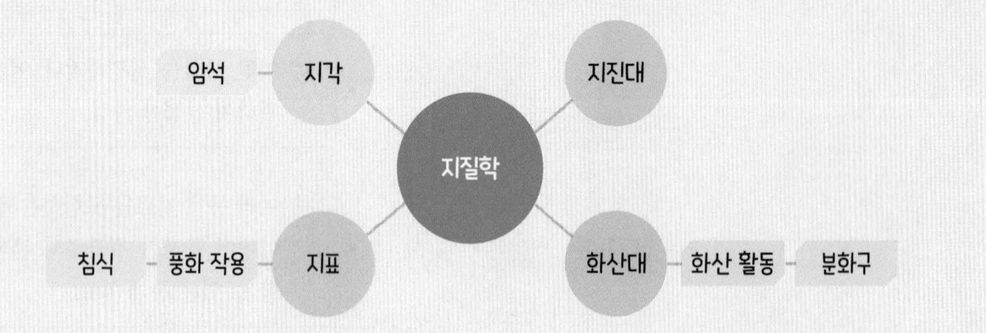

지질학(땅地 바탕質 배울學) 지구와 그 주위의 지구형 행성을 연구하는 학문. 지구의 구성 물질, 형성 과정, 과거에 살았던 생물 따위를 연구함 ⓤ 지구학

지각(땅地 껍질殼) 지구의 바깥쪽을 차지하는 부분. 대륙 지역에서는 평균 35km, 대양 지역에서는 5~10km의 두께임 ⓤ 땅껍질

암석(바위巖 돌石) 지각을 구성하고 있는 단단한 물질. 화성암, 퇴적암, 변성암으로 크게 나눔

지표(땅地 겉表) 지구의 표면. 또는 땅의 겉면 ⓤ 땅거죽, 땅겉, 지표면

풍화 작용(바람風 될化 지을作 쓸用) 지표를 구성하는 암석이 햇빛, 공기, 물, 생물 따위의 작용으로 점차로 파괴되거나 분해되는 일 ⓤ 풍화

침식(적실浸 갉아먹을蝕) 비, 하천, 빙하, 바람 따위의 자연 현상이 지표를 깎는 일

지진대(땅地 벼락震 띠帶) 지진이 자주 일어나거나 일어나기 쉬운 지역. 가늘고 긴 띠 모양을 이루고 있는 경우가 많음

화산대(불火 뫼山 띠帶) 화산이 띠 모양으로 분포한 지대. 환태평양 화산대와 지중해 화산대 따위가 있음

화산 활동(불火 뫼山 살活 움직일動) 땅속 깊은 곳에 있는 마그마가 지표 또는 지표 가까이에서 일으키는 여러 가지 작용 ⓤ 화산 작용

분화구(뿜을噴 불火 입口) 화산체의 일부에 열려 있는 용암과 화산 가스 따위의 분출구 ⓤ 화구

● **다음 빈칸에 들어갈 알맞은 단어를 위에서 찾아 문맥에 맞게 써 보자.**

(1) □□□에서 용암이 솟구쳐 오른다.

(2) 그 지역에는 동서로 □□□가 가로놓여 있어 화산이 많다.

(3) 거대 지진의 대부분이 환태평양 □□□에서 발생하고 있다.

(4) 경주 남산의 탑들은 □□ □□에 의해 오랜 시간에 걸쳐 마모되었다.

(5) □□□적으로 가치가 높은 제주도는 일찍이 세계 지질 공원으로 지정되었다.

(6) 상류 지역은 물살이 세서 하천이 □□를 깎아 내는 □□ 작용이 활발하게 일어난다.

(7) 우리는 과학 시간에 고무찰흙을 이용하여 □□에 나타나는 단층을 모형으로 만들어 보았다.

(8) 온도와 압력의 변화에 의해 지각 내 □□의 광물 조합 및 조직이 변하게 되는 것을 '변성 작용'이라고 한다.

(9) 예전에 왕성한 □□ □□이 있었던 지역에 가면 화산 꼭대기의 우묵한 곳에 물이 괴어 만들어진 칼데라호를 많이 볼 수 있다.

2단계 문제로 어휘 익히기

1 다음 단어의 의미를 찾아 바르게 연결해 보자.

(1) 지진대 •
(2) 화산대 •
(3) 풍화 작용 •
(4) 화산 활동 •

• ㉠ 화산이 띠 모양으로 분포한 지대
• ㉡ 지진이 자주 일어나거나 일어나기 쉬운 지역
• ㉢ 땅속 깊은 곳에 있는 마그마가 지표 또는 지표 가까이에서 일으키는 여러 가지 작용
• ㉣ 지표를 구성하는 암석이 햇빛, 공기, 물, 생물 따위의 작용으로 점차로 파괴되거나 분해되는 일

2 다음 문장에 들어갈 알맞은 단어를 〈보기〉에서 찾아 써 보자.

보기

암석 지각 분화구 지질학

(1) 화성의 광물을 분석함으로써 화성의 (　　　)적 연대기를 측정할 수 있다.
(2) 제주도의 아름답고 특이한 지형들은 대부분 (　　　)의 변동으로 형성된 것이다.
(3) (　　　)은/는 원뿔 모양으로 움푹 들어가 가파른 경사를 보이는, 화산의 꼭대기 부분을 말한다.

3 다음 문장의 괄호 안에 들어갈 알맞은 단어를 골라 보자.

(1) 용암이 굳어 만들어진 현무암은 다른 (암석 / 지표)와/과 비교할 때 강도가 약하다.
(2) 지진이 자주 발생하는 지역을 연결하면 띠 모양이 되는데, 이를 (지진대 / 화산대)라고 부른다.

4 다음 빈칸에 들어갈 알맞은 단어를 찾아보자.

(　　　)은/는 지표 부근의 암석이 부서져 토양으로 변하는 현상을 말한다. 암석의 틈에 있던 물이 얼면서 암석이 쐐기처럼 쪼개지는 것, 기온 변화에 따라 암석이 팽창과 수축을 반복하면서 갈라지는 것, 식물의 뿌리가 암석 틈을 파고들어 암석이 쪼개지는 것 등이 그 예이다.

① 지각 ② 분화구 ③ 지진대 ④ 풍화 작용 ⑤ 화산 활동

3단계

독해로 어휘 다지기

[1~3] 다음 글을 읽고 물음에 답하시오. 2008학년도 9월 고1 전국연합

1 지구에서 망원경으로 달을 보면 화산 ㉠분화구와 같이 생긴 수많은 구덩이들을 발견할 수 있다. 과거에는 이 구덩이들을 화산 폭발에 의해 생성된 분화구로 생각하였다. 그러나 이 구덩이들은 화산 분화구가 아니라 소행성이나 혜성 등이 충돌해서 생긴 것으로 밝혀졌다. 이처럼 소행성이나 혜성이 천체의 표면에 충돌하여 만들어진 구덩이를 충돌구라 한다. 지구에도 이런 충돌구들이 있는데, 지구보다 표면적이 더 좁은 달에 비해 지구에 있는 충돌구의 수가 훨씬 적다. ⓐ그 원인은 무엇일까?

2 먼저 지구 대기와 관련하여 그 이유를 설명할 수 있다. 크기가 크지 않은 소행성이나 혜성이 지구 대기권에 수평에 가까운 각도로 접근할 경우, 지구의 대기권에 진입조차 하지 못하고 튕겨져 나가 버린다. 소행성이나 혜성이 매우 크거나 단단해서 대기권에 진입하더라도 대기와의 마찰로 인해 타 버리거나 속도가 줄어 지구 표면에 생기는 충돌구의 수나 크기는 감소한다.

3 지구 표면의 3분의 2가 바다인 것도 지구의 충돌구 수가 적은 것과 관련이 있다. 대기와의 마찰로 어느 정도 속도가 줄어든 충돌체가 바다로 떨어질 경우, 바닷물은 대기보다도 훨씬 효율적으로 충격을 완화시킬 수 있다. 따라서 바다에 떨어진 소행성이나 혜성은 바다 밑바닥에 그 흔적을 미미하게 남기거나 아예 남기지 않을 수도 있다.

4 지구에 충돌구가 적은 보다 핵심적인 이유는 지구가 ㉡지질학적으로 살아 있는 행성이라는 사실과 관련이 있다. 지구에서는 여러 가지 지질 활동이 끊임없이 일어나고 있는데, 이러한 지질 활동에 의해서 충돌구들이 사라지게 되는 것이다. 지구의 충돌구들을 조사해 보면 오래된 것보다 비교적 최근의 것들이 훨씬 많은 사실은 이를 뒷받침해 준다. 지구에서 충돌구를 사라지게 하는 지질 활동으로는 비, 바람 등에 의한 ㉢풍화 작용, ㉣화산 활동 등이 있으며, 가장 중요하게는 판의 이동을 들 수 있다.

5 지구 표면은 10여 개의 크고 작은 판(plate)으로 나뉘어 있다. ㉤지각과 맨틀의 상부를 일부 포함하는 지구의 판들은 서로 다른 방향으로 일 년에 수 센티미터를 이동하면서 지구 표면에 거대한 규모의 지진, 화산 활동, 산맥과 해구의 형성 등 여러 가지 지질 활동을 일으킨다. 판의 이동으로 인한 지질 활동은 오랜 시간이 지나면서 대륙의 모양까지도 변화시키는데, 이 과정에서 많은 수의 충돌구가 사라지게 된다.

6 바다의 밑바닥에 생긴 충돌구 역시 판의 이동에 의해 사라지게 된다. 바다 밑을 형성하는 해양 지각은 해령이라고 불리는 해저 산맥에서 생성되는데, 이것도 판의 이동에 따라 서서히 이동을 하게 된다. 이 해양 지각은 수명이 약 2억 년을 넘는 일이 없기 때문에 그 시간의 범위 내에서 서서히 이동하다가 대륙을 만나 맨틀 속으로 사라져 버린다. 이런 이유로 바다 밑바닥에 충돌구가 만들어진다 하더라도 시간이 2억 년 이상 흘러 버리면 충돌구는 이 해양 지각과 함께 사라지게 되는 것이다.

독해 체크

1. 이 글의 핵심어는?

지구의 □□□

2. 문단별 중심 내용은?

1 □에 비해 충돌구의 수가 훨씬 적은 지구
2 지구의 충돌구 수가 적은 이유 ①: □□
3 지구의 충돌구 수가 적은 이유 ②: □□
4 지구의 충돌구 수가 적은 이유 ③: □□ □□
5 □□ □□의 충돌구를 사라지게 하는 판의 이동
6 □□ □□□의 충돌구를 사라지게 하는 판의 이동

3. 이 글의 주제는?

지구의 충돌구의 수가 달에 비해 □□ 이유

어휘 체크

- **소행성**: 화성과 목성 사이의 궤도에서 태양의 둘레를 공전하는 작은 행성
- **혜성**: 가스 상태의 빛나는 긴 꼬리를 끌고 태양을 초점으로 긴 타원이나 포물선에 가까운 궤도를 그리며 운행하는 천체
- **대기권**: 지구를 둘러싸고 있는 대기의 범위. 지상 약 1,000km까지를 이름
- **판**: 지구의 겉 부분을 둘러싸는, 두께 100km 안팎의 암석 판
- **맨틀**: 지구 내부의 핵과 지각 사이에 있는 부분

1 ㉠~㉤의 사전적 의미로 적절하지 않은 것은?

① ㉠: 화산체의 일부에 열려 있는 용암과 화산 가스 따위의 분출구
② ㉡: 지표상에서 일어나는 자연 및 인문 현상을 지역적 관점에서 연구하는 학문
③ ㉢: 지표를 구성하는 암석이 햇빛, 공기, 물, 생물 따위의 작용으로 점차로 파괴되거나 분해되는 일
④ ㉣: 땅속 깊은 곳에 있는 마그마가 지표 또는 지표 가까이에서 일으키는 여러 가지 작용
⑤ ㉤: 지구의 바깥쪽을 차지하는 부분

기출 문제

2 ⓐ에 해당하지 않는 것은?

① 비, 바람 등에 의한 풍화 작용
② 판의 이동으로 인한 해양 지각의 소멸
③ 거대한 규모의 화산 폭발과 같은 지질 활동
④ 소행성이나 혜성 등을 튕겨 내거나 태우는 대기의 역할
⑤ 소행성이나 혜성 등이 태양계 행성과 충돌하는 빈도수 감소

빈도수: 같은 현상이나 일이 반복되는 횟수

3 윗글을 읽은 학생의 반응으로 적절하지 않은 것은?

① 달은 지구보다 대기권의 마찰력이 작겠군.
② 지구에 대기층이 없었다면 지구의 충돌구는 더 많아졌겠군.
③ 지질 활동이 더 활발해진다면 지구의 충돌구 수는 점점 줄어들겠군.
④ 판의 이동으로 인해 충돌구가 사라지는 것은 아주 긴 시간이 소요되는 일이겠군.
⑤ 충돌체가 바다에 떨어질 경우 충격이 완화되므로 지구의 충돌구는 지구 표면에만 존재하겠군.

마찰력: 물체가 어떤 면과 접촉하여 운동할 때, 그 물체의 운동을 방해하는 힘

소요되는: 필요로 되거나 요구되는

01 과학 주제어 _물리

1단계 문맥으로 어휘 확인하기

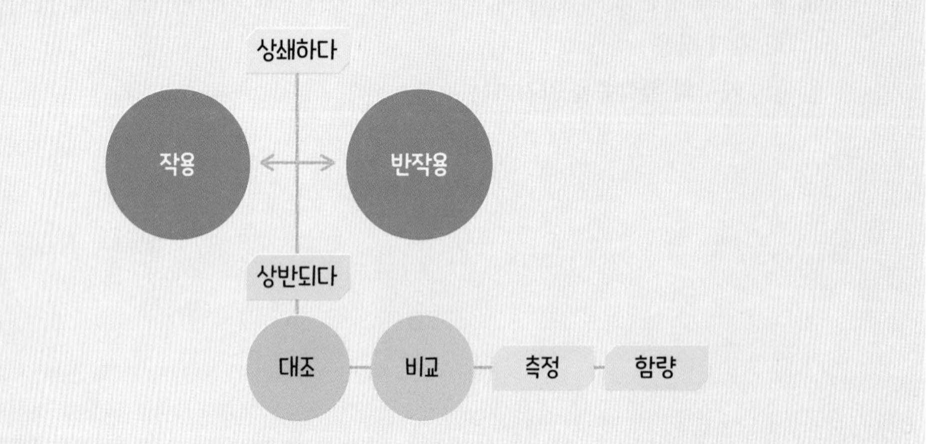

작용(지을作 쓸用) ① 어떠한 현상을 일으키거나 영향을 미침 ② 어떠한 물리적 원인이나 대상이 다른 대상이나 원인에 기여함. 또는 그런 현상. 역학에서 물체 사이의 힘도 이 결과로 생김

반작용(돌이킬反 지을作 쓸用) ① 어떤 움직임에 대하여 그것을 거스르는 반대의 움직임이 생겨남. 또는 그 움직임 ② 물체 A가 물체 B에 힘을 작용시킬 때, B가 똑같은 크기의 반대 방향의 힘을 A에 미치는 작용. 한쪽에 미치는 힘을 작용이라 할 때, 그 다른 쪽에 미치는 힘을 이름 ㊒ 반동

상쇄(서로相 감할殺)**하다** 상반되는 것에 서로 영향을 주어 효과가 없어지게 만들다. ㊒ 비기다

상반(서로相 돌이킬反)**되다** 서로 반대되거나 어긋나게 되다.

대조(대답할對 비출照) ① 서로 달라서 대비가 됨 ② 둘 이상인 대상의 내용을 맞대어 같고 다름을 검토함

비교(견줄比 견줄較) 둘 이상의 사물을 견주어 서로 간의 유사점, 차이점, 일반 법칙 따위를 고찰하는 일

측정(잴測 정할定) 일정한 양을 기준으로 하여 같은 종류의 다른 양의 크기를 잼. 기계나 장치를 사용하여 재기도 함

함량(머금을含 헤아릴量) 물질이 어떤 성분을 포함하고 있는 분량 ㊒ 함유량

● **다음 빈칸에 들어갈 알맞은 단어를 위에서 찾아 문맥에 맞게 써 보자.**

(1) 우주의 팽창은 별까지의 거리 [ ][ ]을 통해 입증할 수 있다.

(2) 표적 항암제는 암세포에만 선택적으로 [ ][ ]하도록 고안된 것이다.

(3) 이 글은 대립되는 두 이론을 소개하고 각 이론의 장단점을 [ ][ ]하고 있다.

(4) 이 소설의 흡입력은 작품이 가지고 있는 구조상의 결함을 [ ][ ]하고도 남는다.

(5) 영화가 촬영된 이미지라면 만화는 수작업으로 만들어진 이미지라는 점에서 [ ][ ]적이다.

(6) 시판되는 음료수의 카페인 [ ][ ]을 조사한 결과, 한 병만 마셔도 일일 권장량을 초과하는 제품도 있었다.

(7) 그 영화에는 역대 최고의 한국 영화라는 평가와 상업주의에 찌든 졸작이라는 [ ][ ]된 평가가 함께 존재한다.

(8) 활동적 삶이 지나치게 강조된 데 대한 [ ][ ][ ]으로, '의미 없는 부지런함'이 만연해진 세태에 대한 비판의 목소리가 나타났다.

• 정답과 해설 27쪽

2단계 문제로 어휘 익히기

1
다음 단어의 의미를 찾아 바르게 연결해 보자.

(1) 작용 •

(2) 측정 •

(3) 반작용 •

• ㉠ 일정한 양을 기준으로 하여 같은 종류의 다른 양의 크기를 잼

• ㉡ 어떠한 물리적 원인이나 대상이 다른 대상이나 원인에 기여함. 또는 그런 현상

• ㉢ 물체 A가 물체 B에 힘을 작용시킬 때, B가 똑같은 크기의 반대 방향의 힘을 A에 미치는 작용

2
다음 문장에 들어갈 알맞은 단어를 〈보기〉에서 찾아 써 보자.

보기

대조　　비교　　측정　　함량

(1) 그의 까만 얼굴과 하얀 이가 선명한 (　　　　)을/를 보인다.

(2) 경찰이 음주 측정기로 운전자의 혈중 알코올 농도를 (　　　　)하였다.

(3) 부모의 자식 사랑은 자식의 부모 사랑과는 (　　　　)도 되지 않을 만큼 크다.

3
다음 문장의 괄호 안에 들어갈 알맞은 단어를 골라 보자.

(1) 지금 너의 행동은 네가 지난번에 한 말과 (비교 / 상반)된 것이다.

(2) 올해 세계 경제가 완만한 성장률을 기록하면서 지난해 경제 손실을 (대조 / 상쇄)할 것이라고 전망하였다.

(3) 일부 소비자 단체는 판매하는 모든 식품에 성분 (측정 / 함량)과 영양가 표시를 의무화해야 한다고 주장하였다.

4
다음 빈칸에 공통적으로 들어갈 알맞은 단어를 찾아보자.

• 나는 잠깐 절망적인 기분이었다가 그 (　　　　)인 듯 굉장히 기분이 좋아져서 털어놓기 시작했다.

• '제트기'는 연소 가스를 세게 내뿜어서 그 (　　　　)(으)로 추진력을 얻는 제트 기관을 사용하는 비행기를 말한다.

① 대조　　② 상반　　③ 상쇄　　④ 작용　　⑤ 반작용

02 과학 주제어 _ 물리

1단계 문맥으로 어휘 확인하기

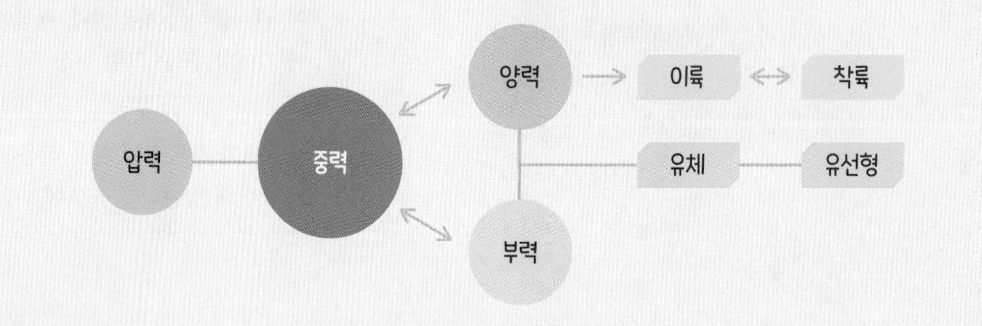

중력(무거울重 힘力) ① 지구 위의 물체가 지구로부터 받는 힘. 지구와 물체 사이의 만유인력과 지구의 자전에 따른 물체의 구심력을 합한 힘으로, 그 크기는 지구 위의 장소에 따라 다소 차이가 남 ㉮ 지구 중력 ② 질량을 가지고 있는 모든 물체가 서로 잡아당기는 힘 ㉮ 만유인력

압력(누를壓 힘力) ① 두 물체가 접촉면을 경계로 하여 서로 그 면에 수직으로 누르는 단위 면적에서의 힘의 단위 ② 권력이나 세력에 의하여 타인을 자기 의지에 따르게 하는 힘

양력(오를揚 힘力) 유체 속을 운동하는 물체에 운동 방향과 수직 방향으로 작용하는 힘. 비행기는 날개에서 생기는 이 힘에 의하여 공중을 날 수 있음 ㉶ 항력: 어떤 물체가 유체 속을 운동할 때에 운동 방향과는 반대쪽으로 물체에 미치는 유체의 저항력. 항공 역학에 응용함

이륙(떠날離 뭍陸) 비행기 따위가 날기 위하여 땅에서 떠오름 ㉯ 착륙

착륙(붙을着 뭍陸) 비행기 따위가 공중에서 활주로나 판판한 곳에 내림 ㉮ 강착 ㉯ 이륙

부력(뜰浮 힘力) 기체나 액체 속에 있는 물체가 그 물체에 작용하는 압력에 의하여 중력에 반하여 위로 뜨려는 힘. 물체에 작용하는 부력이 중력보다 크면 뜸 ㉮ 뜰힘

유체(흐를流 몸體) 기체와 액체를 아울러 이르는 말 ㉮ 동체, 유동체

유선형(흐를流 선線 거푸집型) 물이나 공기의 저항을 최소한으로 하기 위하여 앞부분을 곡선으로 만들고, 뒤쪽으로 갈수록 뾰족하게 한 형태. 자동차, 비행기, 배 따위의 형에 이용함 ㉮ 기류형, 방추형

● **다음 빈칸에 들어갈 알맞은 단어를 위에서 찾아 문맥에 맞게 써 보자.**

(1) 물건이 위에서 아래로 떨어지는 것은 ☐☐이 작용하기 때문이다.

(2) 배의 앞머리는 물보라를 최대한 적게 일으키는 ☐☐☐으로 만들어진다.

(3) 우리가 탄 비행기는 김포 공항에서 ☐☐하여 제주 공항에 ☐☐할 예정이다.

(4) 기체나 액체 속에 있는 물체에 작용하는 ☐☐이 중력보다 클 경우 그 물체는 뜬다.

(5) 이 솥은 뚜껑을 밀폐한 후에 용기 안의 ☐☐을 높여 빠른 시간 내에 조리할 수 있다.

(6) 어떤 물체가 물이나 공기와 같은 ☐☐ 속에서 자유 낙하할 때 물체에는 중력, 부력, 항력이 작용한다.

(7) 초기의 비행기는 엔진의 작은 힘으로 ☐☐을 얻기 위해 두 개 내지 세 개의 날개를 위아래로 쌍을 지어 만들었다.

• 정답과 해설 27쪽

2단계 문제로 어휘 익히기

1 **다음 단어의 의미를 찾아 바르게 연결해 보자.**

(1) 부력 •

(2) 압력 •

(3) 양력 •

(4) 중력 •

• ㉠ 지구 위의 물체가 지구로부터 받는 힘

• ㉡ 유체 속을 운동하는 물체에 운동 방향과 수직 방향으로 작용하는 힘

• ㉢ 두 물체가 접촉면을 경계로 하여 서로 그 면에 수직으로 누르는 단위 면적에서의 힘의 단위

• ㉣ 기체나 액체 속에 있는 물체가 그 물체에 작용하는 압력에 의하여 중력에 반하여 위로 뜨려는 힘

2 **다음 문장에 들어갈 알맞은 단어를 〈보기〉에서 찾아 써 보자.**

보기

부력 유체 이륙 유선형

(1) 헬리콥터가 거대한 먼지바람을 일으키며 (   )하였다.

(2) 이 자동차는 공기의 저항을 가장 적게 받는 (   )(으)로 설계되었다.

(3) 수송관은 석유나 천연가스 등의 (   )을/를 보내는 데 쓰이는 관을 말한다.

3 **다음 문장의 괄호 안에 들어갈 알맞은 단어를 골라 보자.**

(1) 인간의 달 (이륙 / 착륙)은 우주 시대의 돌입을 알리는 사건이다.

(2) (압력 / 중력)의 크기는 지구 위의 장소에 따라 차이가 나며 적도 부근이 가장 작다.

(3) 기체 위에 달린 회전 날개를 돌려서 (부력 / 양력)을 얻어 수직으로 날아오를 수 있는 항공기를 헬리콥터라고 한다.

4 **다음 빈칸에 공통적으로 들어갈 알맞은 단어를 찾아보자.**

- 기업에서 이 사건이 보도되지 못하도록 언론사에 (   )을 행사했다는 의혹이 제기되고 있다.
- 심장에서 나오는 혈액은 항상 필요한 만큼의 (   )을 지니고 있어서 혈관 벽을 밀어 넓히면서 흘러간다.

① 부력 ② 압력 ③ 양력 ④ 중력 ⑤ 만유인력

독해 체크

1. 이 글의 핵심어는?
□□□□의 비행 원리

2. 문단별 중심 내용은?
1 □□□가 뜨는 원리
2 □□□□가 뜨는 원리
3 헬리콥터 □□의 □□□을 상쇄시키는 방안
4 불안정한 □□ □□□□ 대신 공기의 회전력을 이용한 헬리콥터 제작
5 □□ □□에 대한 관심 당부

3. 이 글의 주제는?
헬리콥터의 □□ □□와 발전 과정

어휘 체크

- **프로펠러**: 비행기나 선박에서, 엔진의 회전력을 추진력으로 변환하는 장치. 보통 두 개 이상의 회전 날개로 되어 있음
- **작용·반작용 법칙**: 뉴턴의 세 가지 운동 법칙 가운데 하나. 모든 작용력에 대하여 항상 방향이 반대이고 크기가 같은 반작용 힘이 따른다는 법칙임
- **흡입**: 기체나 액체 따위를 빨아들임

[1~3] 다음 글을 읽고 물음에 답하시오. 2009학년도 11월 고1 전국연합

1 비행기가 뜨는 작용을 설명하는 베르누이의 원리는 익히 알려져 있다. 베르누이의 원리는 공기나 물 같은 유체의 흐름이 빨라지면, 그 ㉠유체로부터 받는 압력이 약해지는 것을 말한다. 비행기는 날개의 윗면이 곡면이고 아랫면은 평면인 반원형에 가깝다. ㉮비행기가 앞으로 전진하게 되면, 공기의 흐름이 위와 아래로 갈라지게 된다. 이때 위쪽으로 간 공기의 흐름은 반원의 둥근 면을 따라 지나가고, 아래쪽으로 지나는 공기는 직선으로 흘러가는데, 위쪽의 둥근 면의 길이가 더 길기 때문에 위쪽으로 지나는 공기의 흐름이 더 빠르다. 따라서 비행기를 상대적으로 압력이 약한 위쪽으로 떠오르게 하는 힘이 만들어지는데, 이것이 바로 ㉡양력이다.

2 그런데 ㉯헬리콥터가 뜨는 원리는 약간 다르다. 양력을 이용하긴 하지만, 비행기의 ㉢유선형 날개가 양력을 만드는 것과는 다르기 때문이다. 헬리콥터의 회전하는 날개는 윗면과 아랫면이 똑같이 생겼다. 그렇다면 어떻게 양력을 만들까? 헬리콥터는 회전 날개의 각도를 달리하여 양력을 만든다. 이것은 차를 타고 실험해 볼 수 있다. 차가 달리는 동안 옆의 유리창 밖으로 손을 약간만 내밀어 보자. 손을 수평으로 펴고 아래쪽으로 비스듬하게 기울이면, 손이 떠오르는 것을 느낄 수 있을 것이다. 이와 마찬가지로 헬리콥터도 중앙 프로펠러의 날개 각도를 기울여 회전시킴으로써 프로펠러 위와 아래의 압력 차로 양력을 만들어 낸다. 이에 따라 비행기처럼 전진하지 않고도, 날개 자체의 회전으로 수직 ㉣이륙이 가능한 것이다.

[A] 3 그러나 중앙의 프로펠러가 회전하게 되면, 헬리콥터의 본체는 그 반대 방향으로 회전을 하게 된다. 이는 뉴턴의 작용·반작용 법칙에 의한 당연한 결과이다. 이 문제를 해결하기 위해 많은 과학자들이 연구를 진행했다. 처음에는 중앙 프로펠러 윗부분에 반대 방향으로 회전하는 또 하나의 날개를 얹어 중앙 날개가 본체를 회전시키려는 힘을 ㉤상쇄하도록 설계하였다. 1939년 이고르 시코르스키는 뒷부분에 꼬리 프로펠러를 수직으로 장착하여 이 문제를 해결했다. 수직으로 서 있는 이 프로펠러가 본체의 회전력을 상쇄시키는 역할을 하는 것이다.

4 하지만 이 꼬리 프로펠러가 헬리콥터의 안정성에 문제를 일으킬 수도 있다. 영화의 헬리콥터 추격 장면에서 꼬리 프로펠러가 고장난 헬리콥터가 마구 회전을 하며 추락하는 것을 가끔 볼 수 있다. 이러한 문제를 해결하기 위해 고민한 결과, 흐르는 유체에 휘어진 물체를 놓으면 유체도 따라 휘면서 흐르는 '코안다 효과'를 이용하여 꼬리 프로펠러 없는 헬리콥터를 제작하게 되었다. 이 헬리콥터에서는 꼬리 날개 대신 공기 흡입 장치를 달아서 공기를 빨아들인 후, 둥근 형태의 파이프를 따라 이 공기를 흘러가게 한다. 그러면 코안다 효과에 의해 파이프 모양을 따라 동그랗게 공기가 회전하면서 나간다. 이러한 공기의 회전력이 꼬리 프로펠러 역할을 대신하는 것이다.

5 위의 사례에서 본 것처럼 과학의 원리들은 기술 발전의 토대가 된다. 따라서 과학

원리들에 관심을 가지고 우리 생활 주변에서 이를 탐구해 보는 것도 의미 있는 일이 될 것이다.

1 **㉠~㉤의 사전적 의미로 적절한 것은?**

① ㉠: 고체와 액체를 아울러 이르는 말
② ㉡: 유체 속을 운동하는 물체에 운동 방향과 수직 방향으로 작용하는 힘
③ ㉢: 소라의 껍데기처럼 빙빙 비틀려 돌아간 모양
④ ㉣: 비행기 따위가 공중에서 활주로나 판판한 곳에 내림
⑤ ㉤: 상반되는 것이 서로 영향을 주어 효과를 더욱 강화하는 일

활주로: 비행장에서 비행기가 뜨거나 내릴 때에 달리는 길

2 **[A]를 참고하여 〈보기〉의 회전 운동을 이해한 내용으로 적절하지 않은 것은?**

보기

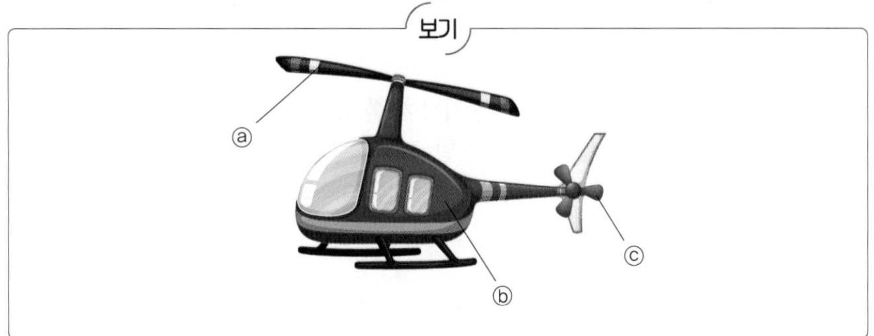

① ⓐ가 회전하면, 그 반작용으로 ⓑ가 회전하려 하겠군.
② ⓐ의 회전력이 ⓒ의 회전력을 상쇄시키겠군.
③ ⓑ가 회전하려는 방향은 ⓐ의 회전 방향과 반대로 이루어지겠군.
④ ⓑ가 회전하려는 힘을 상쇄시키는 것은 ⓒ의 회전력이군.
⑤ ⓒ의 회전은 ⓑ의 회전에 대해 수직 방향으로 작용하는군.

3 **㉮와 ㉯를 이해한 내용으로 적절하지 않은 것은?**

① ㉮의 이륙은 베르누이의 원리를 이용하여 설명할 수 있다.
② ㉮는 ㉯와 달리 날개의 윗면은 곡면이고 아랫면은 평면이다.
③ ㉯의 이륙은 코안다 효과를 이용하여 설명할 수 있다.
④ ㉯는 ㉮와 달리 전진하지 않고도 날개 자체의 회전으로 수직 이륙이 가능하다.
⑤ ㉮와 ㉯는 모두 양력을 이용하여 이륙한다.

주제별로 알아보는 속담

생활과 관련된 속담

속담	뜻과 예문	유의어
가는 날이 장날	일을 보러 가니 공교롭게 장이 서는 날이라는 뜻으로, 어떤 일을 하려고 하는데 뜻하지 않은 일을 공교롭게 당함을 비유적으로 이르는 말 예 가는 날이 장날이라더니, 하필 소풍날 아침에 비가 온다.	유 가는 날이 생일
개똥도 약에 쓰려면 없다	평소에 흔하던 것도 막상 긴하게 쓰려고 구하면 없다는 말 예 개똥도 약에 쓰려면 없다더니, 그 많던 편의점이 정작 찾으니까 안 보인다.	유 까마귀 똥도 약에 쓰려면 오백 냥이라
고기도 먹어 본 사람이 많이 먹는다	무슨 일이든지 늘 하던 사람이 더 잘한다는 말 예 고기도 먹어 본 사람이 많이 먹는다고, 오랜만에 운동을 했더니 몸 전체가 뻐근하다.	유 떡도 먹어 본 사람이 먹는다
구더기 무서워 장 못 담글까	다소 방해되는 것이 있다 하더라도 마땅히 할 일은 하여야 함을 비유적으로 이르는 말 예 소수의 반대 때문에 이미 결정된 사안을 실행에 옮기지 못하는 것은 구더기 무서워 장 못 담그는 꼴이다	유 장마가 무서워 호박을 못 심겠다
구슬이 서 말이라도 꿰어야 보배	아무리 훌륭하고 좋은 것이라도 다듬고 정리하여 쓸모 있게 만들어 놓아야 값어치가 있음을 비유적으로 이르는 말 예 구슬이 서 말이라도 꿰어야 보배이듯, 아무리 좋은 생각이라도 국민에게 혜택이 돌아가야 좋은 정책이라고 할 수 있다.	유 진주가 열 그릇이나 꿰어야 구슬
귀에 걸면 귀걸이 코에 걸면 코걸이	① 어떤 원칙이 정해져 있는 것이 아니라 둘러대기에 따라 이렇게도 되고 저렇게도 될 수 있음을 비유적으로 이르는 말 ② 어떤 사물은 보는 관점에 따라 이렇게도 될 수 있고 저렇게도 될 수 있음을 비유적으로 이르는 말 예 귀에 걸면 귀걸이 코에 걸면 코걸이라더니, 동생은 보드게임을 할 때마다 자기에게 유리하게 규칙을 바꾼다.	
급하면 바늘허리에 실 매어 쓸까	일에는 일정한 순서가 있고 때가 있는 것이므로, 아무리 급해도 순서를 밟아서 일해야 함을 비유적으로 이르는 말 예 '급하면 바늘허리에 실 매어 쓸까'라는 말이 있듯이, 부상을 입은 선수가 복귀하기 위해서는 재활 과정을 착실하게 거쳐야 한다.	유 급하다고 갓 쓰고 똥 싸랴, 급하면 콩마당에서 간수 치랴
목마른 놈이 우물 판다	제일 급하고 일이 필요한 사람이 그 일을 서둘러 하게 되어 있다는 말 예 목마른 놈이 우물 판다는 말처럼, 평소에는 꼼짝도 안 하던 형이 자기가 먹고 싶으니까 라면을 끓였다.	유 갑갑한 놈이 송사한다, 갈이천정(渴而穿井)
믿는 도끼에 발등 찍힌다	잘되리라고 믿고 있던 일이 어긋나거나 믿고 있던 사람이 배반하여 오히려 해를 입음을 비유적으로 이르는 말 예 계주 결승에서 우리 반에서 제일 빠른 현주가 넘어지다니 믿는 도끼에 발등 찍힌 꼴이다.	유 믿었던 돌에 발부리 채었다

보기 좋은 떡이 먹기도 좋다

① 내용이 좋으면 겉모양도 반반함을 비유적으로 이르는 말 ② 겉모양새를 잘 꾸미는 것도 필요함을 비유적으로 이르는 말

예 보기 좋은 떡이 먹기도 좋다고, 모양이 예쁜 케이크가 인기가 좋다.

참 **빛 좋은 개살구**: 겉보기에는 먹음직스러운 빛깔을 띠고 있지만 맛은 없는 개살구라는 뜻으로, 겉만 그럴듯하고 실속이 없는 경우를 비유적으로 이르는 말

부뚜막의 소금도 집어넣어야 짜다

가까운 부뚜막에 있는 소금도 넣지 아니하면 음식이 짠맛이 날 수 없다는 뜻으로, 아무리 좋은 조건이 마련되었거나 손쉬운 일이라도 힘을 들이어 이용하거나 하지 아니하면 안 됨을 비유적으로 이르는 말

예 부뚜막의 소금도 집어넣어야 짜듯이, 책장의 많은 책도 읽어야 자기 것으로 만들 수 있다.

입에 쓴 약이 병에는 좋다

자기에 대한 충고나 비판이 당장은 듣기에 좋지 아니하지만 그것을 달게 받아들이면 자기 수양에 이로움을 이르는 말

예 입에 쓴 약이 병에 좋은 법이니, 자신의 단점을 지적받으면 곱게 들리지 않더라도 수긍하고 자기 발전의 기회로 삼아야 한다.

유 입에 쓴 약이 병을 고친다

집에서 새는 바가지는 들에 가도 샌다

본바탕이 좋지 아니한 사람은 어디를 가나 그 본색을 드러내고야 만다는 말

예 집에서 새는 바가지는 들에 가도 새듯이, 집에서 물건을 잘 잃어버리는 동생은 학교에서도 물건을 잘 잃어버렸다.

콩 심은 데 콩 나고 팥 심은 데 팥 난다

모든 일은 근본에 따라 거기에 걸맞은 결과가 나타나는 것임을 비유적으로 이르는 말

예 콩 심은 데 콩 나고 팥 심은 데 팥 나듯이, 좋은 부모가 좋은 본을 보이면 자식도 훌륭하게 자란다.

유 가시나무에 가시가 난다, 대 끝에서 대가 나고 싸리 끝에서 싸리가 난다, 오이 덩굴에 오이 열리고 가지 나무에 가지 열린다, 종두득두(種豆得豆)

상황으로 보는 속담

가는 날이 장날

[01~05] 다음 뜻에 해당하는 속담을 〈보기〉에서 찾아 기호를 써 보자.

보기

㉠ 가는 날이 장날
㉡ 입에 쓴 약이 병에는 좋다
㉢ 보기 좋은 떡이 먹기도 좋다
㉣ 급하면 바늘허리에 실 매어 쓸까
㉤ 콩 심은 데 콩 나고 팥 심은 데 팥 난다

01 내용이 좋으면 겉모양도 반반함을 비유적으로 이르는 말 (　　　　)

02 모든 일은 근본에 따라 거기에 걸맞은 결과가 나타나는 것임을 비유적으로 이르는 말 (　　　　)

03 일에는 일정한 순서가 있고 때가 있는 것이므로, 아무리 급해도 순서를 밟아서 일해야 함을 비유적으로 이르는 말 (　　　　)

04 자기에 대한 충고나 비판이 당장은 듣기에 좋지 아니하지만 그것을 달게 받아들이면 자기 수양에 이로움을 이르는 말 (　　　　)

05 일을 보러 가니 공교롭게 장이 서는 날이라는 뜻으로, 어떤 일을 하려고 하는데 뜻하지 않은 일을 공교롭게 당함을 비유적으로 이르는 말 (　　　　)

06 다음 글을 읽고, 현수가 처한 상황을 나타내기에 알맞은 속담을 써 보자.

현수는 나무젓가락을 잘 쓰지 않아서 음식을 배달시킬 때마다 함께 오는 나무젓가락이 집에 계속 쌓이기만 하였다. 그러다가 결국 버려지는 나무젓가락을 어떻게 활용할지 고민하던 현수는 생활 속의 잡동사니를 이용하여 만드는 미술인 '정크 아트'를 떠올렸다. 현수는 나무젓가락을 이용해서 다리를 만들어 보기로 하였다. 그런데 웬일인지 아무리 찾아보아도 나무젓가락이 없었다. 평소에는 집 안 여기저기에서 보일 정도로 많던 나무젓가락이 막상 필요해서 찾으니 보이지 않았다.

→

[07~10] 다음 빈칸에 알맞은 단어를 쓰고, 속담의 뜻을 찾아 바르게 연결해 보자.

07 목마른 놈이 [　　] 판다 •　　• ㉠ 제일 급하고 일이 필요한 사람이 그 일을 서둘러 하게 되어 있다는 말

08 믿는 [　　]에 발등 찍힌다 •　　• ㉡ 본바탕이 좋지 아니한 사람은 어디를 가나 그 본색을 드러내고야 만다는 말

09 부뚜막의 [　　]도 집어넣어야 짜다 •　　• ㉢ 잘되리라고 믿고 있던 일이 어긋나거나 믿고 있던 사람이 배반하여 오히려 해를 입음을 비유적으로 이르는 말

10 집에서 새는 [　　]는 들에 가도 샌다 •　　• ㉣ 아무리 좋은 조건이 마련되었거나 손쉬운 일이라도 힘을 들이어 이용하거나 하지 아니하면 안 됨을 비유적으로 이르는 말

11 다음 〈보기〉의 속담을 참고하여 십자말풀이를 완성해 보자.

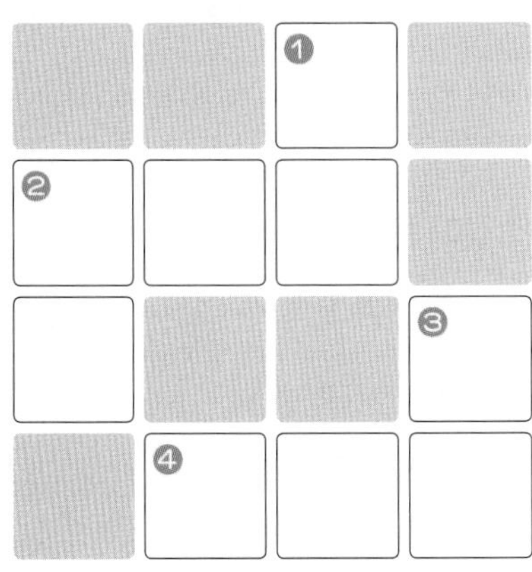

보기

가로

❷ ○○○ 무서워 장 못 담글까: 다소 방해되는 것이 있다 하더라도 마땅히 할 일은 하여야 함을 비유적으로 이르는 말

❹ 귀에 걸면 ○○○ 코에 걸면 코걸이: 어떤 원칙이 정해져 있는 것이 아니라 둘러대기에 따라 이렇게도 되고 저렇게도 될 수 있음을 비유적으로 이르는 말

세로

❶ ○○도 먹어 본 사람이 많이 먹는다: 무슨 일이든지 늘 하던 사람이 더 잘한다는 말

❷ ○○이 서 말이라도 꿰어야 보배: 아무리 훌륭하고 좋은 것이라도 다듬고 정리하여 쓸모 있게 만들어 놓아야 값어치가 있음을 비유적으로 이르는 말

❸ 가는 ○○ 장날: 어떤 일을 하려고 하는데 뜻하지 않은 일을 공교롭게 당함을 비유적으로 이르는 말

01 기술 주제어 _ 전기/전자

1단계 문맥으로 어휘 확인하기

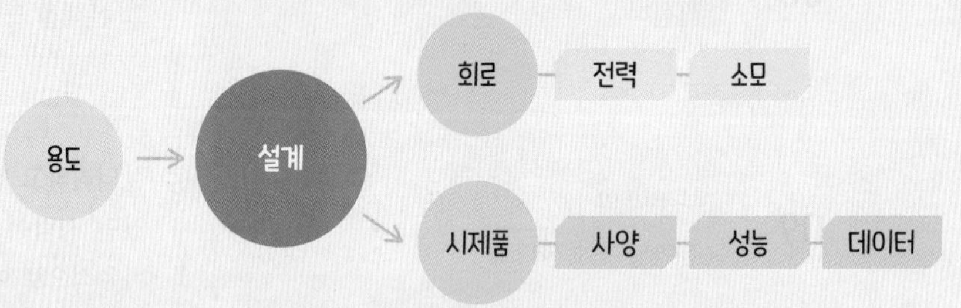

용도(쓸用 길途) 쓰이는 길. 또는 쓰이는 곳 ㊀ 쓰임새

설계(베풀設 꾀할計) ① 계획을 세움. 또는 그 계획 ② 건축·토목·기계 제작 따위에서, 그 목적에 따라 실제적인 계획을 세워 도면 따위로 명시하는 일 ③ 설계한 구조, 형상, 치수 따위를 일정한 규약에 따라서 그린 도면

회로(돌아올回 길路) 여러 개의 회로 소자(전기 회로를 구성하는 요소)를 서로 접속하여 구성한 전류가 흐르는 통로 ㊀ 전기 회로

전력(번개電 힘力) 전류가 단위 시간에 하는 일. 또는 단위 시간에 사용되는 에너지의 양. 값은 전압과 전류의 곱으로 나타냄. 단위는 와트(W)와 킬로와트(kW)

소모(꺼질消 빌耗) 써서 없앰

시제품(시험할試 지을製 물건品) 시험 삼아 만들어 본 제품

사양(벼슬할仕 모양樣) ① 설계 구조 ② 만드는 물품에 관해 요구되는 특정 형상·구조·치수·성분·정밀도·성능·제조법·시험 방법 등의 규정

성능(성품性 능할能) 기계 따위가 지닌 성질이나 기능

데이터(data) ① 이론을 세우는 데 기초가 되는 사실. 또는 바탕이 되는 자료 ② 관찰이나 실험, 조사로 얻은 사실이나 정보 ③ 컴퓨터가 처리할 수 있는 문자, 숫자, 소리, 그림 따위의 형태로 된 정보

● **다음 빈칸에 들어갈 알맞은 단어를 위에서 찾아 문맥에 맞게 써 보자.**

(1) 이 난방 기구는 열효율성이 떨어져 많은 연료가 ☐☐된다.

(2) 제품 설명서에는 해당 제품의 ☐☐이 자세히 기록되어 있다.

(3) 이 자동차는 ☐☐이 월등해서 다른 자동차는 경쟁이 안 된다.

(4) 반도체 ☐☐의 미세화에 따라 제품의 화질이 더 선명해지고 있다.

(5) 여름철이 되자 에어컨 사용으로 인해 ☐☐ 소비량이 급격히 증가했다.

(6) 그 방은 임시 커튼으로 공간이 분리되어 각각 다른 ☐☐로 사용되고 있었다.

(7) 미켈란젤로는 타원형의 캄피돌리오 광장을 ☐☐하여 로마의 중심부에 새로운 공간을 만들었다.

(8) 전자식 건반 악기는 연주한 소리를 디지털 ☐☐☐ 형태로 변환하여 악기에 내장되어 있는 저장 장치에 저장할 수 있다.

(9) ○○ 전자 기업은 ☐☐☐의 안정성 검사를 실시하였으며, 검사 결과 안전하다고 판명되면 바로 제품을 생산하기로 하였다.

2단계 문제로 어휘 익히기

1 **다음 단어의 의미를 찾아 바르게 연결해 보자.**

(1) 사양 • 　　• ㉠ 쓰이는 길. 또는 쓰이는 곳

(2) 성능 • 　　• ㉡ 기계 따위가 지닌 성질이나 기능

(3) 용도 • 　　• ㉢ 만드는 물품에 관해 요구되는 특정 형상·구조·치수·성분·정밀도·성능·제조법·시험 방법 등의 규정

2 **다음 문장에 들어갈 알맞은 단어를 〈보기〉에서 찾아 써 보자.**

보기

소모　　회로　　데이터　　시제품

(1) 컴퓨터를 업그레이드하지 않아서인지 (　　　　) 처리 속도가 느려졌다.

(2) 이 장치는 (　　　　)이/가 끊어지면 자동으로 경보가 울리도록 설계되어 있다.

(3) (　　　　)은/는 성능을 확인하려는 목적도 있지만, 외관이나 조립 방법 등을 확인하기 위해 제작한다.

3 **다음 문장의 괄호 안에 들어갈 알맞은 단어를 골라 보자.**

(1) 이 발전소의 (사양 / 전력)은 전국의 수요자들에게 공급된다.

(2) 이 컴퓨터는 (성능 / 회로)이/가 우수하기로 전문가 사이에서 유명하다.

(3) 우리 팀은 지나친 체력 (소모 / 용도)로 아쉽게도 우승 문턱에서 주저앉고 말았다.

4 **다음 빈칸에 공통적으로 들어갈 알맞은 단어를 찾아보자.**

• 아사달은 섬세한 (　　　　)을/를 바탕으로 여러 가지 장식을 달아 화려한 다보탑을 만들었다.
• 선생님께서는 청소년기에 어느 정도 자신의 장래에 대한 (　　　　)을/를 해 보는 것이 좋다고 말씀하셨다.

① 사양　② 설계　③ 용도　④ 데이터　⑤ 시제품

02 기술 주제어 _기계 / 소재

1단계 문맥으로 어휘 확인하기

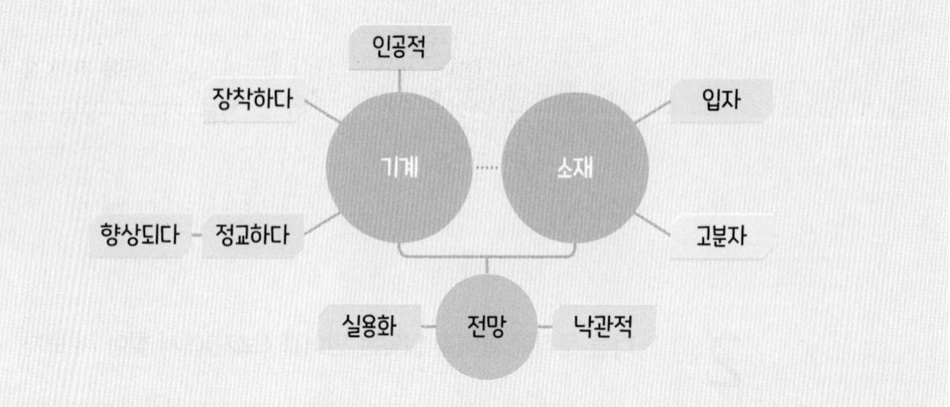

인공적(사람人 장인工 과녁的) 사람의 힘으로 만든. 또는 그런 것 유 인위적, 인조적

장착(꾸밀裝 붙을着)**하다** 의복, 기구, 장비 따위에 장치를 부착하다.

정교(찧을精 교묘할巧)**하다** ① 솜씨나 기술 따위가 정밀하고 교묘하다. ② 내용이나 구성 따위가 정확하고 치밀하다.

향상(향할向 위上)**되다** 실력, 수준, 기술 따위가 나아지다.

입자(알粒 아들子) ① 물질을 구성하는 미세한 크기의 물체 ② 물질의 일부로서, 구성하는 물질과 같은 종류의 매우 작은 물체 유 알갱이

고분자(높을高 나눌分 아들子) 화합물 가운데 분자량이 대략 1만 이상인 분자. 또는 화학 결합으로 거의 무한 개수의 원자가 결합하여 있는 분자 참 분자: 물질에서 화학적 형태와 성질을 잃지 않고 분리될 수 있는 최소의 입자

전망(펼展 바랄望) ① 넓고 먼 곳을 멀리 바라봄. 또는 멀리 내다보이는 경치 유 조망 ② 앞날을 헤아려 내다봄. 또는 내다보이는 장래의 상황

실용화(열매實 쓸用 될化) 실제로 쓰거나 쓰게 함

낙관적(즐길樂 볼觀 과녁的) ① 인생이나 사물을 밝고 희망적인 것으로 보는. 또는 그런 것 ② 앞으로의 일 따위가 잘되어 갈 것으로 여기는. 또는 그런 것 유 낙천적 반 비관적

● 다음 빈칸에 들어갈 알맞은 단어를 위에서 찾아 문맥에 맞게 써 보자.

(1) 이번 신제품은 기존 제품보다 내구성이 크게 ☐☐되었다.

(2) 재봉틀로 놓은 수는 손으로 놓은 수보다 ☐☐하지 못하다.

(3) 민수는 메모리를 늘리기 위해 하드웨어를 추가로 ☐☐하였다.

(4) 세계적인 불경기로 인해 하반기의 자동차 수출 ☐☐이 극히 불투명하다.

(5) 창밖에서 새어 들어온 햇빛 속에는 미세한 공기 ☐☐들이 떠다니고 있었다.

(6) 대체 에너지가 ☐☐☐되려면 무공해성에 대한 국제적 검증을 받아야 한다.

(7) 동해안 일대는 천연적인 관광 자원과 ☐☐☐인 관광 자원이 잘 어우러져 있다.

(8) 그의 얼굴에 웃음이 가득한 걸 보면 이번 선거 결과를 ☐☐☐으로 보고 있는 게 분명하다.

(9) ☐☐☐ 상태의 영양소를 소화관에서 흡수 가능한 저분자 상태의 영양소로 분해하는 것을 소화라고 한다.

2단계 문제로 어휘 익히기

1 다음 단어의 의미를 찾아 바르게 연결해 보자.

(1) 입자 •	• ㉠ ① 물질을 구성하는 미세한 크기의 물체 ② 물질의 일부로서, 구성하는 물질과 같은 종류의 매우 작은 물체
(2) 고분자 •	• ㉡ 화합물 가운데 분자량이 대략 1만 이상인 분자. 또는 화학 결합으로 거의 무한 개수의 원자가 결합하여 있는 분자

2 다음 문장에 들어갈 알맞은 단어를 〈보기〉에서 찾아 써 보자.

보기

전망 정교 낙관적 실용화

(1) 수출 부진으로 경제 불황이 심화될 (   )이다.
(2) 기계식 시계는 많은 톱니바퀴가 (   )하게 맞물려 작동된다.
(3) 전기 자동차가 (   )되면서 도심 지역의 대기 오염이 개선되었다.

3 다음 문장의 괄호 안에 들어갈 알맞은 단어를 골라 보자.

(1) 폭설이 온 날은 바퀴에 체인을 (장착 / 정교)한 차량만 통과시켰다.
(2) 농사 기술이 (전망 / 향상)됨에 따라 농업 생산량이 크게 증가하였다.
(3) 그는 워낙 (낙관적 / 비관적)이어서 웬만한 일에는 좀처럼 절망하지 않는다.

4 다음 빈칸에 들어갈 알맞은 단어를 찾아보자.

가공식품은 농산물, 축산물, 수산물 따위를 열을 가하거나 화학 첨가물을 넣는 등 (   )(으)로 처리하여 만든 식품이다. 가공하기 전보다 맛이나 향을 좋게 하고, 보존과 조리가 간편하도록 만든다. 가공식품으로는 잼, 햄, 마늘장아찌, 건어물, 즉석요리, 통조림이나 병조림 등을 들 수 있다.

① 입자 ② 고분자 ③ 낙관적 ④ 실용화 ⑤ 인공적

독해로 어휘 다지기

독해 체크

1. 이 글의 핵심어는?
□□□의 장점

2. 문단별 중심 내용은?
1 □□□를 구성하는 핵심 장치
2 HDD의 □□
3 SSD의 □□
4 □□□의 구성과 종류
5 □ 기반 SSD의 장단점
6 □□□ □□□ 기반 SSD가 일반화된 이유

3. 이 글의 주제는?
□□□를 대체하는 보조 기억 장치 □□□

[1~3] 다음 글을 읽고 물음에 답하시오. 2016학년도 6월 고1 전국연합

1 컴퓨터를 구성하고 있는 여러 가지 장치 중에서 가장 핵심적인 역할을 담당하고 있는 3가지 요소는 중앙 처리 장치(CPU), 주기억 장치, 보조 기억 장치이다. 보통 주기억 장치로 '램'을, 보조 기억 장치로 'HDD(Hard Disk Drive)'를 쓴다. 이 세 장치의 성능이 컴퓨터의 전반적인 속도를 좌우한다고 할 수 있다.

2 CPU나 램은 내부의 °미세 회로 사이를 오가는 전자의 움직임만으로 데이터를 처리하는 °반도체 재질이기 때문에 고속으로 동작이 가능하다. 그러나 HDD는 원형의 °자기 디스크를 물리적으로 회전시키며 데이터를 읽거나 저장하기 때문에 자기 디스크를 아무리 빨리 회전시킨다 해도 반도체의 처리 속도를 따라갈 수 없다. 게다가 디스크의 회전 속도가 빨라질수록 소음이 심해지고 전력 소모량이 급속도로 높아지는 단점이 있다. 이 때문에 CPU와 램의 동작 속도가 하루가 다르게 향상되고 있는 반면, HDD의 동작 속도는 그렇지 못했다.

3 그래서 HDD의 대안으로 제시된 것이 바로 'SSD(Solid State Drive)'이다. SSD의 용도나 외관, 설치 방법 등은 HDD와 유사하다. 하지만 SSD는 HDD가 자기 디스크를 사용하는 것과 달리 반도체를 이용해 데이터를 저장한다는 차이가 있다. 그리고 물리적으로 움직이는 부품이 없기 때문에 작동 소음이 작고 전력 소모가 적다. 이런 특성 때문에 휴대용 컴퓨터에 SSD를 사용하면 전지 유지 시간을 늘릴 수 있다는 이점이 있다.

4 SSD는, °컴퓨터 시스템과 SSD 사이에 데이터를 주고받을 수 있도록 연결하는 부분인 '인터페이스', 데이터를 저장하는 '메모리', 그리고 인터페이스와 메모리 사이의 데이터 교환 작업을 제어하는 '컨트롤러', 외부 장치와 SSD 간의 처리 속도 차이를 줄여 주는 '버퍼 메모리'로 이루어져 있다. 이 중에 주목해야 할 것이 데이터를 저장하는 메모리다. 이 메모리를 무엇으로 쓰는지에 따라 '램 기반 SSD'와 '플래시 메모리 기반 SSD'로 나뉜다.

5 램 기반 SSD는 매우 빠른 속도를 발휘하는데, 이것을 (　㉠　) 컴퓨터는 전원을 켠 후 1~2초 만에 윈도우 운영 체제의 °부팅을 끝낼 수 있을 정도다. 다만 램은 전원이 꺼지면 저장 데이터가 모두 사라지기 때문에 컴퓨터의 전원을 끈 상태에서도 SSD에 계속해서 전원을 공급해 주는 전용 전지가 반드시 필요하다. 이런 단점 때문에 램 기반 SSD는 많이 쓰이지 않는다.

6 그래서 일반적으로 SSD는 플래시 메모리 기반 SSD를 지칭한다. 플래시 메모리는 전원이 꺼지더라도 기록된 데이터가 보존되기 때문에 HDD를 쓰던 것처럼 쓰면 된다. 그리고 플래시 메모리 기반 SSD를 장착한 컴퓨터는 램 기반 SSD를 장착한 컴퓨터보다 느리긴 하지만 HDD를 장착한 동급 사양의 컴퓨터보다 최소 2~3배 이상 빠른 부팅 속도와 프로그램 실행 속도를 기대할 수 있다.

어휘 체크

- **미세**: 분간하기 어려울 정도로 아주 작음
- **반도체**: 상온에서 전기 전도율이 도체와 절연체의 중간 정도인 물질
- **자기 디스크**: 음반 모양의 둥근 원판 양면에 자성 물질을 입혀서 데이터를 읽고 쓸 수 있도록 한 보조 기억 매체
- **컴퓨터 시스템**: CPU, 램 등 컴퓨터를 동작시키는 장치의 집합체
- **부팅(booting)**: 컴퓨터를 시동하거나 재시동하는 작업

1 **문맥상 ㉠에 들어갈 말로 가장 적절한 것은?**

① 설계(設計)한
② 소모(消耗)한
③ 장착(裝着)한
④ 전망(展望)한
⑤ 정교(精巧)한

2 **윗글을 통해 확인할 수 있는 내용에 해당하지 않는 것은?**

① HDD가 발전해 온 과정
② CPU와 램의 공통적인 특징
③ HDD와 SSD의 공통점과 차이점
④ 램과 HDD의 데이터 처리 방식의 차이
⑤ 램 기반 SSD가 많이 쓰이지 않는 이유

기출 문제

3 **윗글에 대한 이해로 적절한 것은?**

① HDD를 설치하는 것보다 SSD를 설치하는 방법이 복잡하다.
② HDD는 데이터 처리 방식의 한계 때문에 속도의 향상이 더딘 편이었다.
③ SSD의 소음이 큰 이유는 데이터를 읽을 때 자기 디스크가 회전하기 때문이다.
④ 운영 체제를 빠르게 쓰고 싶다면, SSD보다 HDD를 보조 기억 장치로 쓰는 것이 낫다.
⑤ 전자를 움직여 데이터를 읽는 것보다 자기 디스크를 움직여 데이터를 읽는 것이 전력을 적게 쓴다.

● 더딘: 어떤 움직임이나 일에 걸리는 시간이 오랜

01 예술 주제어 _미술

1단계 문맥으로 어휘 확인하기

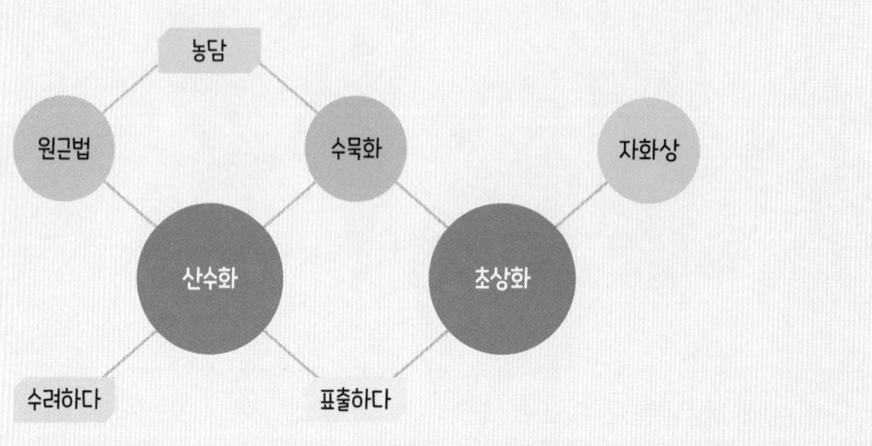

산수화(뫼山 물水 그림畫) 동양화에서, 산과 물이 어우러진 자연의 아름다움을 그린 그림 참 진경산수화: 우리나라의 실재하는 경치를 있는 그대로 그리는 산수화

원근법(멀遠 가까울近 법도法) 일정한 시점에서 본 물체와 공간을 눈으로 보는 것과 같이 멀고 가까움을 느낄 수 있도록 평면 위에 표현하는 방법 유 원근화법

수려(빼어날秀 고울麗)**하다** 빼어나게 아름답다.

표출(겉表 날出)**하다** 겉으로 나타내다. 유 표현하다 반 감추다

수묵화(물水 먹墨 그림畫) 먹으로 짙고 엷음을 이용하여 그린 그림 유 먹그림, 묵화, 수묵 참 채색화: 색을 칠하여 그린 그림

농담(짙을濃 묽을淡) 색깔이나 명암 따위의 짙음과 옅음. 또는 그런 정도 참 명암: 회화에서, 색의 농담이나 밝기의 정도를 이르는 말

초상화(닮을肖 모양像 그림畫) 사람의 얼굴을 중심으로 그린 그림 참 전신화: 몸 전체를 그린 그림

자화상(스스로自 그림畫 모양像) 스스로 그린 자기의 초상화

● **다음 빈칸에 들어갈 알맞은 단어를 위에서 찾아 문맥에 맞게 써 보자.**

(1) 나는 화려한 색감의 그림보다 은은한 멋을 지닌 □□□를 더 좋아한다.

(2) 귀가 잘린 고흐의 □□□에서는 그가 겪었던 고뇌와 아픔이 느껴진다.

(3) 아무런 여과 없이 자신의 감정을 있는 그대로 □□하는 것은 바람직하지 않다.

(4) □□했던 자연 경관이 파괴되면 국립 공원을 찾던 탐방객은 발길을 돌리고 말 것이다.

(5) 두 물건의 크기가 같을 때, 가까운 것을 크게 그리고 먼 것을 작게 그리는 것이 □□□이다.

(6) '와유명산(臥遊名山)'은 누워서 강산을 노닌다는 뜻으로, □□□를 보며 즐김을 이르는 말이다.

(7) 옷감을 염색할 때, 자칫 잘못하면 처음에 담근 부분과 나중에 담근 부분의 □□이 달라져 얼룩이 생길 수 있으니 주의해야 한다.

(8) 오만 원권 지폐의 앞면에는 신사임당의 □□□와 신사임당의 작품으로 전해지는 「묵포도도」와 「초충도수병」의 가지 그림이 인쇄되어 있다.

2단계 문제로 어휘 익히기

1 다음 단어의 의미를 찾아 바르게 연결해 보자.

(1) 수묵화 •　　• ㉠ 스스로 그린 자기의 초상화

(2) 자화상 •　　• ㉡ 사람의 얼굴을 중심으로 그린 그림

(3) 초상화 •　　• ㉢ 먹으로 짙고 엷음을 이용하여 그린 그림

2 다음 문장에 들어갈 알맞은 단어를 〈보기〉에서 찾아 써 보자.

보기

농담　　비례　　산수화　　원근법

(1) 능선을 따라, 산의 위치에 따라 은은하게 구별되는 자연색의 (　　　)은/는 완벽한 수묵화였다.

(2) 이 화백은 자연에서 받은 강렬하고 선명한 인상을 무게감 있는 화풍으로 표현한 (　　　)을/를 주로 그렸다.

(3) 평면인 종이에서 물체의 크기와 명암을 달리하여 입체감을 느낄 수 있도록 표현하는 기법을 (　　　)(이)라고 한다.

3 다음 문장의 괄호 안에 들어갈 알맞은 단어를 골라 보자.

(1) 고려청자는 고려 시대에 만들어진 푸른빛의 자기로, 당시 고려인이 추구했던 불교적 세계의 미감을 (수려 / 표출)한 것이다.

(2) (수묵화 / 초상화)는 인물의 신분과 역사뿐만 아니라, 그 인물이 표방했던 권위·사랑·우정과 같은 상징적인 의미까지 표현한다.

4 다음 빈칸에 들어갈 알맞은 단어를 찾아보자.

'윤두서 (　　　)'은/는 조선 후기의 문인이자 화가인 윤두서가 자기 자신을 종이에 옅은 채색으로 그린 그림이다. 윤두서는 화폭 가득히 자신의 얼굴을 묘사하여, 용모의 특징뿐 아니라 내면적인 기세까지도 강렬하게 표현하고 있다.

① 농담　② 산수화　③ 수묵화　④ 원근법　⑤ 자화상

02 예술 주제어 _ 건축

문맥으로 어휘 확인하기

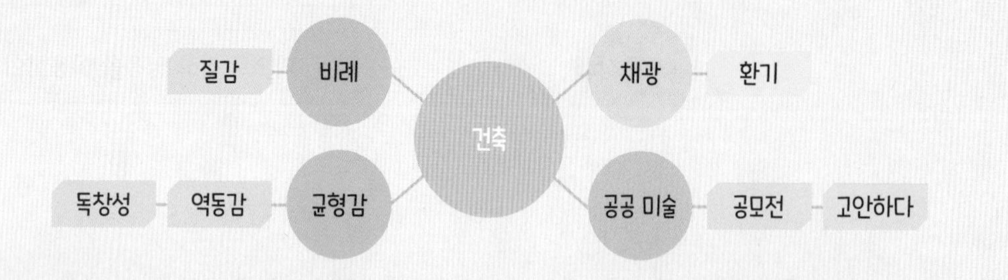

비례(견줄比 법식例) 표현된 물상의 각 부분 상호 간 또는 전체와 부분 간이 양적으로 일정한 관계가 됨. 또는 그런 관계

질감(바탕質 느낄感) ① 재료가 가지는 성질의 차이에서 받는 느낌 ㊌ 질량감 ② 물감, 캔버스, 필촉(筆觸), 화구(畫具) 따위가 만들어 내는 화면 대상의 느낌 ㊟ 양감: 손에 만질 수 있는 듯한 용적감이나 묵직한 물체의 중량감을 전해 주는 상태. 화면에 나타난 대상의 부피나 무게의 느낌을 나타내는 말로, 전체적 느낌을 가리키는 매스와 달리 부분적인 표현에 사용함

균형감(고를均 저울대衡 느낄感) 어느 한쪽으로 기울거나 치우치지 아니한 고른 감각

역동감(힘力 움직일動 느낄感) 힘차고 활발하게 움직이는 느낌

독창성(홀로獨 비롯할創 성품性) 다른 것을 모방함이 없이 새로운 것을 처음으로 만들어 내거나 생각해 내는 성향이나 성질

채광(캘採 빛光) 창문 따위를 내어 햇빛을 비롯한 광선을 받아 들임 ㊌ 빛받이, 주광조명

환기(바꿀換 기운氣) 탁한 공기를 맑은 공기로 바꿈 ㊟ 배기: 속에 든 공기, 가스 등을 밖으로 뽑아 버림

공공 미술(공변될公 함께共 아름다울美 꾀術) 거리, 공원, 광장 따위의 일반에게 공개된 장소에 설치하거나 전시하는 미술

공모전(공변될公 모을募 펼展) 공개 모집한 작품의 전시회

고안(상고할考 책상案)**하다** 연구하여 새로운 안을 생각해 내다.

● **다음 빈칸에 들어갈 알맞은 단어를 위에서 찾아 문맥에 맞게 써 보자.**

(1) 이번 [ ][ ][ ]에서 입선된 작품들은 이곳에 한 달 동안 전시된다.

(2) [ ][ ][ ]은 사물을 남과 다르게 보려는 시각에서 비롯되는 것이다.

(3) 어떤 물체의 [ ][ ]을 알기 위해서는 그 물체를 직접 만져 보는 것이 좋다.

(4) 기자라면 어느 한쪽의 의견에 치우치지 않는 [ ][ ][ ] 있는 기사를 써야 한다.

(5) 집안의 탁한 공기를 [ ][ ]하기 위하여 어머니는 집에 있는 모든 창문을 활짝 여셨다.

(6) '카논'은 이상적인 인체의 [ ][ ]를 말하는 것으로, 흔히 말하는 팔등신이 바로 카논이다.

(7) 침실의 [ ][ ]이 좋아서, 나는 아침마다 창문을 통해 들어오는 햇빛을 받으며 눈을 뜨곤 했다.

(8) 이 스피커는 자동차 추격 장면과 같이 [ ][ ][ ] 넘치는 장면에서 생생한 음향 효과를 느끼게 한다.

(9) 최근 젊은 창작자들은 마을 곳곳을 아름답게 꾸미는 [ ][ ] [ ][ ] 프로젝트에 적극적으로 참여하고 있다.

(10) 고딕 양식에서는 로마네스크 양식에서 사용되던 둥근 아치형의 천장을 뾰족하게 솟아오른 형태로 [ ][ ]했다.

• 정답과 해설 30쪽

2단계 문제로 어휘 익히기

1

다음 단어의 의미를 찾아 바르게 연결해 보자.

(1) 비례 •　　• ㉠ 탁한 공기를 맑은 공기로 바꿈

(2) 질감 •　　• ㉡ 재료가 가지는 성질의 차이에서 받는 느낌

(3) 채광 •　　• ㉢ 창문 따위를 내어 햇빛을 비롯한 광선을 받아 들임

(4) 환기 •　　• ㉣ 표현된 물상의 각 부분 상호 간 또는 전체와 부분 간이 양적으로 일정한 관계가 됨. 또는 그런 관계

2

다음 문장에 들어갈 알맞은 단어를 〈보기〉에서 찾아 써 보자.

보기

공모전　　균형감　　독창성　　역동감

(1) 이번 (　　　　)에는 수십 명의 작가들이 참여하였다.

(2) 강대국 사이에서 살아남기 위해서는 (　　　　) 있는 외교 정책이 필요하다.

(3) 요즘 그 가수의 신곡은 최근 유행하는 노래들과 차별화되는 (　　　　)이 부족하다는 평이 많다.

3

다음 문장의 괄호 안에 들어갈 알맞은 단어를 골라 보자.

(1) 그 기업은 새로운 경영 체제를 (고안 / 환기)하여 사원들의 호응을 얻었다.

(2) 르네상스 건축가들은 건축물의 부분과 부분, 부분과 전체의 적당한 수학적 (비례 / 질감)을/를 구현하는 것에 관심을 가졌다.

(3) 새로 나온 사이다 광고에서는 제품의 청량감을 회오리바람, 폭포수 등으로 시각화하여 (균형감 / 역동감)이 느껴지게 표현하였다.

4

다음 빈칸에 공통적으로 들어갈 알맞은 단어를 찾아보자.

(　　　　)은/는 대중을 위한 미술을 뜻하는 용어로, 도시의 공원에 있는 환경 조각이나 벽화 등이 이에 해당된다. (　　　　)은/는 화상, 평론가, 수집가 등 소수 전문가에 의해 감상·유통되던 미술을, 일반 대중 누구나 감상하고 일상생활에서 접할 수 있도록 하기 위한 노력에서 비롯되었다.

① 비례　　② 질감　　③ 채광　　④ 공모전　　⑤ 공공 미술

독해로 어휘 다지기

독해 체크

1. 이 글의 핵심어는?

□□□의 건축물

2. 문단별 중심 내용은?

1 □□□인 건축가 가우디

2 □□ □□□에 지어진 집의 문제점

3 가우디가 자유로운 형태로 디자인한 □□□□

4 □□에서 모티프를 따 온 가우디의 여러 건축물들

5 □□□과 창의성을 모두 갖춘 가우디의 건축물

3. 이 글의 주제는?

가우디의 창의적이고 합리적인 □□□들

어휘 체크

- **원형**: 같거나 비슷한 여러 개가 만들어져 나온 본바탕
- **유기적**: 생물체처럼 전체를 구성하고 있는 각 부분이 서로 밀접하게 관련을 가지고 있어서 떼어 낼 수 없는 것
- **모티프**: 예술 작품에서 표현의 동기가 된 작가의 중심 사상
- **포물선**: 물체가 반원 모양을 그리며 날아가는 선
- **나선**: 공간에서의 나사 모양의 곡선
- **현수선**: 실 따위의 양쪽 끝을 고정하고 중간 부분을 자연스럽게 늘어뜨렸을 때, 실이 이루는 곡선

[1~3] 다음 글을 읽고 물음에 답하시오. 2016학년도 6월 고1 전국연합

1 근대 건축에서 빼놓을 수 없는 인물이 안토니오 가우디이다. 가우디는 기존 건축의 어떠한 흐름에도 얽매이지 않은 역사상 가장 창의적인 건축가였다. 그는 아이디어의 원형을 자연에서 찾아 바르셀로나에 합리적이고 아름다운 건축물들을 만들어 냈다.

2 그가 살았던 1900년대 바르셀로나에서는 위생적이지 못한 도시 환경을 개조하기 위해 '에이샴플라'라는 이름의 도시 계획 공모전을 열었고 바르셀로나 전체를 그림과 같이 20m 폭의 도로로 둘러싼 정사각형 모양의 주거 블록으로 채우는 획기적인 결정을 했다. 블록의 높이는 모든 건물에 빛이 45도로 내리쬘 수 있도록 6층 높이 이하로 제한했다. 이로써 도심 주택에 어느 정도 채광과 환기가 이루어졌지만 블록 모퉁이에 지어진 집은 햇빛과 바람이 잘 들지 않았다.

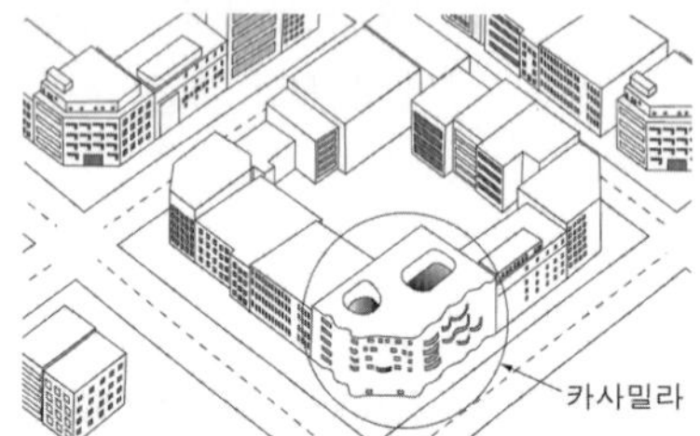

3 밀라는 모퉁이에 지을 자신의 집을 가우디에게 의뢰했다. 가우디는 이 문제를 해결하기 위해 수직과 수평에 근거한 고전적인 건축의 엄격함을 벗어던지고, 자유로운 형태로 건물을 디자인함으로써 역동감과 활기가 느껴지는 자연스러운 건물을 설계했다. '카사밀라(밀라의 집)'는 바위로 이루어진 몬세라트 산의 모양을 본떠 내부도 직각으로 이루어진 부분이 하나도 없다. 그는 지붕을 햇빛 방향에 따라 비스듬하게 설계하고 옥상 난간을 반투명 철망으로 만들어 주택 안으로 빛과 바람이 최대한 들어올 수 있게 하였다. 그뿐만 아니라 철골 구조를 적절하게 이용함으로써 석조 건물의 유기적인 형태를 만들어 냄과 동시에 당시 스페인에 하나도 없었던 철근 콘크리트 건물이라는 새로운 주거 환경을 마련하였다.

4 바르셀로나에는 카사밀라 말고도 다양한 가우디의 건축물이 남아 있다. '뼈로 지은 집'이라는 별명이 있는 '카사바트요'는 창문과 창살이 뼈 모양으로 디자인되어 있다. '구엘 공원'에는 자연을 돌 자체로 묘사해 놓은 '돌로 만든 세상'이 펼쳐져 있기도 하다. ⓐ'사그라다 파밀리아 성당'의 기둥에는 플라타너스 나무의 모습을 덧입혔다. 덕분에 그곳에서는 숲에 와 있는 듯한 느낌을 받는다. 이와 같은 가우디의 건축물들은 '자연은 나의 스승이다'라는 그의 말처럼 자연에서 작품의 모티프를 따 와 대부분 직선이 없고 포물선과 나선 등 수학적인 곡선이 주를 이룬다.

5 그렇다고 가우디가 단순히 자연을 흉내만 낸 것은 아니다. 그는 10여 년의 세심한 관찰과 실험을 통해 ⓑ다중 현수선 모형을 ㉠고안하여 중력까지 치밀하게 계산한 건축 모형을 만들었다. 그 결과 고딕 건축에서 필수적인 버팀벽 없이 날렵하고 균형 잡힌 건축물을 설계할 수 있었다. 이러한 기술력과 창의성의 결합체인 사그라다 파밀리아 성당은 거대한 조각품과 같은 예술성을 보여 준다. 그는 자연을 본따는 것에 그치지 않고 중력이라는 자연의 본성을 합리적으로 사고함으로써 건축에 감성을 담아낼 수 있었다.

1 **문맥상 ㉠과 바꾸어 쓰기에 가장 적절한 것은?**

① 고민하여
② 사용하여
③ 응용하여
④ 적발하여
⑤ 창안하여

2 **ⓑ와 관련지어 ⓐ의 특징을 이해한 것으로 가장 적절한 것은?**

① 숲의 모양을 본떠 생생함이 느껴진다.
② 거대한 조각이 주는 웅장함이 느껴진다.
③ 수학적 직선으로 이루어진 역동성이 느껴진다.
④ 각 구조를 치밀하게 설계한 균형감이 느껴진다.
⑤ 철근 콘크리트 자재를 사용한 견고함이 느껴진다.

웅장함: 규모 따위가 거대하고 성대함

견고함: 굳고 단단함

3 **다음은 윗글을 읽고 난 후 나눈 대화이다. 윗글의 내용을 바르게 파악하지 못한 사람은?**

① 수지: 바르셀로나의 공모전에서 결정된 도시 계획에 따라 '블록 모퉁이에 지어진 집'은 다른 집들과는 달리 채광과 환기에 문제가 있었군.
② 서준: 그렇지. 그래서 가우디는 자신이 의뢰받은 '카사밀라'를 디자인할 때 빛이 건물에 골고루 내리쬘 수 있도록 주택의 높이를 6층 이하로 제한한 거야.
③ 민서: 그리고 빛과 바람이 잘 들어오도록 옥상 난간 재질을 반투명 철망으로 만들고, 지붕도 비스듬하게 설계했어.
④ 시안: 맞아. 지붕뿐 아니라 '카사밀라' 내부에도 직각으로 이루어진 부분이 없대. 왜냐하면 '카사밀라'는 몬세라트 산의 모양을 본떠 만들었기 때문이지.
⑤ 지율: 그러니까 가우디는 기존의 건축 기법에 얽매이지 않고 자연에서 모티프를 얻어서 역동감과 활기가 느껴지는 새로운 건축물을 만든 것이구나.

주제별로 알아보는 관용 표현

의복과 관련된 관용 표현

가면을 벗다

거짓으로 꾸민 모습을 버리고 정체를 드러내다.

예 인간은 가끔 '좋은 사람'이라는 가면을 벗고 자유로워지고 싶다는 충동에 사로잡히곤 한다.

반 가면을 쓰다: 본심을 감추고 겉으로는 그렇지 않은 것처럼 꾸미다.

가방끈이 길다

많이 배워 학력이 높다.

예 가방끈이 긴 그는 아는 것이 많아서 그런지 잘난 체도 심하다.

반 가방끈이 짧다

감투를 쓰다

벼슬자리나 높은 지위에 오름을 속되게 이르는 말

예 기현이는 반장이라는 감투를 쓰고 나서 갑자기 거만해졌다.

반 감투를 벗다

참 감투를 씌우다: 벼슬자리나 높은 지위에 오르게 만듦을 속되게 이르는 말

군복을 입다

군에 입대하다.

예 삼촌은 군복을 입은 지 벌써 10년이 넘었다.

반 군복을 벗다

바지까지 벗어 주다

도저히 내어 줄 수 없거나 양보할 수 없는 것까지 자신의 모든 것을 다 넘겨주다.

예 김 선생님은 어려운 이웃을 위해 바지까지 벗어 주며 헌신을 다해 오셨다.

색안경을 쓰다

좋지 아니한 감정이나 주관적인 선입관을 가지다.

예 색안경을 쓰고 보면, 아무리 좋은 것도 다 나빠 보인다.

유 안경을 쓰다: 있는 그대로 보지 않고 선입견을 가지다.

소매를 걷다

어떤 일에 아주 적극적인 태도를 취하다.

예 친구의 사업에서 재미를 본 그는 다니던 직장을 그만두더니 소매를 걷고 사업에만 매달렸다.

유 소매를 걷어붙이다

옷깃을 여미다

경건한 마음으로 옷을 가지런하게 하여 자세를 바로잡다.

예 현충원에 간 나는 옷깃을 여미고 순국선열들을 생각하며 묵념을 하였다.

제 눈에 안경

보잘것없는 물건이라도 제 마음에 들면 좋게 보인다는 말

예 제 눈에 안경이라더니, 다들 못 생겼다고 말하는 형부가 언니 눈에는 제일 멋져 보이나 보다.

유 눈에 안경

주머니 사정이 나쁘다

쓸 자금이나 돈의 형편이 좋지 않다.

예 그는 자신을 찾아온 학생이 주머니 사정이 나빠 보여 교육비를 받지 않고 무료로 과외를 해 주었다.

유 지갑이 얇다
반 주머니 사정이 좋다

지갑이 얇다

경제적으로 넉넉하지 않다.

예 가전이나 가구를 교체하려고 마음먹고도 지갑이 얇아 고민하는 고객들이 리퍼브 매장으로 발길을 돌리고 있다.

첫 단추를 끼우다

새로운 과정을 출발하거나 일을 시작하다.

예 어머니는 딸이 대기업에서 사회인으로 첫 단추를 끼우길 바랐다.

참 **첫 단추를 잘못 끼우다**: 시작을 잘못하다.

허리띠를 졸라매다

① 검소한 생활을 하다. ② 마음먹은 일을 이루려고 새로운 결의와 단단한 각오로 일에 임하다. ③ 배고픔을 참다.

예 그는 배가 몹시 고플 때에도 허리띠를 졸라매고 근검절약하여 끝내 자수성가를 이루었다.

허리띠를 풀다

안심이 되어 긴장을 풀고 마음을 편안하게 놓다.

예 시험을 모두 마친 누나는 비로소 허리띠를 풀고 편히 잠을 청할 수 있었다.

유 허리띠를 늦추다, 허리띠를 끄르다

한눈에 보는 관용 표현

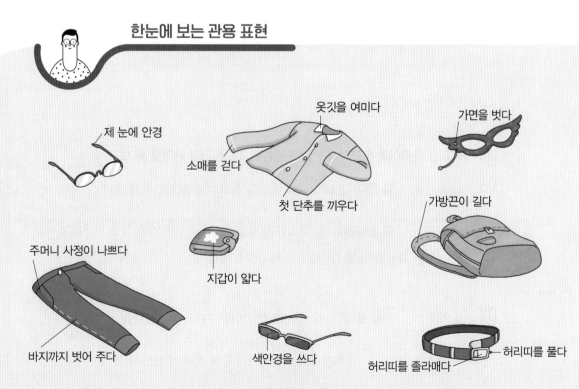

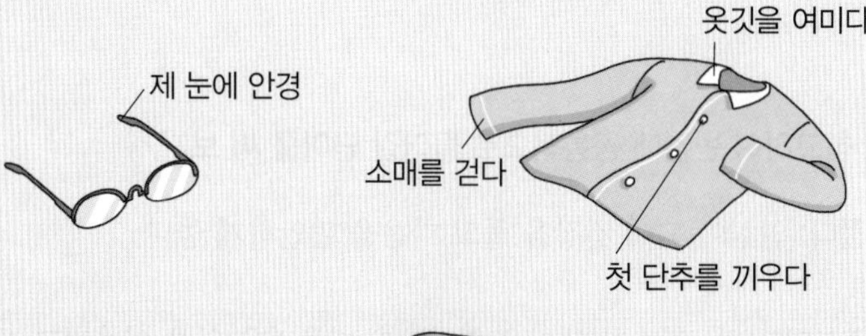

가면을 벗다

지갑이 얇다

[01~05] 다음 빈칸에 들어갈 관용 표현의 뜻을 <보기>에서 골라 기호를 써 보자.

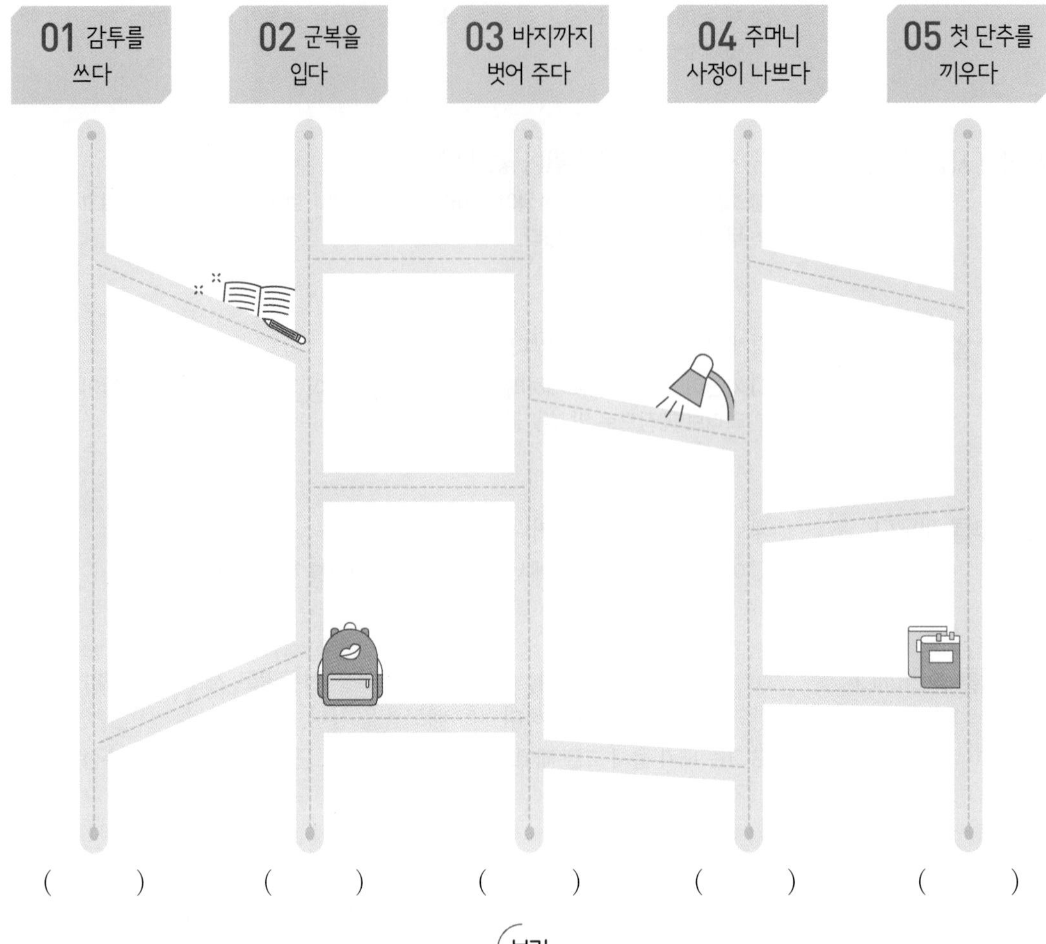

( ) ( ) ( ) ( ) ( )

보기

㉠ 군에 입대하다.
㉡ 쓸 자금이나 돈의 형편이 좋지 않다.
㉢ 새로운 과정을 출발하거나 일을 시작하다.
㉣ 벼슬자리나 높은 지위에 오름을 속되게 이르는 말
㉤ 도저히 내어 줄 수 없거나 양보할 수 없는 것까지 자신의 모든 것을 다 넘겨주다.

[06~07] 다음 뜻풀이를 참고하여 빈칸에 공통적으로 들어갈 단어를 써 보자.

06

[ ]를 풀다: 안심이 되어 긴장을 풀고 마음을 편안하게 놓다.

[ ]를 졸라매다: ① 검소한 생활을 하다. ② 마음먹은 일을 이루려고 새로운 결의와 단단한 각오로 일에 임하다. ③ 배고픔을 참다.

07

색[ ]을 쓰다: 좋지 아니한 감정이나 주관적인 선입관을 가지다.

제 눈에 [ ]: 보잘것없는 물건이라도 제 마음에 들면 좋게 보인다는 말

[08~11] 다음 빈칸에 알맞은 단어를 〈보기〉에서 찾아 써 보자.

보기 1	보기 2
가면 옷깃 지갑 가방끈	길다 벗다 얇다 여미다

08 [　　]이 [　　]: 많이 배워 학력이 높다.

09 [　　]이 [　　]: 경제적으로 넉넉하지 않다.

10 [　　]을 [　　]: 거짓으로 꾸민 모습을 버리고 정체를 드러내다.

11 [　　]을 [　　]: 경건한 마음으로 옷을 가지런하게 하여 자세를 바로잡다.

12 다음 문자 메시지 대화를 읽고, 빈칸에 알맞은 관용 표현을 문맥에 맞게 써 보자.

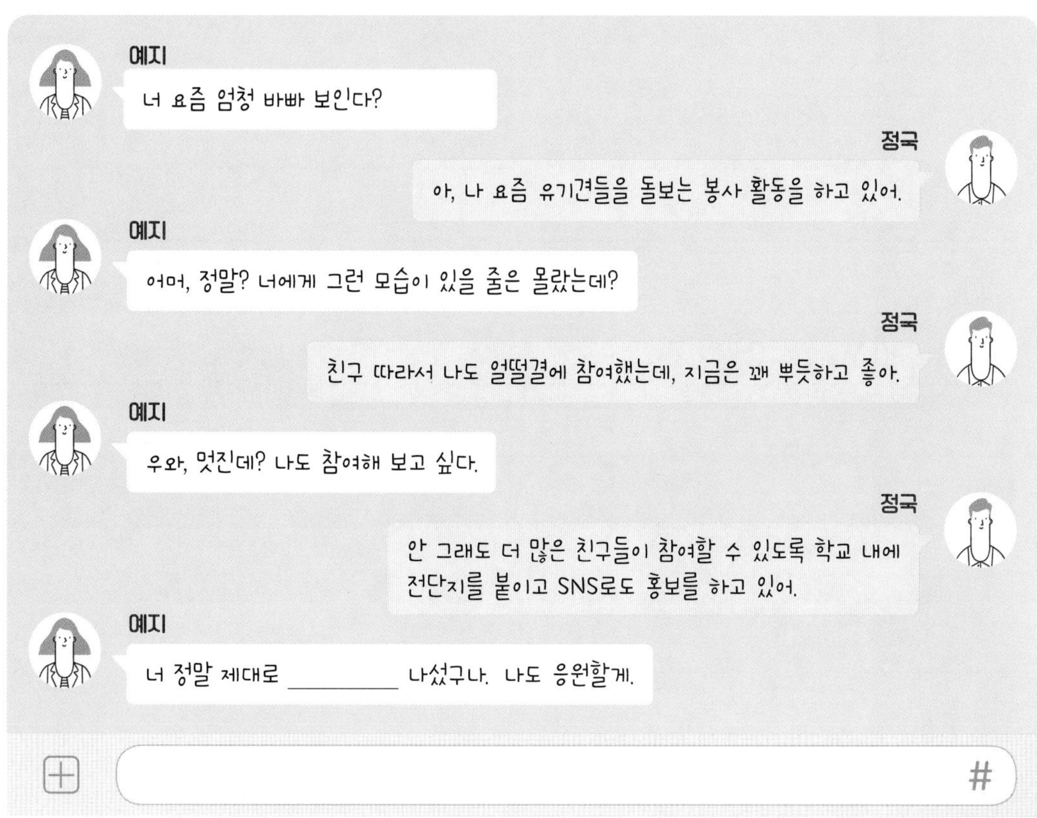
예지
너 요즘 엄청 바빠 보인다?
정국
아, 나 요즘 유기견들을 돌보는 봉사 활동을 하고 있어.
예지
어머, 정말? 너에게 그런 모습이 있을 줄은 몰랐는데?
정국
친구 따라서 나도 얼떨결에 참여했는데, 지금은 꽤 뿌듯하고 좋아.
예지
우와, 멋진데? 나도 참여해 보고 싶다.
정국
안 그래도 더 많은 친구들이 참여할 수 있도록 학교 내에 전단지를 붙이고 SNS로도 홍보를 하고 있어.
예지
너 정말 제대로 ________ 나섰구나. 나도 응원할게.
#

memo

memo

memo

중등

수능 독해

중2 국어 필수 어휘 2 발전

정답과 해설

책 속의 가접 별책 (특허 제 0557442호)

답과 해설'은 본책에서 쉽게 분리할 수 있도록 제작되었으므로
통 과정에서 분리될 수 있으나 파본이 아닌 정상제품입니다.

우리는 남다른 상상과 혁신으로
교육 문화의 새로운 전형을 만들어
모든 이의 행복한 경험과 성장에 기여한다

중등

수능 독해

중2 필수 어휘편

정답과 해설

문학 어휘

01 일차 01 문학 개념어

1단계 문맥으로 어휘 확인하기 | 본문 14쪽 |

(1) 후렴구 (2) 내재율 (3) 정형시 (4) 음성 상징어
(5) 산문시 (6) 자유시 (7) 운율 (8) 외형률

2단계 문제로 어휘 익히기 | 본문 15쪽 |

1 (1) ㉡ (2) ㉢ (3) ㉠ 2 (1) 내재율 (2) 후렴구 (3) 운율
3 (1) 정형시 (2) 산문시 (3) 외형률 4 ④

4 음성 상징어는 '멍멍', '우당탕' 등과 같이 소리를 흉내 낸 의성어와 '번쩍번쩍', '아장아장'과 같이 모양이나 움직임을 흉내 낸 의태어를 아울러 이르는 말이다. ㉣ '풀떡'은 힘을 모아 거볍게 한 번 뛰는 모양을 나타내는 의태어로, 음성 상징어에 해당한다.

오답 풀이 ❶ ㉠ '두꺼비'는 사물의 이름을 나타내는 명사이다.
❷ ㉡ '물고'는 사물의 동작이나 작용을 나타내는 동사이다.
❸ ㉢ '섬뜩하여'는 사물의 성질이나 상태를 나타내는 형용사이다.
❺ ㉤ '어혈'은 사물의 이름을 나타내는 명사이다.

01 일차 02 현대시 주제어 _빈출 부사어

1단계 문맥으로 어휘 확인하기 | 본문 16쪽 |

(1) 하롱하롱 (2) 불현듯 (3) 비로소 (4) 아득히 (5) 단숨에 (6) 넌지시 (7) 아슴푸레 (8) 짐짓

2단계 문제로 어휘 익히기 | 본문 17쪽 |

1 (1) ㉠ (2) ㉢ (3) ㉡ 2 (1) 짐짓 (2) 하롱하롱 (3) 비로소 3 (1) 아슴푸레 (2) 단숨에 (3) 불현듯 4 ②

4 '단걸음에'는 '쉬지 아니하고 곧장'이라는 뜻으로, 이와 바꾸어 쓸 수 있는 단어는 '단숨에'이다.

오답 풀이 ❶ '넌지시'는 '드러나지 않게 가만히'라는 뜻이다.
❸ '불현듯'은 '갑자기 어떠한 생각이 걷잡을 수 없이 일어나는 모양'이라는 뜻이다.
❹ '비로소'는 '어느 한 시점을 기준으로 그 전까지 이루어지지 아니하였던 사건이나 사태가 이루어지거나 변화하기 시작함'을 나타내는 말이다.
❺ '아득히'는 '보이는 것이나 들리는 것이 희미하고 매우 멀게' 등의 뜻을 지니고 있다.

3단계 독해로 어휘 다지기 | 본문 18~19쪽 |

1 ⑤ 2 ⑤ 3 ①

[모란이 피기까지는 _김영랑]

■ **해제** 1930년대에 순수 서정시 운동을 펼쳤던 시문학파의 경향을 잘 보여 주는 현대시이다. 화자의 소망을 상징하는 '모란'에 대한 애정을 아름다운 시어와 부드러운 어조를 통하여 절묘하게 표현한 작품이다.

■ **주제** 소망에 대한 바람과 기다림

■ **특징**
- 수미상관의 구조를 통해 주제 의식을 강조함
- 역설법과 도치법을 활용하여 화자의 정서(아름다움에의 도취와 그것의 덧없음에 대한 슬픔)를 잘 보여 줌
- 세련된 시어와 부드러운 어조를 통해 문학적 아름다움과 섬세함을 표현함

■ **구성**

1~2행 모란이 피기를 기다림
↓
3~10행 모란이 지고 난 후의 슬픔과 상실감
↓
11~12행 모란이 피기를 기다림

감상 체크

1 봄 2 모란 3 기다림

1 이 시에서 화자는 모란이 피면 기뻐하고 모란이 지면 절망에 빠지면서도 또다시 모란이 피기를 기다린다. ㉠ '비로소'는 어느 한 시점을 기준으로 그 전까지 이루어지지 아니하였던 사건이나 사태가 이루어지거나 변화하기 시작함을 나타내는 말이다(ㄹ). ㉠은 뒤에 이어지는 '봄을 여읜 설움'을 강조하는 역할을 하므로, 모란이 떨어져 버린 것에 대한 화자의 상실감을 강조한다(ㄴ).

오답 풀이 ㄱ. 이 시의 화자는 모란이 다시 필 것을 기다리고는 있으나, ㉠은 이러한 화자의 기대감과는 관련이 없다.
ㄷ. 어떤 사건이나 사태가 드러나지 않게 가만히 이루어짐을 나타내는 단어는 '넌지시'이다.

2 ⓐ '무덥던 날'은 모란이 떨어져 버린 날로, 화자가 봄을 상실하게 되는 시점이다. ⓑ '삼백예순 날'은 화자가 모란이 다시 피기를 기다리는 날로, 화자의 서러운 마음을 강조하는 역할을 한다. 즉 화자는 ⓐ와 ⓑ 모두 부정적으로 인식하고 있다. 화자가 긍정적으로 인식하는 시간은 모란이 피는 '봄'이다.

오답 풀이 ❶ ⓐ는 모란이 떨어져 버린 날로, 화자가 봄을 상실하게 되는 시점이다.
❷, ❸ ⓑ는 화자가 모란이 진 후 다시 피기까지 기다리는 시간, 즉 화자의 소망이 이루어지기를 기다리는 시간이다. 구체적인 날짜를 통해 정감의 깊이를 효과적으로 드러내어 화자의 서러운 마음을 강조한다.
❹ ⓑ는 화자가 다시 모란이 피기를 기다리는 시간이므로, 모란이 떨어져 버린 ⓐ 이후의 시간이다.

3 이 시는 화자가 독백하는 형식으로 시상을 전개하고 있으므로, 대화 형식을 통해 청자와의 친밀감을 드러내고 있다는 설명은 적절하지 않다.

오답 풀이 ❷ '모란이 ~', '~ 테요' 등을 여러 번 반복하여 운율감을 드러내고 있다.
❸ '찬란한 슬픔의 봄을'과 같은 역설적 표현을 통해, 봄에 모란이 피었다 이내 져 버린 상황 속에서 화자가 느낀 모순된 감정을 강조하고 있다.
❹ 12행의 '나는 아직 기다리고 있을 테요, 찬란한 슬픔의 봄을.'은 '나는 아직 찬란한 슬픔의 봄을 기다리고 있을 테요.'와 같은 일반적인 문장 성분의 순서를 바꾸어 쓰는 도치법이 사용된 표현으로, 이를 통해 화자의 간절한 심정을 나타내고 있다.
❺ 시의 첫 부분인 1~2행에서 '모란이 피기까지는, / 나는 아직 나의 봄을 기다리고 있을 테요.'와 끝부분인 11~12행에서 '모란이 피기까지는, / 나는 아직 기다리고 있을 테요, 찬란한 슬픔의 봄을.'이라는 유사한 구절을 반복적으로 배치하여 형태적인 안정감을 주고 있다.

02 일차 01 문학 개념어

1단계 문맥으로 어휘 확인하기 | 본문 20쪽 |

(1) 회한 (2) 번민 (3) 경외감 (4) 무상감 (5) 체념적
(6) 회의적 (7) 동경 (8) 구도적, 반성적 (9) 의지적

2단계 문제로 어휘 익히기 | 본문 21쪽 |

1 (1) ㉡ (2) ㉢ (3) ㉠ 2 (1) 동경 (2) 의지적 (3) 회한
3 (1) 체념적 (2) 경외감 (3) 번민 4 ②

4 이 시는 어려운 시대 상황 속에서 시가 쉽게 써지는 것에 대한 부끄러움과 반성을 담고 있다. 따라서 이 시에는 자신의 잘못을 되돌아보며 뉘우치는 반성적 태도가 담겨 있다고 볼 수 있다.

오답 풀이 ❶ 진리나 종교적인 깨달음의 경지를 구하는 구도적 태도는 나타나 있지 않다.
❸ 결심한 바나 목적을 이루려는 의지적 태도는 나타나 있지 않다.
❹ 현실이나 미래의 상황을 부정적으로 판단하여 희망을 버리고 기대하지 않는 체념적 태도는 나타나 있지 않다.
❺ 어떤 일에 의심을 품는 회의적 태도는 나타나 있지 않다.

02 일차 02 현대시 주제어 _ 상태

1단계 문맥으로 어휘 확인하기 | 본문 22쪽 |

(1) 가신다 (2) 어스름 (3) 어려 (4) 일고 (5) 요동
(6) 흐드러지게 (7) 돋아나 (8) 부산하게

2단계 문제로 어휘 익히기 | 본문 23쪽 |

1 (1) ㉠ (2) ㉢ (3) ㉡ 2 (1) 가셨다 (2) 흐드러지게 (3) 부산한 3 (1) 요동 (2) 어려 (3) 일었다 4 ③

4 첫 번째 문장에는 '해나 별 따위가 하늘에 또렷이 솟아오르다.', 두 번째 문장에는 '속에 생긴 것이 겉으로 또렷이 나오거나 나타나다.', 세 번째 문장에는 '살갗에 속으로부터 어떤 것이 우툴두툴하게 내밀어 오르다.'라는 의미의 '돋아나다'가 공통적으로 들어갈 수 있다.

오답 풀이 ❶ '가시다'는 '어떤 상태가 없어지거나 달라지다.'라는 뜻이다.
❷ '어리다'는 '눈에 눈물이 조금 괴다.', '빛이나 그림자, 모습 따위가 희미하게 비치다.' 등의 뜻을 지니고 있다.
❹ '부산하다'는 '급하게 서두르거나 시끄럽게 떠들어 어수선하다.'라는 뜻이다.
❺ '흐드러지다'는 '매우 탐스럽거나 한창 성하다.', '매우 흐뭇하거나 푸지다.'라는 뜻을 지니고 있다.

3단계 독해로 어휘 다지기 | 본문 24~25쪽 |

1 ② 2 ① 3 ④

가 [추억에서 _ 박재삼]

■ **해제** 가난했던 자신의 어린 시절을 회상하며, 진주 장터에서 생선을 팔아 힘겹게 생계를 이어 가던 어머니에 대한 추억을 담은 시이다.

■ **주제** 가난했던 어린 시절과 어머니의 한(恨)

■ **특징**
- 어미 '-ㄴ가'를 반복하여 리듬감을 형성함
- 시각적 이미지를 활용해 어머니의 한의 정서를 형상화함
- 토속적 시어와 경상도 방언을 통해 향토적 분위기를 자아냄

■ **구성**

1연 저녁 무렵의 진주 장터
↓
2연 어머니의 고달픈 삶과 한
↓
3연 추운 골방에서 어머니를 기다리는 오누이
↓
4연 어머니의 슬픔과 한

(나) [담양장_최두석]

■ **해제** 생계를 위하여 대바구니를 팔러 '담양장'에 다니시며 고생하신 어머니의 삶에 대한 회상을 이야기 시의 형태로 전달하고 있는 작품이다. 화자는 과거의 어머니의 삶을 회상하는 것에 그치지 않고, 현재의 어머니의 삶까지 이야기하고 있다.

■ **주제** 어린 시절에 대한 회상과 어머니의 고달픈 삶에 대한 연민

■ **특징**
- 과거에서 현재로의 시간의 흐름에 따라 시상이 전개됨
- 어미 '-고'를 반복하여 리듬감을 형성함
- 1, 3연은 운문 형식, 2연은 산문 형식임

■ **구성**

1연 과거 상황: 대바구니 전성 시절
↓
2연 어머니를 마중 나갔던 기억 회상
↓
3연 여전히 대바구니를 팔고 계신 어머니

감상 체크

1 어머니 2 가난 3 플라스틱 4 회상

1 (가)의 화자는 한스러운 삶을 살았던 ㉠ '울 엄매'에 대해 애상과 연민을 느끼고 있으며, (나)의 화자는 여전히 고달픈 삶을 살고 있는 ㉡ '어머니'에 대해 연민을 느끼고 있다.

오답 풀이 ❶ 어떤 것을 간절히 그리워하여 그것만을 생각하는 '동경'의 정서는 나타나 있지 않다.
❸ 뉘우치고 한탄하는 '회한'의 정서는 나타나 있지 않다.
❹ 공경하면서 두려워하는 감정인 '경외감'은 나타나 있지 않다.
❺ 모든 것이 덧없다는 느낌인 '무상감'은 나타나 있지 않다.

2 (가)는 '손 안 닿는 한이던가', '손 시리게 떨던가', '반짝이던 것인가'에서 어미 '-ㄴ가'가 반복되어 리듬감을 형성하고 있다. 또한 (나)는 1연의 '김삿갓은 죽고', '이 잡던 시절도 가고'와, 2연의 '장에 가시고', '동생 손 잡고', '배는 고프고', '길은 한없이 멀고' 등에서 어미 '-고'가 반복되어 리듬감을 형성하고 있다.

오답 풀이 ❷ (가)와 (나) 모두 논리적으로 이치에 맞지 않는 표현이지만, 그 속에 중요한 진리와 진실을 담아 표현하는 방법인 역설법은 나타나 있지 않다.
❸ (가)와 (나) 모두 자기를 비웃는 듯한 태도의 자조적인 어조는 나타나 있지 않다.
❹ (가)와 (나) 모두 청각의 시각화, 시각의 청각화, 시각의 촉각화 등 하나의 감각이 동시에 다른 영역의 감각을 불러일으킴으로써 일어나는 이미지인 공감각적 이미지는 나타나 있지 않다.
❺ (가)와 (나) 모두 시의 처음과 끝에 같은 구절을 반복하여 배치하는 기법인 수미상관의 기법은 나타나 있지 않다.

3 (가)의 '신새벽'은 어머니께서 생선을 팔기 위해 장에 가시는 이른 새벽을 의미하므로, 화자가 어머니에 대해 안타까운 마음을 느끼는 시간적 배경이다. 반면 (나)의 '한밤중'은 화자가 어머니를 마중 갔던 길을 되돌아오다가 호롱 들고 찾아 나선 어머니를 만난 시간이므로, 어머니의 부재로 인한 불안감이 해소되는 시간적 배경이라고 볼 수 있다.

오답 풀이 ❶ (가)의 '별 밭'은 오누이로부터 멀리 있는 곳으로, 가난하고 어려운 삶의 모습을 나타내는 '골방'과 대조되어 소망의 세계를 의미하는 소재이다.
❷ '으스스'는 '차거나 싫은 것이 몸에 닿았을 때 크게 소름이 돋는 모양'을, '캄캄'은 '아주 까맣게 어두운 모양'을 나타내는 음성 상징어로, 어머니를 마중 나갔다가 해가 져 어두워진 상황을 부각하는 역할을 한다.
❸ (나)의 '대바구니'는 어머니께서 생계를 위해 담양장에 내다 파는 물건으로, 현대의 물건인 '플라스틱'과 대비되는 소재이다.
❺ (가)의 '말없이 글썽이고 반짝이던 것인가'에서 화자는 생선을 팔며 고단하게 살았던 어머니의 과거 삶을 떠올리고 있고, (나)의 '아, 요즘도 장날이면'에서 화자는 과거에서부터 현재까지 계속 담양장에서 대바구니를 팔고 있는 어머니의 삶을 떠올리고 있다.

수능독해 특강 체크 주제별로 알아보는 **한자 성어**

동물과 관련된 한자 성어 | 본문 28~29쪽 |

01 계륵 02 주마간산 03 화룡점정 04 지록위마
05 기호지세 06 오비이락 07 ㉤ 08 ㉡ 09 ㉣
10 ㉢ 11 ㉠ 12 용두사미

01~06

역	지	사	지	고	구	양	주	계
지	록	언	영	색	우	구	이	륵
허	위	편	화	룡	점	정	청	지
주	마	가	편	도	모	복	산	하
마	출	산	각	주	단	기	유	담
간	어	오	유	호	가	호	위	상
산	불	리	비	수	치	지	정	실
형	성	무	공	이	하	세	척	인
박	설	중	가	상	락	어	사	연

12 문자 메시지에서 예지는 처음에는 열심히 하던 달리기를 나중에는 쉬엄쉬엄하다가 결국은 하지 않고 있는 정국의 태도를 비판하고 있다. 따라서 빈칸에 들어갈 알맞은 한자 성어는 용의 머리와 뱀의 꼬리라는 뜻으로, 처음은 왕성하나 끝이 부진한 현상을 이르는 말인 '용두사미(龍頭蛇尾)'이다.

03 일차 01 문학 개념어

1단계 문맥으로 어휘 확인하기 | 본문 30쪽 |

(1) 전환 (2) 시상 (3) 선경후정 (4) 수미상관 (5) 유발 (6) 기승전결 (7) 시간, 시선, 공간

2단계 문제로 어휘 익히기 | 본문 31쪽 |

1 (1) ㉡ (2) ㉠ (3) ㉢ 2 (1) 수미상관 (2) 선경후정 (3) 유발 3 (1) 시간 (2) 전환 (3) 기승전결 4 ②

4 1~2행에서는 정답게 짝을 지어 노니는 '꾀꼬리'의 모습을, 3~4행에서는 화자의 외로운 정서를 드러내고 있다. 이는 시의 앞부분에 자연 경관이나 사물을 묘사하고, 뒷부분에 화자의 감정이나 정서를 나타내는 시상 전개 방식인 '선경후정'으로 볼 수 있다.

오답 풀이 ❶ '기승전결'은 시상을 제기하고[기(起)], 이를 이어받아 심화한[승(承)] 뒤, 시상을 전환하였다가[전(轉)], 마무리하는[결(結)] 시상 전개 방식이다.

❸ '수미상관'은 시의 처음과 끝에 같거나 비슷한 구절을 반복하여 배치하는 시상 전개 방식이다.

❹ '공간의 이동'은 시적 장소, 화자가 위치한 장소의 변화에 따라 시상이 전개되는 방식이다.

❺ '시선의 이동'은 시적 대상을 바라보는 화자의 시선의 움직임에 따라 시상이 전개되는 방식이다.

03 일차 02 고전 시가 주제어 _ 여인의 삶

1단계 문맥으로 어휘 확인하기 | 본문 32쪽 |

(1) 길쌈 (2) 독수공방 (3) 사창 (4) 섬섬옥수 (5) 베틀 (6) 행주치마 (7) 정지 (8) 규방 (9) 시집살이

2단계 문제로 어휘 익히기 | 본문 33쪽 |

1 (1) ㉢ (2) ㉡ (3) ㉠ 2 (1) 베틀 (2) 시집살이 (3) 길쌈 3 (1) 섬섬옥수 (2) 규방 (3) 행주치마 4 ③

4 이 시조는 임이 없어 쓸모없는 긴 밤의 시간을 잘라다가 임과 함께하는 짧은 밤에 붙이겠다는 기발한 착상이 돋보이는 작품이다. 현재 홀로 임을 기다리며 그리워하고 있는 화자와 관련된 것은 혼자서 지냄을 의미하는 '독수공방'이다.

오답 풀이 ❶ '길쌈'은 실을 내어 옷감을 짜는 모든 일을 통틀어 이르는 말로, 이 시조의 화자는 길쌈을 하고 있지 않다.

❷ '정지'는 '부엌'의 방언으로, 이 시조의 화자는 정지에 있지 않다.

❹ '시집살이'는 결혼한 여자가 남편의 집안에 들어가서 살림살이를 하는 일로, 이 시조의 화자가 시집살이를 하는지는 알 수 없다.

❺ '행주치마'는 부엌일을 할 때 옷을 더럽히지 아니하려고 덧입는 작은 치마로, 이 시조의 화자가 행주치마를 입고 있는지는 알 수 없다.

3단계 독해로 어휘 다지기 | 본문 34~35쪽 |

1 ⑤ 2 ④ 3 ②

(가) [한숨아 세한숨아 ~_작자 미상]

■ **해제** 이 작품은 아무리 꼼꼼하게 문단속을 하여도 어느 틈으론가 들어오고 마는 한숨 때문에 잠을 이루지 못하는 이의 시름을 노래한 사설시조이다. 계속해서 화자를 찾아오는 한숨을 통해 시름이 그칠 날 없는 민중들의 고단한 삶을 드러내고 있다.

■ **주제** 그칠 줄 모르는 삶의 시름

■ **특징**
- '한숨'을 의인화하여 청자로 설정함
- 문단속과 관련된 다양한 소재를 열거하여 한숨을 막고자 하는 노력을 표현함

■ **구성**

- 초장: 어느 틈으론가 들어오는 한숨
- 중장: 아무리 막으려 해도 들어오는 한숨
- 종장: 한숨지으며 잠을 이루지 못하는 화자

(나) [잠노래_작자 미상]

■ **해제** 이 작품은 밤에도 자지 못하고 바느질을 해야 했던 부녀자들의 삶의 애환이 담긴 민요이다. 일을 하면서 불렀다는 측면에서 노동요의 성격을 지니고 있다. 화자는 바쁜 자신을 찾아오는 잠을 원망하고, 한가하게 지내면서 잠을 이루지 못하는 '그런 사람'과 졸음을 참으며 밤늦도록 바느질을 해야 하는 자신의 처지를 대비하며 한탄한다. 그러나 잠이 오는 모습을 해학적으로 묘사함으로써 고단한 현실을 웃음으로 이겨 내려는 긍정적인 태도를 드러내고 있기도 하다.

■ **주제** 부녀자들의 삶의 애환

■ **특징**
- '잠'을 의인화하여 청자로 설정함
- 화자와 '그런 사람'을 대비하여 고된 노동을 해야 했던 부녀자들의 고단한 삶을 드러냄

■ 구성

1~3행	염치없이 찾아드는 잠
4~10행	바쁜 자신에게 찾아오는 잠에 대한 원망
11~16행	저녁을 먹고 바느질을 하려는데 또다시 몰려오는 잠
17~19행	맑은 눈을 희미하게 하는 잠

감상 체크

1 한숨 2 시름 3 의인화 4 바느질 5 원망 6 잠

1 '섬섬옥수'는 가냘프고 고운 여자의 손을 이르는 말이므로, 이를 통해 (나)의 화자가 여성임을 알 수 있다.

오답 풀이 ❶ '암돌쩌귀'는 수돌쩌귀와 함께 문짝을 문설주에 달고 여닫기 위한 쇠붙이로, 여성 화자와는 관련이 없다.
❷ '배목걸새'는 문을 잠그고 빗장으로 쓰는 'ㄱ' 자 모양의 쇠로, 여성 화자와는 관련이 없다.
❸ '염치불구'는 염치를 돌아보지 아니함이라는 뜻으로, 여성 화자와는 관련이 없다.
❹ '월명동창'은 달빛이 밝은 동쪽의 창이라는 뜻으로, 여성 화자와는 관련이 없다.

2 (가)는 '한숨아 세한숨아 네 어내 틈으로 들어오느냐' 등에서 '한숨'에게 말을 거는 방식으로 표현하고 있으며, (나)에서는 '잠아 잠아 짙은 잠아' 등에서 '잠'에게 말을 거는 방식으로 표현하고 있다. 따라서 두 작품의 공통점은 의인화된 대상에게 말을 건네면서 시상을 전개하는 것이라고 할 수 있다.

오답 풀이 ❶ 감정 이입은 어떤 대상에 화자의 감정을 불어넣어 대상도 그렇게 느끼고 생각하는 것처럼 표현하는 것이다. (가)와 (나) 모두 감정 이입을 사용한 부분을 확인할 수 없다.
❷ (가)는 시간의 흐름에 따라 시상을 전개하고 있지 않다. (나)는 '아침 → 황혼'과 같이 시간의 흐름에 따라 시상을 전개하고 있으나, 시간의 흐름에 따른 대상의 변화 과정을 묘사하고 있지는 않다.
❸ (가)와 (나) 모두 시선의 이동에 따라 시상을 전개하고 있지 않다.
❺ (가)와 (나) 모두 자연물에서 받은 감흥이 아니라 생활에서 느끼는 감정을 표출하고 있다.

3 (나)의 '언하당 황혼이라 섬섬옥수 바삐 들어 / 등잔 앞에 고개 숙여 실 한 바람 불어 내어 / 더문더문 질긋 바늘 두엇 뜸 뜨듯 마듯'으로 볼 때, (나)의 화자는 밤늦도록 가사 노동을 해야 하는 여성임을 알 수 있다. 그러나 (가)에는 이러한 내용이 나타나 있지 않다.

오답 풀이 ❶ (가)의 화자는 삶의 시름으로 한숨을 쉬며 밤잠을 이루지 못하고 있고, (나)의 화자는 밤늦게까지 바느질을 해야 하는 처지이나 잠을 이겨 내기 힘들어하고 있다.
❸ (가)의 화자는 아무리 막아도 한숨이 계속 들어온다고 표현하고 있다. 이는 곧 삶의 시름이 끊이지 않아서 한숨을 쉬며 근심하고 있는 상황을 나타내는 것이다.
❹ (나)에서는 '눈썹 속에 숨었는가 ~ 절로절로 희미하다'에서 잠을 이기지 못해 결국 눈앞이 희미해지는 상황을 해학적으로 표현하고 있다.
❺ (나)의 화자는 밤늦은 시간 몰려오는 잠을 참고 바느질을 해야 하는 상황에 있다. 이에 반해 '주야에 한가하여 ~ 그런 사람 있건마는'에서는 한가하게 지내며 밤에 잠을 이루지 못하는 사람의 모습이 나타나 있다.

04일차 01 문학 개념어

1단계 문맥으로 어휘 확인하기 | 본문 36쪽 |

(1) 향가 (2) 고대 가요 (3) 평시조, 연시조 (4) 민요 (5) 가사 (6) 고려 가요, 경기체가 (7) 시조, 사설시조

2단계 문제로 어휘 익히기 | 본문 37쪽 |

1 (1) ㉡ (2) ㉠ (3) ㉢ 2 (1) 평시조 (2) 사설시조 (3) 연시조 3 (1) ○ (2) × (3) × (4) ○ (5) × 4 ④

4 우리나라 시가 양식 중 가장 먼저 발생한 것은 고대 가요로, 삼국 시대 초기까지 향가 성립 이전에 불렸다. 다음으로 발생한 것은 신라 때의 노래인 향가이고, 이어서 고려 시대에는 고려 가요가 불렸다. 고려 말기부터 시조가 발달하였으며, 조선 초기에 가사가 나타났다.

오답 풀이 ❶ 향가는 신라 때의 노래이고, 고대 가요는 삼국 시대 초기까지 향가 성립 이전에 불린 노래이다.
❷ 고려 가요는 고려 시대에 불린 노래이고 향가는 신라 때의 노래이다.
❸ 시조는 고려 말기에 발달하였고, 고려 가요는 고려 시대에 불린 노래이다.
❺ 가사는 조선 초기에 나타났고, 시조는 고려 말기부터 발달하였다.

04일차 02 고전 시가 주제어 _사대부의 마음

1단계 문맥으로 어휘 확인하기 | 본문 38쪽 |

(1) 홍진 (2) 부귀공명 (3) 인세 (4) 단사표음 (5) 빈이무원 (6) 안빈낙도 (7) 강호, 연하 (8) 삼공 (9) 만승

2단계 문제로 어휘 익히기 | 본문 39쪽 |

1 (1) ㉢ (2) ㉠ (3) ㉡ 2 (1) 홍진 (2) 연하 (3) 강호 3 (1) 만승 (2) 빈이무원 (3) 삼공 4 ②

4 이 시조는 자연으로 돌아가서 소박한 삶의 즐거움을 누리고자 하는 사대부의 태도가 드러난 작품으로, 자연과 더불어 풍류를 즐기려는 태도가 나타나 있다. '부귀공명(富貴功名)'은 재산이 많고 지위가 높으며 공을 세워 이름을 떨침을 의미하므로, 이 시조와는 거리가 멀다.

오답 풀이 ❶ '단사표음(簞食瓢飮)'은 청빈하고 소박한 생활을 이르는 말이므로, 이 시조에 나타난 자연에서의 소박한 삶과 관련이 있다.
❸ '빈이무원(貧而無怨)'은 가난하지만 남을 원망하지 않음을 뜻하므로, 이 시조에 나타난 자연에서의 소박한 삶과 관련이 있다.
❹ '안분지족(安分知足)'은 편안한 마음으로 제 분수를 지키며 만족할 줄을 앎을 뜻하므로, 이 시조에 나타난 자연에서의 소박한 삶과 관련이 있다.
❺ '안빈낙도(安貧樂道)'는 가난한 생활을 하면서도 편안한 마음으로 도를 즐겨 지킴을 뜻하므로, 이 시조에 나타난 자연에서의 소박한 삶과 관련이 있다.

3단계 독해로 어휘 다지기 | 본문 40~41쪽 |

1 ③　　2 ②　　3 ④

[어부단가_이현보]

■ **해제** 이 작품은 고려 때부터 전하여 오던 「어부가」를 조선 중기의 문신 이현보가 개작한 연시조이다. 자연을 벗하며 고기잡이하는 풍류객으로서의 어부의 생활을 그리고 있으며, 자연 공간을 지향하고 속세를 멀리하려는 태도를 보임으로써 어부 생활에 대한 만족감을 드러내고 있다.

■ **주제** 자연과 벗하여 살아가는 어부의 한가로운 생활

■ **특징** • 설의법을 활용하여 화자의 정서를 강조함
• 공간을 대비하여 속세에 대한 거리감을 드러냄

■ **구성**

제1수 (수록) 어부의 한가로운 생활
↓
제2수 (수록) 자연과 더불어 욕심 없이 사는 삶
↓
제3수 소박하게 풍류를 즐기는 삶
↓
제4수 자연과 벗하며 살아가는 삶
↓
제5수 (수록) 자연 속에서도 잊지 않은 우국충정

감상 체크

1 어부　2 자연, 속세　3 한가로운

1 ㉠ '강호'는 강과 호수를 아울러 이르는 말로, 옛사람들이 현실을 도피하여 생활하던 시골이나 자연을 의미한다(ㄹ). 이 시에서 화자는 세속에서 벗어나 자연을 벗하며 어부로서 한가로운 삶을 살고 있다. 즉 현재 화자는 세속과 대비되는 자연(강호)에 위치해 있다(ㄱ).

오답 풀이 ㄴ. 부귀공명을 좇는 공간은 ㉠ '강호'와 대비되는 속세의 공간이다. 이 시에서는 '인세, 십 장 홍진, 장안, 북궐' 등의 시어가 속세를 나타낸다.
ㄷ. 마지막 수의 '어주(魚舟)에 누어신들 잊은 때가 있으랴'를 통해 화자가 ㉠ '강호'에 있으면서도 나랏일을 잊은 적이 없음을 알 수 있다.

2 '만경파', '천심녹수', '만첩청산', '어주' 등을 통해 나타나는 자연 공간과 '인세', '십 장 홍진', '장안', '북궐' 등을 통해 나타나는 속세가 대비되어 있다.

오답 풀이 ❶ 이 시의 제시된 부분에는 의인화된 청자가 나타나지 않는다.
❸ 이 시의 제시된 부분에는 자연물에 화자의 감정을 이입한 표현이 나타나지 않는다.
❹ 이 시의 제시된 부분에는 반어적 표현이 나타나지 않는다.
❺ 이 시의 제시된 부분에는 공감각적 심상이 나타나지 않는다.

3 마지막 수에서 화자는 '제세현이 없으랴'라고 하며 자신의 시름을 대신 해결해 줄, 세상을 구제할 현명한 선비가 존재할 것이라고 생각하고 있다. 따라서 화자가 다시 세속으로 돌아감으로써 시름을 해결하고자 한다는 감상은 적절하지 않다.

오답 풀이 ❶ 두 번째 수의 초장에서 비슷한 어조나 어세를 가진 '굽어보면 천심녹수'와 '돌아보니 만첩청산'을 짝 지어 리듬감을 부여하고 있다.
❷ 시조의 각 장은 '이 중에∨시름없으니∨어부의∨생애로다'와 같이 4음보로 끊어 읽는 것이 자연스럽다.
❸ '날 가는 줄을 알랴', '잊은 때가 있으랴', '제세현이 없으랴'에서 설의법을 활용하여 화자의 정서나 의지를 강조하고 있다.
❺ 이 시는 기본 형태의 평시조 여러 수가 「어부단가」라는 이름으로 엮어져 있는 연시조이다.

수능독해 특강 체크 주제별로 알아보는 속담

동물과 관련된 속담 | 본문 44~45쪽 |

01 ㉤　02 ㉢　03 ㉡　04 ㉠　05 ㉥　06 ㉣
07 고양이한테 생선을 맡긴(도둑고양이더러 제물 지켜 달라 한)
08 지렁이, ㉣　09 나무, ㉢　10 뒷걸음, ㉠　11 토끼, ㉡　12 닭 쫓던 개 지붕 쳐다보는

07 주어진 글은 고객들의 개인 정보를 관리하는 담당 직원이 수많은 고객의 개인 정보를 유출한 상황을 서술하고 있다. 따라서 빈칸에는 어떤 일이나 사물을 믿지 못할 사람에게 맡겨 놓고 마음이 놓이지 않아 걱정함을 비유적으로 이르는 '고양이한테 생선을 맡기다(도둑고양이더러 제물 지켜 달라 한다)'라는 속담이 알맞다.

12 예지는 한정판 피규어를 사기 위해 아침 일찍 갔으나, 품절되어 사지 못하였다. 따라서 빈칸에는 애써 하던 일이 실패로 돌아가거나 남보다 뒤떨어져 어찌할 도리가 없이 됨을 비유적으로 이르는 '닭 쫓던 개 지붕 쳐다보듯'이라는 속담이 알맞다.

05 일차 01 문학 개념어

1단계 문맥으로 어휘 확인하기 | 본문 46쪽 |

(1) 서술 (2) 묘사 (3) 요약적 제시 (4) 외양 묘사, 심리 묘사 (5) 상황 묘사 (6) 배경 묘사 (7) 대화

2단계 문제로 어휘 익히기 | 본문 47쪽 |

1 (1) ㉡ (2) ㉢ (3) ㉣ (4) ㉠ 2 (1) 서술 (2) 대화 3 (1) 요약적 제시 (2) 묘사 4 ②

4 밑줄 친 부분은 메밀꽃이 핀 달밤의 풍경을 감각적으로 묘사한 부분이다. 이와 같이 사건이 이루어지는 공간적 배경에 대해 묘사하는 서술 방식을 '배경 묘사'라고 한다.

오답 풀이 ❶ '대화'는 인물들이 주고받는 말을 통해 사건을 전개하고 인물의 심리를 전달하는 서술 방식이다.

❸ '상황 묘사'는 인물의 처지나 사건의 진행 과정에 대해 묘사하는 서술 방식이다.

❹ '외양 묘사'는 인물의 겉모습에 대해 묘사하는 서술 방식이다.

❺ '요약적 제시'는 서술자가 사건의 중요 내용만 간추려서 제시하는 서술 방식이다.

05 일차 02 현대 소설 주제어_전쟁

1단계 문맥으로 어휘 확인하기 | 본문 48쪽 |

(1) 습격 (2) 수류탄 (3) 포성 (4) 군의관 (5) 공습, 방공호 (6) 징용, 전사 (7) 피란민

2단계 문제로 어휘 익히기 | 본문 49쪽 |

1 (1) ㉡ (2) ㉢ (3) ㉠ (4) ㉣ 2 (1) 수류탄 (2) 피란민 (3) 군의관 3 (1) 전사 (2) 공습 (3) 피란민 4 ②

4 '습격'은 '갑자기 상대편을 덮쳐 침'이라는 뜻이고, '후퇴'는 '뒤로 물러남'을 뜻한다. 따라서 ②는 유의어의 연결이 적절하지 않다.

오답 풀이 ❶ '포성'과 '포음'은 모두 대포를 쏠 때에 나는 소리를 뜻하므로, 유의어의 연결이 적절하다.

❸ '징용'과 '강제 징용'은 모두 일제 강점기에, 일본 제국주의자들이 조선 사람을 강제로 동원하여 부리던 일을 뜻하므로, 유의어의 연결이 적절하다.

❹ '군의관'과 '의무 장교'는 모두 군대에서 의사의 임무를 맡고 있는 장교를 뜻하므로, 유의어의 연결이 적절하다.

❺ '전사하다'와 '전몰하다'는 모두 전쟁터에서 적과 싸우다 죽는 것을 뜻하므로, 유의어의 연결이 적절하다.

3단계 독해로 어휘 다지기 | 본문 50~51쪽 |

1 ③ 2 ④ 3 ①

[수난이대_하근찬]

■ **해제** 일제에 의해 징용에 끌려갔다가 한쪽 팔을 잃은 아버지 '만도'와 육이오 전쟁에 참전했다가 한쪽 다리를 잃은 아들 '진수'의 모습을 통해 역사적인 사건으로 인해 우리 민족이 겪은 수난을 형상화한 단편 소설이다. 역순행적 구성을 통해 두 부자의 수난을 유기적으로 연결하고, 비극적 상황에 대한 인물의 태도를 잘 표현하였다.

■ **주제** 역사적 시련 속에서 겪는 개인의 비극적 삶과 그에 대한 극복 의지

■ **특징**
- 역순행적 구성으로 인물이 당한 수난을 드러냄
- 사투리와 비속어를 사용하여 사실감과 현장감을 높임
- 가족사를 통해 우리 민족이 겪은 고통과 그 극복 의지를 상징적으로 보여 줌

■ **구성**

만도가 전쟁터에서 돌아오는 진수를 정거장으로 마중 나감
만도가 진수를 기다리면서 징용에 끌려가 한쪽 팔을 잃었던 과거를 회상함(과거)
만도가 전쟁터에서 한쪽 다리를 잃고 돌아온 진수와 재회함
수록 만도는 진수에게서 한쪽 다리를 잃은 사연을 듣고, 좌절하는 진수를 위로함
만도와 진수가 힘을 합해 외나무다리를 건너며 수난의 극복 의지를 드러냄

감상 체크

1 팔, 다리 2 위로 3 극복 의지

1 ㉠ '징용'은 전시·사변 또는 이에 준하는 비상사태에, 국가의 권력으로 국민을 강제적으로 일정한 업무에 종사시키는 일, 혹은 일제 강점기에, 일본 제국주의자들이 조선 사람을 강제로 동원하여 부리던 일을 뜻한다. ㉣ '수루탄'은 '수류탄'의 방언으로, 손으로 던져 터뜨리는 작은 폭탄을 뜻한다. ㉤ '군의관'은 군대에서 의사의 임무를 맡고 있는 장교를 뜻한다. 따라서 ㉠, ㉣, ㉤은 모두 '전쟁'이라는 사회·문화적 상황을 드러낸다고 볼 수 있다.

오답 풀이 ㉡ '정거장'은 버스나 열차가 일정하게 머무르도록 정하여진 장소를 뜻하는 단어로, 특정 사회·문화적 상황을 드러낸다고 보기 어렵다. ㉢ '고등어'는 생선의 한 종류로, 특정 사회·문화적 상황을 드러낸다고 보기 어렵다.

2 ⓓ에서 진수는 다리가 없기 때문에 이동이 불편하다는 자신의 불만 사항을 말하고 있다. 즉 자신의 감정을 조절하지 못하는 모습을 보이고 있을 뿐, 어떤 극복 의지를 드러내고 있다고 보기는 어렵다.

오답 풀이 ❶ 진수는 '우째 살까 싶습니더.'라는 말을 통해 자신의 미래에 대한 불안감을 표현하고 있다. 이는 Ⅰ단계에 해당하는 모습이다.
❷ 만도는 '목숨만 붙어 있으면 다 사는 기다.'라고 말하며, Ⅰ단계 상태인 진수에게 삶의 의욕을 불러일으키는 격려를 하고 있다. 이는 진수를 다음 단계인 Ⅱ단계로 이끌기 위함이다.
❸ 만도는 '팔뚝이 하나 없이도 잘만 안 사나.'라는 말을 통해 자신의 상황에 맞추어 생활에 적응하였으며 심리적 상처를 극복한 모습을 보이고 있다. 이는 Ⅲ단계에 해당하는 모습이다.
❺ 만도는 집에서 하는 일은 팔이 온전한 진수가 하고, 밖에서 돌아다니며 하는 일은 다리가 온전한 자기가 하는 방안을 제시함으로써 미래에 대해 불안해하고 있는 진수가 Ⅰ단계에서 벗어나 다음 단계로 넘어갈 수 있도록 지원하고 있다.

3 이 글은 등장인물인 만도와 진수의 대화를 통해 자신의 미래를 불안해하는 진수의 심리와, 그런 진수를 위로하며 아들이 불행한 처지를 극복하기를 바라는 만도의 심리를 드러내고 있다.

오답 풀이 ❷ 주어진 장면에 서술자가 바뀌는 부분은 나타나지 않으며, 새로운 사건이 전개되고 있지도 않다.
❸ 서술자가 사건의 중요 내용만 간추려서 제시하는 방식을 요약적 제시라고 한다. 주어진 장면에 서술자가 인물의 처지를 요약적으로 제시한 부분은 나타나 있지 않다.
❹ 주어진 장면에 인물들이 걸어가는 모습에 대한 묘사는 나타나지만, 배경에 대한 묘사는 드러나 있지 않다.
❺ 현재형과 과거형이 혼재되어 있으며, 현재형 어미를 사용하여 긴박한 분위기를 형성하고 있지도 않다.

06일차 01 문학 개념어

1단계 문맥으로 어휘 확인하기 | 본문 52쪽 |

(1) 생략법 (2) 도치법 (3) 돈호법 (4) 대구법 (5) 모순 어법 (6) 설의법, 문답법 (7) 반어법, 역설법

2단계 문제로 어휘 익히기 | 본문 53쪽 |

1 (1) ㉡ (2) ㉠ (3) ㉢ 2 (1) 반어법 (2) 돈호법 (3) 생략법 3 (1) 역설법 (2) 설의법 4 ⑤

4 '얻는다는 것은 곧 잃는 것이다.'는 문장 자체에 논리적인 모순이 나타나 있는 모순 어법, 즉 역설법이 쓰인 표현이다. 또한 '사랑을 위하여서는 이별이, 이별이 있어야 하네.'라는 문장도 마찬가지로 모순 어법, 즉 역설법이 쓰인 표현이다.

오답 풀이 ❶ 비슷한 구절을 나란히 짝 지어 문장에 변화와 안정감을 주는 방법인 '대구법'은 사용되지 않았다.
❷ 말의 순서를 바꾸어 화자가 강조하는 바를 나타내는 방법인 '도치법'은 사용되지 않았다.
❸ 사람이나 사물의 이름을 불러 주의를 불러일으키는 방법인 '돈호법'은 사용되지 않았다.
❹ 자신이 말하고자 하는 바와 정반대로 표현하는 방법인 '반어법'은 사용되지 않았다. 반어법은 표현 자체에는 논리적인 모순이 없다는 것에서 역설법과 차이가 있다.

06일차 02 현대 소설 주제어 _ 사람의 행동, 마음

1단계 문맥으로 어휘 확인하기 | 본문 54쪽 |

(1) 잰 (2) 허장성세 (3) 갈취 (4) 엄습 (5) 과시 (6) 재우쳐 (7) 등쌀 (8) 관망 (9) 푼푼, 수선

2단계 문제로 어휘 익히기 | 본문 55쪽 |

1 (1) ㉠ (2) ㉢ (3) ㉡ 2 (1) 재우쳐 (2) 수선스럽게 (3) 엄습해 3 (1) 과시 (2) 허장성세 (3) 갈취해 4 ②

4 밑줄 친 '물러나 바라만 보고'는 '한발 물러나서 어떤 일이 되어 가는 형편을 바라보고'라는 의미의 '관망하고'와 바꾸어 쓰기에 적절하다.

오답 풀이 ❶ '과시하고'는 '자랑하여 보이고', '사실보다 크게 나타내어 보이고'의 의미이다.
❸ '재우치고'는 '빨리 몰아치거나 재촉하고'의 의미이다.
❹ '푼푼하게'는 '모자람이 없이 넉넉하게', '옹졸하지 아니하고 시원스러우며 너그럽게'라는 의미이다.
❺ '수선스럽게'는 '정신이 어지럽게 떠들어 대는 듯하게', '시끄러워서 정신이 어지러워지는 듯하게'라는 의미이다.

3단계 독해로 어휘 다지기 | 본문 56~57쪽 |

1 ⑤ 2 ⑤ 3 ②

[운수 좋은 날 _ 현진건]
■ 해제 가난한 인력거꾼의 고달픈 일상과, 운수 좋은 날에 아내의 죽음을 맞이하는 아이러니를 통해 일제 강점기 당시 우리 민족의 궁핍한 삶과 비참한 현실을 생생하게 형상화한 소설이다.

■ 주제 일제 강점기 하층민의 비참한 삶

■ 특징 • 상황적 반어를 통해 비극성을 심화함
• 비속어와 사투리를 사용하여 하층민의 삶을 생생하게 그려 냄

■ 구성

수록 가난한 인력거꾼인 김 첨지에게 오랜만에 연거푸 손님을 맞는 행운이 찾아옴
수록 김 첨지는 행운이 계속되지만, 아픈 아내에 대한 불안감이 커져 귀가를 망설임
김 첨지는 친구와 함께 선술집에서 술을 마시며 아내에 대한 불안감을 떨치려 함
수록 김 첨지는 아내에게 줄 설렁탕을 사 들고 귀가했으나 집 안에 불길한 침묵이 감돎
수록 김 첨지가 아내의 죽음을 확인하고 통곡함

감상 체크

1 전지적 작가 2 애정(사랑), 비극성 3 돈, 아내, 반어

1 '수선스러운'은 '정신이 어지럽게 떠들어 대는 듯한', '시끄러워 정신이 어지러워지는 듯한'의 의미로, ⓔ 앞에 제시되어 있는 '죽은 이'와 어울리지 않는 말이다.

오답 풀이 ❶ '푼푼하였다'는 '모자람이 없이 넉넉하였다.'라는 의미이므로, 팔십 전을 손에 쥔 김 첨지의 마음을 나타내기에 적절하다.
❷ '재게'는 '동작이 재빠르게'라는 의미이므로, 다리를 쉴 새 없이 빠르게 움직이는 상황을 드러내기에 적절하다.
❸ '엄습해'는 '감정, 생각, 감각 따위가 갑작스럽게 들이닥치거나 덮쳐'라는 의미로, 침묵을 통해 아내의 죽음을 예감한 김 첨지의 상황을 드러내기에 적절하다.
❹ '허장성세'는 '실속은 없으면서 큰소리치거나 허세를 부림'이라는 의미로, 아내의 죽음을 예감한 김 첨지가 불길한 감정을 쫓아 버리려고 일부러 고함을 치는 상황을 표현하기에 적절하다.

2 ㉠의 상황은 김 첨지의 몹시 가난한 처지를 보여 준다. 이는 서발이나 되는 긴 막대를 휘둘러도 아무것도 거치거나 걸릴 것이 없다는 뜻으로, 가난한 집안이라 세간이 아무것도 없음을 비유적으로 이르는 말인 ⑤와 의미가 통한다.

오답 풀이 ❶ '금강산도 식후경'은 아무리 재미있는 일이라도 배가 부르고 난 뒤에야 흥이 난다는 말이다.
❷ '밑 빠진 독에 물 붓기'란 아무리 애를 써도 보람이 없는 경우를 이르는 말이다.
❸ '개똥도 약에 쓰려면 없다'는 평소에 흔하던 것도 막상 긴하게 쓰려고 구하면 없는 상황을 이르는 말이다.
❹ '호미로 막을 것을 가래로 막는다'는 적은 힘으로 될 일을, 기회를 놓쳐 큰 힘을 들이게 된다는 말이다.

3 이 글에는 김 첨지의 불행한 하루를 통해 하층민의 가난하고 비참한 현실을 그리고 있을 뿐, 계층 간의 갈등은 나타나지 않는다.

오답 풀이 ❶ 아내의 죽음과 반어적인 '운수 좋은 날'이라는 제목이 김 첨지의 불행을 더욱 강조한다.
❸ 아내를 향해 상스러운 욕설과 비속어를 사용하는 김 첨지의 태도는 하층민의 생활상을 사실적으로 보여 주는 효과가 있다.
❹ 김 첨지가 느끼는 불안감은 집과의 거리가 가까워질수록 점점 커지다가 집에서 다시 멀어지면서 떨쳐 내게 된다.
❺ 행운이 거듭될수록 점점 불안감이 고조되는 극적인 구성이 결국 아내의 죽음이라는 불행으로 결말을 맺는다.

수능독해 특강 체크 주제별로 알아보는 **한자 성어**

어리석은 태도와 관련된 **한자 성어** | 본문 60~61쪽 |

01 우이독경 02 목불식정 03 교주고슬 04 등하불명 05 사후 약방문 06 교각살우 07 ㉠ 08 ㉤ 09 ㉢ 10 ㉡ 11 ㉣ 12 자가당착

01~06

주	단	기	사	후	약	방	문	근
호	가	호	위	상	각	주	구	검
수	치	지	정	실	위	편	삼	절
정	교	주	고	슬	만	가	목	약
저	각	연	모	연	등	하	불	명
지	살	일	성	인	화	하	식	척
와	우	이	독	경	가	락	정	사
구	밀	부	자	유	친	양	주	계
자	강	불	식	상	우	공	이	산

12 창과 방패를 뜻하는 '모순'은 '어떤 사실의 앞뒤, 또는 두 사실이 이치상 어긋나서 서로 맞지 않음'을 이르는 말이다. 주어진 초성을 참고할 때, 이와 같은 뜻의 한자 성어는 '같은 사람의 말이나 행동이 앞뒤가 서로 맞지 아니하고 모순됨'을 의미하는 '자가당착(自家撞着)'이다.

07일차 01 문학 개념어

1단계 문맥으로 어휘 확인하기 | 본문 62쪽 |

(1) 서술자 (2) 시점 (3) 일인칭 주인공 (4) 일인칭 관찰자 (5) 삼인칭 관찰자 (6) 전지적 작가 (7) 일인칭, 삼인칭

2단계 문제로 어휘 익히기 | 본문 63쪽 |

1 (1) ㉢ (2) ㉡ (3) ㉠ (4) ㉣ 2 (1) ○ (2) ○ (3) × 3 (1) 일인칭 주인공 시점 (2) 일인칭 관찰자 시점 4 ②

4 이 글은 작품 속에 '나'가 등장하지 않으므로 삼인칭 시점에 해당한다. 또한 서술자는 작품 속 등장인물인 길동과 대감의 심리를 마치 전지적인 신처럼 꿰뚫어 보듯 자세히 서술하고 있다. 따라서 이 글은 '전지적 작가 시점'으로 서술되었다고 볼 수 있다.

오답 풀이 ❶, ❸ '삼인칭(작가) 관찰자 시점'은 서술자가 관찰자의 입장에서 작품 속 인물과 사건을 객관적으로 서술하는 시점으로, 인물들의 내면 심리가 제시되지 않는다는 점이 특징이다.
❹ '일인칭 관찰자 시점'은 작품 속 주변 인물인 '나'가 관찰자의 입장에서 주인공의 이야기를 서술하는 시점이다.
❺ '일인칭 주인공 시점'은 작품 속 주인공인 '나'가 서술자가 되어 자신의 경험과 생각을 서술하는 시점이다.

07일차 02 현대 소설 주제어 _상황과 대응

1단계 문맥으로 어휘 확인하기 | 본문 64쪽 |

(1) 기미 (2) 켕기는 (3) 벼르던 (4) 얼김, 분개 (5) 유야무야 (6) 형국, 역정 (7) 막돼먹은 (8) 잔망

2단계 문제로 어휘 익히기 | 본문 65쪽 |

1 (1) ㉢ (2) ㉡ (3) ㉠ 2 (1) 분개 (2) 잔망 (3) 유야무야 3 (1) 얼김 (2) 벼르고 4 ③

4 제시된 두 문장은 공통적으로 인물이 크게 화를 내는 상황이기 때문에 빈칸에는 몹시 언짢거나 못마땅하여서 내는 성을 뜻하는 '역정'이 들어가는 것이 가장 적절하다.

오답 풀이 ❶ '기미'는 어떤 일을 알아차릴 수 있는 눈치. 또는 일이 되어 가는 묘하고 이상한 분위기를 뜻한다.
❷ '얼김'은 어떤 일이 벌어지는 바람에 자기도 모르게 정신이 얼떨떨한 상태를 뜻한다.
❹ '형국'은 어떤 일이 벌어진 장면이나 형편을 뜻한다.
❺ '유야무야'는 있는 듯 없는 듯 흐지부지함을 뜻한다.

3단계 독해로 어휘 다지기 | 본문 66~67쪽 |

1 ③ 2 ② 3 ②

[장마_윤흥길]

■ **해제** 이 작품은 육이오 전쟁 시기의 장마철을 배경으로, 한 집 안에서 일어나는 이념적 대립과 화해의 과정을 손자인 '나'의 시점에서 회상하는 방식으로 그려 낸 소설이다. 이념의 대립으로 빚어진 할머니와 외할머니의 갈등이 전통적이며 토속적인 무속 신앙을 바탕으로 해소되는 모습을 통해, 우리 민족의 전통적 정서를 바탕으로 이념적 갈등을 극복할 수 있음을 보여 주고 있다.

■ **주제** 이념 대립으로 빚어진 한 가족의 비극과, 민족적 정서를 통한 갈등 극복 및 화해

■ **특징**
- 이데올로기 대립으로 인한 가족 간의 갈등을 다룸
- 어린아이인 '나'를 서술자로 하여 사건을 객관적으로 서술함
- 토속적·무속적 신앙을 바탕으로 한 행위를 통해 갈등을 극복함

■ **구성**

육이오 전쟁으로 외가 식구들이 '나'의 집에 피난을 오면서 함께 살게 됨. 장마가 계속되던 어느 날 국군 소위였던 외삼촌의 전사 소식이 전해짐

아들을 잃은 외할머니는 빨갱이는 다 죽으라고 저주하고, 이에 빨치산 아들을 둔 할머니는 분노함

수록 '나' 역시 어떤 사내의 꼬임에 넘어가 삼촌이 집에 왔었다는 이야기를 하여 할머니의 분노를 삼

한편, 할머니는 '아무 날 아무 시'에 삼촌이 아무 탈 없이 돌아온다는 점쟁이의 예언에 따라 삼촌을 기다리지만, 예정된 시간에 나타난 것은 삼촌이 아닌 구렁이였음. 삼촌의 죽음을 예감한 할머니가 기절하자 외할머니가 구렁이를 잘 달래서 무사히 보냄

구렁이 사건 이후 할머니가 외할머니에게 고마움을 표현하며 두 할머니가 화해하고, 할머니는 임종 직전 '나'와도 화해함

감상 체크

1 나 2 삼촌 3 아버지

1 (다)에서 '나'는 너무나 먹고 싶은 과자를 사내가 짓밟자 아쉽고 속상한 마음에 울음을 터뜨릴 뿐, 몹시 분하게 여기고 있지는 않다.

오답 풀이 ❶ 사내는 어린아이인 '나'에게 삼촌이 언제 집에 다녀갔는지 알려 주면 과자를 상으로 주겠다고 회유하고 있다.
❷ '나'는 사내가 진짜로 삼촌의 친구일지도 모른다고 생각하고 삼촌에 대한 이야기를 해 준다.
❹ 사내는 '나'가 순순히 삼촌에 대해 이야기하지 않음에도 물러나지 않고, 과자를 던지고 짓밟는 행동을 통해 '나'를 압박한다. 이를 통해 사내가 반드시 '나'에게서 삼촌에 대한 정보를 캐내고 말겠다고 벼르고 있음을 짐작할 수 있다.

⑤ (마)에는 '나'가 삼촌에 대해 사내에게 알려 준 일 때문에 아버지가 사내에게 잡혀가는 상황이 나타나 있다. 특히 '내게도 어떤 고통의 감정이 서서히 살아나기 시작했다.'에는 자신의 행동이 가져온 결과를 목격한 '나'의 죄책감과 두려움, 불안감 등이 담겨 있다.

2 [A]는 사내가 삼촌의 방문을 알아내기 위해 초콜릿으로 '나'를 유혹하는 장면이고, [B]는 유혹에 견디지 못한 '나'가 삼촌의 방문에 대해 이야기하는 장면이다. [A]의 유혹으로 인한 '나'의 갈등은 [B]의 '일단 얘기를 꺼낸 다음부터는 ~ 술술 풀려 나왔다.'에서 일시적으로 해소되고 있다.

오답 풀이 ①, ③ [A]는 [B]의 상황을 회피하려는 것이 아니라, [B]의 상황을 유도하려는 사내의 발화이다. 이는 잊었던 '나'의 기억을 되살리는 것이 아니라, 삼촌에 대해 말하지 않으려던 '나'의 마음을 돌리는 역할을 한다.

④ '나'가 망설였던 이유는 삼촌에 대해 말을 해서는 안 될 것 같은 도덕적인 문제 때문이지, 자신의 이익 때문은 아니다.

⑤ 어린아이였던 '나'가 사내의 회유에 넘어가 삼촌에 대한 이야기를 한 것을 비도덕적이라고 보기 어렵다.

3 이 글에서는 1인칭 주인공 시점을 통해 과거의 일을 회상하고 있는데, 유년의 '나'에게 일어났던 일을 그 시절의 시점으로 서술하는 것과 성인이 된 현재의 시점으로 서술하는 것(㉮)이 함께 나타나는 것이 특징이다. ㉡은 성인인 '나'의 시점에서 유년 시절의 자신을 되돌아본 것이다.

오답 풀이 ①, ③, ④, ⑤ 모두 유년의 '나'의 시점에서 사건을 바라본 것이다.

08 일차 01 문학 개념어

1단계 문맥으로 어휘 확인하기 | 본문 68쪽 |

(1) 연상 (2) 심화 (3) 형상화 (4) 반전 (5) 교차
(6) 역전 (7) 삽입 (8) 극대화

2단계 문제로 어휘 익히기 | 본문 69쪽 |

1 (1) ㉠ (2) ㉢ (3) ㉡ (4) ㉣ 2 (1) 반전 (2) 극대화
(3) 형상화 3 (1) 교차 (2) 심화 4 ③

4 이 글은 당시 군담 소설을 읽었던 독자들이 작품 속에 그려진 전쟁 장면에서 실제 겪었던 임진왜란과 병자호란을 떠올렸다는 내용이므로, 빈칸에는 하나의 관념이 다른 관념을 불러일으키는 현상을 뜻하는 '연상'이 들어가는 것이 적절하다.

오답 풀이 ① '반전'은 일의 형세가 뒤바뀜을 뜻한다.

② '삽입'은 글 따위에 다른 내용을 끼워 넣음을 뜻한다.

④ '극대화'는 아주 커짐, 또는 아주 크게 함을 뜻한다.

⑤ '형상화'는 형체로는 분명히 나타나 있지 않은 것을 어떤 방법이나 매체를 통하여 구체적이고 명확한 형상으로 나타냄을 뜻한다.

08 일차 02 고전 소설 주제어 _ 양반과 평민

1단계 문맥으로 어휘 확인하기 | 본문 70쪽 |

(1) 존귀 (2) 비천 (3) 소인 (4) 수모 (5) 사대부
(6) 군자 (7) 조아려 (8) 황공 (9) 고상 (10) 욕

2단계 문제로 어휘 익히기 | 본문 71쪽 |

1 (1) ㉠ (2) ㉢ (3) ㉡ 2 (1) 존귀 (2) 고상 (3) 수모
(4) 비천 3 (1) ○ (2) × 4 ①

4 〈보기〉를 참고했을 때, 이 시에는 전반적으로 시대 현실에 대해 무기력한 화자의 반성과 성찰, 부끄러움 등의 태도가 담겨 있다고 볼 수 있다. 구리거울 속에 화자 자신의 얼굴이 남아 있는 것을 부끄럽게 느낀다는 내용이 담겨 있으므로, 빈칸에는 부끄럽고 치욕적이고 불명예스럽다는 의미의 '욕될까'가 들어가는 것이 알맞다.

오답 풀이 ② '고상하다'는 '품위나 몸가짐의 수준이 높고 훌륭하다.'라는 뜻이다.

③ '조아리다'는 '상대편에게 존경의 뜻을 보이거나 애원하느라고 이마가 바닥에 닿을 정도로 머리를 숙이다.'라는 뜻이다.

④ '존귀하다'는 '지위나 신분이 높고 귀하다.'라는 뜻이다.

⑤ '황공하다'는 '위엄이나 지위 따위에 눌리어 두렵다.'라는 뜻이다.

3단계 독해로 어휘 다지기 | 본문 72~73쪽 |

1 ① 2 ③ 3 ①

[양반전 _ 박지원]

■ **해제** 이 작품은 신분제가 동요되고 양반의 횡포가 극심하였던 조선 후기의 상황을 반영하고 있는 고전 소설이다. 이 작품에서 양반은 무위도식하면서도 겉치레에 사로잡힌 무능한 존재이자, 부당한 특권 의식으로 가득 찬 부패한 존재로 그려지며 풍자의 대상이 된다. 또한 돈으로 양반의 신분을 사려 하는 부자의 모습을 통해서는 경제력을 내세워 신분 상승을 꾀하는 속물 의식을 보여 준다. 작품 마지막 부분에서 양반을 '도적놈'이라고 하는 부자의 말을 통해 당대의 타락한 양반에 대한 작가의 비판적 시각을 드러내고 있다.

■ **주제** 양반들의 무능과 위선에 대한 비판

■ **특징** • 몰락 양반과 신흥 평민 부자의 등장, 신분 질서의 동요 등 조선 후기의 사회상을 사실적으로 보여 줌
• 조선 후기 양반들의 위선적 모습을 풍자함

■ **구성**

정선 고을의 한 양반이 환곡을 빌리고 갚지 못해 난처한 처지에 놓임

같은 마을에 사는 부자가 이 소식을 듣고 양반의 환곡을 대신 갚아 준 뒤 양반 신분을 삼

수록 양반의 사연을 알게 된 군수는 두 번에 걸쳐 양반 매매 증서를 작성함

수록 부자가 증서의 내용을 보고 양반을 도적놈이라 하며 양반이 되는 것을 거부함

감상 체크

1 환곡 2 신선 3 도적놈

1 부자는 양반이 신선 같다고 들어 양반의 신분을 산 것인데, 양반의 품행에 대한 1차 증서의 내용을 듣고 난 후 불만스러워한다. 문서의 내용을 더 이롭게 바꾸어 달라는 부자의 요청에 따라 작성된 2차 증서에는 양반의 특권이 나열되는데, 그 내용을 듣던 부자는 갑자기 증서를 중지시키고 양반을 '도적놈'이라고 하면서 머리를 흔들고 가 버린다. 이 글은 이러한 극적 반전을 통해 당대 양반의 허위와 부패를 풍자하고 있다.

오답 풀이 ❷ 저승이나 용궁 같은 비현실적인 배경, 선녀나 신선 같은 초월적 인물, 도술이나 환생 같은 신이한 소재 등이 전기적(傳奇的) 요소에 해당한다. 이 글은 사실적인 배경과 인물을 중심으로 사건이 전개되고 있다.
❸ 이 글에는 인물 간의 외적 갈등이 나타나 있지 않다.
❹ 이 글은 주로 양반에 대해 제시되어 있을 뿐, 평민들에 대한 내용은 확인할 수 없다.
❺ 이 글에는 인물이 혼자서 말하는 독백은 제시되어 있지 않다.

2 군수는 부자의 양반 매매 증서를 작성하면서 양반의 부정적인 면을 부각하고 있다. 이는 부자가 불이익을 보지 않도록 양반의 권리를 보장하는 것이 아니라, 부자로 하여금 양반의 신분을 포기하도록 은근히 유도한 것이라고 볼 수 있다.

오답 풀이 ❶ (나)에서 '문과의 홍패(紅牌)는 길이 두 자 ~ 그야말로 돈 자루인 것이다.'를 통해 양반들이 권력을 이용하여 부당한 방법으로 재물을 모았음을 알 수 있다. 또한 '귀밑이 일산(日傘)의 바람에 희어지고 ~ 학 우는 소리 같으니라.'에서는 양반들의 향락적이고 풍요로운 삶을 엿볼 수 있다.
❷ 첫 번째 양반 매매 증서에서는 양반이 일상생활에서 지켜야 할 규범과 태도를 열거하고 있다.
❹ 부자는 평민이지만 재력을 갖춘 인물로, 양반 신분을 돈으로 사려 한다. 이를 통해 당시 평민 계급이 신분 상승을 이루거나 양반이 몰락하는 등의 신분제의 동요가 있었음을 짐작할 수 있다.
❺ (가)에서 '글을 읽으면 가리켜 사(士)라 하고, 정치에 나아가면 대부(大夫)가 되고, 덕이 있으면 군자(君子)이다.'라고 한 것에서, 양반의 여러 면모를 확인할 수 있다.

3 평소 자신의 신분 때문에 천대를 받고 수모를 겪던 부자는 양반들이 누리는 신분적 특권과 이로움을 동경하여 양반의 신분을 산 것이므로, ①은 ㉠에 나타난 부자의 심리로 보기 어렵다.

오답 풀이 ❷ 부자는 신선 같은 양반의 신분적 이로움(특권)을 기대하며 ㉠에서 양반 신분을 산 것이다.
❸, ❹ 1차 증서의 내용은 양반의 의무만이 나열되어 있었고, 이에 실망한 부자는 좀 더 이롭게 문서를 바꾸어 달라고 요구하였다.
❺ '도적놈'이라는 말에서 양반들이 특권을 부당하게 남용하고 있음에 환멸을 느낀 부자의 심리를 짐작할 수 있다.

수능독해 특강 체크 주제별로 알아보는 속담

심리와 관련된 속담 | 본문 76~77쪽 |

01 ㉤ 02 ㉠ 03 ㉣ 04 ㉢ 05 ㉥ 06 ㉡
07 남의 손의 떡은 커 보인다(남의 밥에 든 콩이 굵어 보인다)
08 도둑, ㉢ 09 약, ㉠ 10 감, ㉣ 11 김칫국, ㉡
12 〈가로〉 ❶ 사촌 ❸ 자라 〈세로〉 ❶ 사람 ❷ 지푸라기

07 이 글에서 수현이와 동생은 서로의 일이 더 쉬워 보인다며 불평을 하고 있다. 이러한 심리는 물건은 남의 것이 제 것보다 더 좋아 보이고 일은 남의 일이 제 일보다 더 쉬워 보임을 비유적으로 이르는 말인 '남의 손의 떡은 커 보인다(남의 밥에 든 콩이 굵어 보인다)'로 나타낼 수 있다.

12

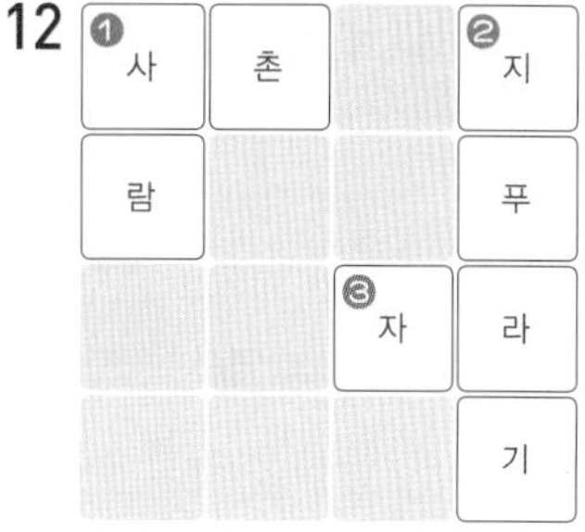

09 일차 01 문학 개념어

1단계 문맥으로 어휘 확인하기 | 본문 78쪽 |

(1) 과장 (2) 관용적 (3) 왜곡 (4) 풍자, 해학 (5) 언어유희 (6) 희화화, 부조리

2단계 문제로 어휘 익히기 | 본문 79쪽 |

1 (1) ㉢ (2) ㉡ (3) ㉠ 2 (1) 왜곡 (2) 해학 (3) 풍자
3 (1) 과장 (2) 부조리 4 ③

4 '풍자'는 현실의 부정적 현상이나 모순 따위를 빗대어 비웃으면서 폭로하는 것을 말하며, 대상을 조롱하고 비판(㉢)하려는 의도가 담겨 있다. 대상에 대해 공감하며 동정적 태도를 드러내는 것은 풍자가 아니라, '해학'이다.

오답 풀이 ❶ 풍자와 해학은 대상을 우스꽝스럽게 표현하여 웃음(㉠)을 유발한다는 공통점이 있다.
❷ 대상의 부정적인 모습을 비웃으며 폭로하는 것은 풍자(㉡)이다.
❹, ❺ 선의의 웃음을 유발하여 고통과 갈등을 극복하고자 하는 해학(㉣)은 대상의 약점이나 실수에 대해 동정(㉤)하는 것이다.

09 일차 02 고전 소설 주제어 _ 출세와 죽음

1단계 문맥으로 어휘 확인하기 | 본문 80쪽 |

(1) 비문 (2) 급제, 금의환향 (3) 등용문 (4) 염습 (5) 혼백 (6) 영귀 (7) 북망산천

2단계 문제로 어휘 익히기 | 본문 81쪽 |

1 (1) ㉠ (2) ㉢ (3) ㉡ 2 (1) 염습 (2) 등용문 (3) 급제
3 (1) 영귀 (2) 혼백 (3) 금의환향 4 ①

4 '낙방'은 과거 시험에 응하였다가 떨어짐을 의미한다. 이와 의미가 반대되는 단어는 과거에 합격하던 일을 의미하는 '급제'이다.

오답 풀이 ❷ '낙제'는 과거 시험에 응하였다가 떨어짐을 의미한다.
❸ '등용'은 인재를 뽑아서 씀을 의미한다.
❹ '비문'은 비석에 새긴 글을 의미한다.
❺ '영귀'는 '영귀하다'의 어근으로, 지체가 높고 귀함을 의미한다.

3단계 독해로 어휘 다지기 | 본문 82~83쪽 |

1 ⑤ 2 ④ 3 ①

[춘향전_작자 미상]

■ **해제** 봉건 사회에서 신분을 초월한 남녀 간의 사랑을 그리고 있는 판소리계 소설이다. 전라도 남원을 배경으로 성춘향과 이몽룡의 사랑 이야기를 중심으로 다루면서, 불의한 지배 계층의 횡포를 고발하고 여성의 정절을 찬양하며 천민의 신분 상승 욕구를 드러낸다.

■ **주제** 신분을 초월한 남녀 간의 사랑과 유교적 정절

■ **특징**
- 해학과 풍자에 의한 골계미가 나타남
- 조선 시대의 신분적 한계가 남녀 간의 사랑이라는 소재를 통해 드러남
- 구어와 문어, 양반층의 언어와 서민층의 언어가 섞인 문체로 서술됨

■ **구성**

이몽룡은 성춘향에게 반해 그녀와 백년가약을 맺으나 곧 한양으로 떠남
↓
수록 새로 부임한 사또 변학도의 수청 요구를 거절한 성춘향은 옥에 갇힘
↓
수록 어사가 되어 돌아온 이몽룡은 신분을 감춘 채 옥에 갇힌 성춘향을 만남
↓
변학도의 생일잔치에 이몽룡이 암행어사로 출도하고, 변학도는 파면을 당함
↓
성춘향이 옥에서 풀려나고, 이몽룡과 함께 서울에서 백년해로함

감상 체크

1 춘향, 이몽룡 2 옥중 3 체념

1 춘향은 자신이 꾼 꿈을 '나 죽을 꿈'으로 풀이하고, 자신의 죽음에 체념적 태도를 보이고 있다. 이와 가장 관련이 깊은 것은 사람의 몸에 있으면서 몸을 거느리고 정신을 다스리는 비물질적인 것으로, 몸이 죽어도 영원히 남아 있다고 생각하는 초자연적인 것을 의미하는 '혼백'이다.

오답 풀이 ❶, ❷ '쌍가마'와 '영귀'는 춘향이 이몽룡과 재회하여 호강하고, 지체가 높고 귀하게 될 것을 의미하므로, 춘향의 '나 죽을 꿈'과는 거리가 멀다.
❸ '걸인'은 이몽룡을 지칭하는 말이므로, 춘향의 '나 죽을 꿈'과는 거리가 멀다.
❹ '생신'은 본관 사또의 생일이므로, 춘향의 '나 죽을 꿈'과는 거리가 멀다.

2 ⓓ는 인물이 처한 처참한 상황을 보여 주고 있을 뿐, 인물의 외모나 성격을 의도적으로 우스꽝스럽게 묘사하여 비꼬는 희화화가 나타난 것은 아니다.

오답 풀이 ❶ '가옥가옥' 우는 까마귀 소리를 소리가 유사한 '아름다울 가(嘉)' 자와 '집 옥(屋)' 자로 풀이하여 긍정적으로 해석하고 있다.
❷ 춘향이 옥에 갇힌 부정적인 상황에서도 남편을 낮잡아 이르는 말인 '서방(書房)'을 소리가 유사한 '서방(西房: 네 방위의 하나)'으로 표현하고 있다.

❸ '용장, 봉장, 반닫이'와 같은 세간의 예를 낱낱이 죽 늘어놓아 서방님에 대한 춘향의 정성이 지극함을 강조하고 있다.
❺ 절개를 지키다 원통하게 죽은 춘향의 묘를 의미하는 '수절원사춘향지묘(守節冤死春香之墓)'라는 한문 투를 사용하여 양반층의 언어를 보여 주고 있다.

3 춘향은 까마귀를 흉조(凶兆)로 받아들여, 까마귀 소리를 자신의 죽음을 재촉하는 것으로 풀이하였다. 까마귀 소리를 듣고 재회와 연결한 것은, 까마귀 소리를 '아름답고 즐겁고 좋은 일이 불원간 돌아와서 평생에 맺힌 한을 풀 것'이라고 풀이한 '봉사'이다.

오답 풀이 ❷ 춘향은 간밤에 흉몽을 꾸었다며 봉사에게 해몽을 부탁하였으며, 장탄수심(長歎愁心)으로 세월을 보내었다.
❸ 월매는 이몽룡을 가리켜 '걸인 하나 내려왔다.'라고 표현하였다.
❹ 봉사는 춘향의 꿈을 듣고 쌍가마 탈 꿈이라며, 횡재할 운수라고 해석해 주었다.
❺ 춘향은 자신이 장폐하여 죽거든 이몽룡이 손수 염습하여 선산 발치에 묻어 주고, 비문을 새겨 달라고 하였다. 이를 통해 춘향이 이미 자신의 죽음을 받아들이며 체념하고 있음을 알 수 있다.

10일차 01 문학 개념어

1단계 문맥으로 어휘 확인하기 | 본문 84쪽 |

(1) 장, 막 (2) 암전 (3) 동선 (4) 독백 (5) 대화, 방백 (6) 희곡, 해설, 대사, 지시문

2단계 문제로 어휘 익히기 | 본문 85쪽 |

1 (1) ㉡ (2) ㉠ (3) ㉢ 2 (1) 대사 (2) 해설 3 (1) 지시문 (2) 독백 (3) 장, 암전 4 ③

4 밑줄 친 흥부의 대사는 놀부에게는 들리지 않고 관객만 들을 수 있는 것으로 약속되어 있는 '방백'에 해당한다.

오답 풀이 ❶ '대화'는 희곡에서 등장인물끼리 주고받는 말인데, 밑줄 친 부분은 흥부가 혼자서 하는 말이다.
❷ '독백'은 배우가 상대역 없이 혼자 말하는 대사이다. 흥부는 혼자 말하고는 있지만 상대역인 놀부가 있으므로 적절하지 않다.
❹ '해설'은 막이 오르기 전 필요한 무대 장치, 인물, 배경(시간, 공간) 등을 설명하는 부분이다.
❺ '지시문'은 등장인물의 동작·표정·심리·말투, 무대의 장치·조명 효과·분위기 등을 나타내는 부분이다.

10일차 02 극 주제어 _ 인물의 감정, 심리

1단계 문맥으로 어휘 확인하기 | 본문 86쪽 |

(1) 반색 (2) 심보 (3) 연정 (4) 통분 (5) 울적 (6) 침통 (7) 방심 (8) 옹졸

2단계 문제로 어휘 익히기 | 본문 87쪽 |

1 (1) ㉢ (2) ㉡ (3) ㉠ 2 (1) 연정 (2) 심보 (3) 침통 3 (1) 울적 (2) 통분 4 ①

4 제시된 문장의 빈칸에는 공통적으로 기쁘거나 반가워하는 의미의 단어가 들어가야 적절하다. '반색'은 '매우 반가워함. 또는 그런 기색'의 의미이므로, 빈칸에 공통적으로 쓰일 수 있다.

오답 풀이 ❷ '방심'은 '마음을 다잡지 아니하고 풀어 놓아 버림'의 의미이다.
❸ '옹졸'은 '성품이 너그럽지 못하고 생각이 좁다.'라는 의미의 '옹졸하다'의 어근이다.
❹ '침통'은 '슬픔이나 걱정 따위로 몹시 마음이 괴롭거나 슬픔'의 의미이다.
❺ '통분'은 '원통하고 분함'의 의미이다.

3단계 독해로 어휘 다지기 | 본문 88~89쪽 |

1 ④ 2 ② 3 ⑤

[만선_천승세]
■ **해제** 이 작품은 어촌을 무대로 하여 한 어민 가족의 비극적 삶을 그린 희곡으로, 만선에 대한 꿈을 버리지 않고 살아가는 어부 곰치를 통해 삶에 대한 강인한 집념과 끈질긴 도전 의지를 그리고 있다. 어촌의 풍물과 관련된 풍부한 어휘, 억센 사투리로 된 사실적인 대사는 끈질기고 억센 주인공의 성격과 잘 결합되어 있으며, 가족을 차례차례 잃고서도 거기서 쌓인 한(恨)을 오직 바다와의 대결을 통해서 해결하려는 곰치와, 그 비극을 자식에게 물려주지 않으려는 구포댁의 갈등이 극의 주제를 극명하게 드러내고 있다.
■ **주제** 인간의 강한 집념과 도전
■ **특징**
- 어민들의 일상생활 용어와 사투리를 통해 향토색과 현장감을 높임
- 인물들의 의지와 집념, 그 과정에서의 갈등을 섬세하게 표현함
- 어부들의 꿈과 좌절이 사실적으로 형상화됨

■ 구성

수록 칠산 바다에 부서 떼가 몰려들고, 곰치는 악덕 선주 임제순에게 빚 독촉을 받음
곰치는 선주와 계약을 맺고 아들 도삼, 딸 슬슬이의 애인 연철과 함께 출어함
곰치는 풍랑으로 도삼과 연철을 잃고 홀로 돌아옴
구포댁은 아들 도삼의 죽음에 실성해 버리고, 곰치는 어린 아들마저 어부로 만들기로 결심함
실성한 구포댁은 갓난 아들을 빈 배에 띄워 육지로 보내고, 애인을 잃고 범쇠에게 팔려 시집갈 처지가 된 슬슬이는 목을 맴

감상 체크

1 부서 떼　2 배　3 구포댁, 곰치

1 연철은 자신이 연정을 품고 있는 슬슬이를 아내 삼고 싶어 하는 범쇠 영감의 얘기를 듣고 말문이 막혀 충격을 받고 있다. 따라서 ㉠에는 몹시 괴롭고 슬프다는 의미의 '침통한'이 들어가는 것이 적절하다.

오답 풀이 ❶, ❷ '교활한'은 '간사하고 꾀가 많은', '반색한'은 '매우 반가워한'이라는 의미로, 자신이 좋아하는 슬슬이를 늙은 영감에게 뺏기게 된 상황에서 연철이 느낄 감정과는 거리가 있다.
❸ '방심한'은 '모든 걱정을 떨쳐 버리고 마음을 편히 가진'이라는 의미로, 연철은 자신이 좋아하는 슬슬이를 뺏길 수도 있는 상황에서 마음을 편히 가질 수는 없을 것이므로 적절하지 않다.
❺ '심드렁한'은 '마음에 탐탁하지 아니하여서 관심이 거의 없는'이라는 의미로, 연철은 슬슬이를 뺏길 수도 있는 상황이 탐탁하지 않을 수는 있지만 슬슬이에게 관심이 있으므로, '관심이 거의 없는' 심드렁한 심정을 보일 수는 없다.

2 뒤에 이어지는 '내가 이기면 그만이여!'라는 대사로 볼 때, ⓑ는 현재의 어려운 상황을 극복할 수 있다는 곰치의 생각을 드러내기 위한 지시문이다. 곰치가 범쇠와의 관계를 고려하여 현재 상황을 회피하려는 것이 아니다.

오답 풀이 ❶ ⓐ는 범쇠가 슬슬이를 아내 삼고 싶다는 구포댁의 말에 곰치가 깜짝 놀람을 보여 주는 지시문이다.
❸ ⓒ는 부서 떼가 나타난 것을 알면서도 배가 없어 고기를 잡지 못하는 상황에 답답하고 화가 난 상태를 보여 주는 지시문이다.
❹ ⓓ에서 잠시 심각한 표정으로 말이 없는 것은 구포댁이 생각을 깊게 하는 모습을, 곰치의 팔을 붙드는 것은 자신의 생각을 밝히겠다는 행동을 보여 주는 지시문이다.
❺ ⓔ는 고기잡이 일을 그만두고 뭍으로 나가 농사를 짓고 살고 싶은 구포댁의 마음과 달리, 끝까지 배를 마련하겠다는 곰치의 말에 구포댁이 모질게 대드는 모습을 보여 주는 지시문이다.

3 이 글은 연극 상연을 전제로 하는 희곡으로 등장인물의 대사와 동작 등을 통해 사건을 보여 줄 뿐, 소설의 서술자와 같이 사건에 대해 해설해 주는 인물은 등장하지 않는다.

오답 풀이 ❶ 사투리를 사용하게 되면 작품의 토속적 분위기를 형성하면서도 사실성을 부여하고, 현장감을 주는 효과가 있다.
❷ '크게 놀라', '무뚝뚝하게', '태연하게', '악에 받쳐' 등 지시문을 통해 인물의 심리를 생동감 있게 전달하고 있다.
❸ (가)는 곰치와 연철, (나)는 구포댁과 곰치가 서로 주고받는 대화를 중심으로 내용을 전개하고 있다.
❹ 희곡은 무대 상연을 전제로 한 연극의 대본이므로, 사건을 현재화하여 관객들로 하여금 사건이 지금 일어나는 것처럼 실감 나게 보여 준다는 특징이 있다.

수능독해 특강 체크 주제별로 알아보는 관용 표현

몸통, 마음과 관련된 관용 표현 | 본문 92~93쪽 |

01 ㉤　02 ㉠　03 ㉢　04 ㉡　05 ㉣　06 ㉥
07 배　08 어깨　09 간담, 서늘하다　10 마음, 풀리다
11 엉덩이, 무겁다　12 옆구리, 찌르다　13 엉덩이가 근질근질

13 예지가 주말 내내 집에 있었다며 잠깐 볼까 했다는 내용으로 짐작해 볼 때, 빈칸에는 한군데 가만히 앉아 있지 못하고 자꾸 일어나 움직이고 싶어 함을 뜻하는 관용 표현인 '엉덩이가 근질근질하다'가 들어가는 것이 알맞다.

독서 어휘

11일차 01 인문 주제어 _철학

1단계 문맥으로 어휘 확인하기 | 본문 94쪽 |

(1) 찰나적 (2) 궁극적 (3) 논제 (4) 주장, 근거 (5) 향락적 (6) 영리적 (7) 정책 논제 (8) 사실 논제, 가치 논제

2단계 문제로 어휘 익히기 | 본문 95쪽 |

1 (1) ㉡ (2) ㉠ (3) ㉢ 2 (1) 찰나적 (2) 주장 (3) 궁극적 3 (1) 영리적 (2) 근거 (3) 정책 논제 4 ③

4 '순간적'은 '아주 짧은 동안에 있는. 또는 그런 것'을 의미한다. 이와 바꾸어 쓸 수 있는 말은 '매우 짧은 시간에 이루어지는. 또는 그런 것'을 의미하는 '찰나적'이다.

오답 풀이 ❶ '궁극적'은 '더할 나위 없는 지경에 도달하는. 또는 그런 것'을 의미한다.

❷ '영리적'은 '재산상의 이익을 꾀하는. 또는 그런 것'을 의미한다.

❹ '향락적'은 '놀고 즐기는. 또는 그런 것'을 의미한다.

❺ '비영리적'은 '재산상의 이익을 꾀하지 않는. 또는 그런 것'을 의미한다.

11일차 02 인문 주제어 _철학

1단계 문맥으로 어휘 확인하기 | 본문 96쪽 |

(1) 공존 (2) 관조 (3) 인식 (4) 규정 (5) 성차별 (6) 이주민, 다문화 사회 (7) 양성평등, 화합

2단계 문제로 어휘 익히기 | 본문 97쪽 |

1 (1) ㉡ (2) ㉠ (3) ㉢ 2 (1) 이주민 (2) 규정 (3) 양성평등 3 (1) 인식 (2) 다문화 사회 (3) 양성평등 4 ②

4 수필은 어떤 주제에 대하여 개인적인 느낌이나 의견을 자유로운 형식으로 쓴 글로, 글쓴이는 자연을 관찰하거나 자신의 삶을 성찰한 내용을 바탕으로 독자에게 깨달음을 전달한다. 따라서 빈칸에 들어갈 말로 적절한 것은 '고요한 마음으로 사물이나 현상을 관찰하거나 비추어 보아'라는 의미의 '관조하여'이다.

오답 풀이 ❶ '공존하여'는 '두 가지 이상의 사물이나 현상이 함께 존재하여'라는 의미이다.

❸ '규정하여'는 '내용이나 성격, 의미 따위를 밝혀 정하여'라는 의미이다.

❹ '인식하여'는 '사물을 분별하고 판단하여 알아'라는 의미이다.

❺ '화합하여'는 '화목하게 어울려'라는 의미이다.

3단계 독해로 어휘 다지기 | 본문 98~99쪽 |

1 ④ 2 ④ 3 ④

[행복의 세 가지 측면]

■ 해제 아리스토텔레스가 말한 행복(에우다이모니아)에 시간적 속성을 부여하여 행복을 세 가지 측면으로 나누어 설명하고, 이를 바탕으로 올바른 행복 추구 방법을 제시한 막스 뮐러의 견해를 소개하는 글이다.

■ 주제 행복의 세 가지 측면과 올바른 행복 추구 방법

■ 특징
- 현대인이 생각하는 행복의 의미를 먼저 언급하고, 이와 다른 행복의 의미를 제시함
- 행복을 세 가지 측면으로 나누어 설명함
- 주요 용어의 의미를 설명함으로써 독자의 이해를 도움

■ 구성

1문단 현대인이 생각하는 행복과 아리스토텔레스가 규정한 행복

2문단 감각적 향유로서의 행복

3문단 공동체적 삶을 통해 실현할 수 있는 행복

4문단 관조의 삶을 통해 실현할 수 있는 행복

5문단 올바른 행복 추구 방법

독해 체크

1 행복 2 1 아리스토텔레스 2 향유 3 공동체 4 관조 5 추구 3 행복

1 ㉣ '영리적'은 '재산상의 이익을 꾀하는. 또는 그런 것'을 의미한다. '재산상의 이익을 꾀하지 않는. 또는 그런 것'을 의미하는 단어는 '비영리적'이다.

오답 풀이 ❶ ㉠ '극단적'은 '중용을 잃고 한쪽으로 크게 치우치는. 또는 그런 것'을 의미한다.

❷ ㉡ '찰나적'은 '매우 짧은 시간에 이루어지는. 또는 그런 것'을 의미한다.

❸ ㉢ '향락적'은 '놀고 즐기는. 또는 그런 것'을 의미한다.

❺ ㉤ '궁극적'은 '더할 나위 없는 지경에 도달하는. 또는 그런 것'을 의미한다.

2 2문단의 "감각적 향유로서의 에우다이모니아'는 먹고 마시는 행위와 같은 신체적 감각을 통한 향유가 이성의 테두리 안에서 이루어질 때 얻게 되는 것이다.'를 보면, ⓐ '감각적 향유로서의 에우다이모니아'는 정신을 배제한 신체적 감각을 중시한다고 볼 수 없으므로 ④의 내용은 적절하지 않다.

오답 풀이 ❶ 2문단의 '다만 감각적 향유가 이성을 벗어나 타인을 배려하지 않고 극단적 탐닉에 빠질 때에는 부정적인 것으로 인식된다.'를 통해, 감각적 향유로서의 에우다이모니아는 극단적 탐닉에 빠지지 않음으로써 실현될 수 있다는 것을 확인할 수 있으므로 적절하다.

❷ 4문단의 "관조의 삶을 통해 실현할 수 있는 에우다이모니아'는 인간이 세계의 영원한 질서를 인식하게 됨으로써 얻을 수 있는 것이다.'를 통해 확인할 수 있으므로 적절하다.

❸ 1문단의 '그는 에우다이모니아를 인간 고유의 기능인 이성을 발휘하여 그것을 완전하게 실현한 상태라고 규정하였다.'를 통해 확인할 수 있으므로 적절하다.

❺ 4문단에서 '이러한 에우다이모니아는 시간적 한계를 뛰어넘는 영원성을 갖는다.'라고 한 것으로 보아, ⓑ는 순간성이 아니라 영원성에 의해 규정된다는 것을 알 수 있다. 하지만 2문단에서 '감각적 향유의 과정에서 실현할 수 있는 에우다이모니아는 순간적인 것으로 규정된다.'라고 한 것으로 보아, ⓐ는 순간성에 의해 규정되므로 적절하다.

3 〈보기〉의 '다른 가족을 고려하지 않고'와 2문단의 '이성을 벗어나 타인을 배려하지 않고 극단적 탐닉에 빠질 때에는 부정적인 것으로 인식된다.'를 보면 동생의 행위는 극단적 탐닉에 빠진 것으로 볼 수 있다.

오답 풀이 ❶ 3문단에서 공동체적 삶을 통해 실현할 수 있는 에우다이모니아는 공동체 속에서 책임 있는 행동을 함으로써 얻게 되는 것이라고 하였다. 동생이 케이크를 먹는 행위는 책임 있는 행동으로 보기 어렵다.

❷ 4문단에서 관조의 삶을 통해 실현할 수 있는 에우다이모니아는 인간이 세계의 영원한 질서를 인식하게 됨으로써 얻을 수 있다고 하였다. 동생이 케이크를 먹지 않는다고 세계의 영원한 질서를 인식할 수 있는 것은 아니다.

❸ 4문단에서 관조란 감각적으로 포착할 수 없는 영원불변한 진리를 학문을 통해 바라보는 영혼의 활동으로, 이는 이성을 통해 이루어지며 인간에게 가장 궁극적인 에우다이모니아를 가져다준다고 하였다. 동생이 케이크를 좋아해서 많이 먹는 행위는 관조로 보기 어렵다.

❺ 2문단에서 감각적 향유로서의 에우다이모니아는 신체적 감각을 통한 향유가 이성의 테두리 안에서 이루어질 때 얻게 되는 것이라고 하였다. 동생이 다른 가족을 배려하여 케이크를 나누어 먹는다는 것은 이성의 테두리를 벗어나지 않은 감각적 향유로 볼 수 있다.

01 인문 주제어 _심리학

1단계 문맥으로 어휘 확인하기 | 본문 100쪽 |

(1) 상대적 (2) 이상 (3) 경직 (4) 입장 (5) 고정 관념
(6) 견해 (7) 추구 (8) 타파 (9) 신념 (10) 훈육

2단계 문제로 어휘 익히기 | 본문 101쪽 |

1 (1) ⓒ (2) ㉠ (3) ⓛ 2 (1) 고정 관념 (2) 경직 (3) 상대적 3 (1) 이상 (2) 입장 (3) 추구 4 ①

4 빈칸에는 입장이나 주장, 생각 등을 나타내는 단어가 들어가는 것이 적절하다. '견해'는 '어떤 사물이나 현상에 대한 자기의 의견이나 생각'을 의미하므로, 빈칸에 들어가기에 적절하다.

오답 풀이 ❷ '신념'은 '굳게 믿는 마음'이라는 뜻이다.

❸ '이상'은 '생각할 수 있는 범위 안에서 가장 완전하다고 여겨지는 상태'를 의미한다.

❹ '훈육'은 '품성이나 도덕 따위를 가르쳐 기름'이라는 뜻이다.

❺ '고정 관념'은 '잘 변하지 아니하는, 행동을 주로 결정하는 확고한 의식이나 관념'이라는 뜻이다.

02 인문 주제어 _윤리

1단계 문맥으로 어휘 확인하기 | 본문 102쪽 |

(1) 묵살 (2) 회피 (3) 적대시 (4) 방지 (5) 단절
(6) 방관 (7) 악순환 (8) 조정

2단계 문제로 어휘 익히기 | 본문 103쪽 |

1 (1) ㉠ (2) ⓒ (3) ⓛ 2 (1) 적대시 (2) 방지 (3) 묵살
3 (1) 악순환 (2) 조정 (3) 단절 4 ④

4 '방관'은 '어떤 일에 직접 나서서 관여하지 않고 곁에서 보기만 함'이라는 뜻으로, '참견하지 아니하고 앉아서 보기만 함'이라는 뜻의 '좌시'와 바꾸어 쓸 수 있다.

오답 풀이 ❶ '단절'은 '유대나 연관 관계를 끊음'의 의미이다.

❷ '방지'는 '어떤 일이나 현상이 일어나지 못하게 막음'의 의미이다.

❸ '조정'은 '분쟁을 중간에서 화해하게 하거나 서로 타협점을 찾아 합의하도록 함'의 의미이다.

❺ '적대시'는 '적으로 여겨 봄'의 의미이다.

3단계 독해로 어휘 다지기 | 본문 104~105쪽 |

1 ① 2 ⑤ 3 ①

[편견]

■ **해제** 이 글은 편견의 정의를 제시하고, 편견은 선천적으로 타고나는 것이 아니라 후천적으로 생기는 것임을 밝히고 있다. 이어서 편견이 발생하는 원인을 네 가지 측면에서 지적하고, 편견을 줄이기 위한 두 가지 방법을 언급하고 있다.

■주제 편견의 발생 원인과 감소 방법

■특징 • 편견의 개념과 함께, 편견이 미치는 부정적 영향에 대해 밝힘

• 편견이 발생하는 원인과, 편견을 줄이기 위한 방법을 병렬적으로 제시함

■구성

1문단 편견의 발생 원인 ①: 정치·경제적 갈등 또는 경쟁

2문단 편견의 발생 원인 ②: 전위된 공격

3문단 편견의 발생 원인 ③: 성격적인 원인

4문단 편견의 발생 원인 ④: 사회 규범에 대한 동조

5문단 편견을 줄이기 위한 방법 ①: 교육

6문단 편견을 줄이기 위한 방법 ②: 다른 집단과의 접촉

독해 체크

1 편견 2 **1** 갈등 **2** 전위 **3** 성격 **4** 동조 **5** 교육 **6** 접촉 3 원인

1 ㉠은 '사고방식, 태도, 분위기 따위가 부드럽지 못하여 융통성이 없고 엄격하게 되다.'라는 의미로, 이와 같은 의미로 쓰인 것은 ①이다.

오답 풀이 ②, ③, ④, ⑤ '몸 따위가 굳어서 뻣뻣하게 되다.'의 의미이다.

2 2문단에서 ⓐ '좌절한 사람'의 특징은 원인 제공자를 대신할 약한 존재를 공격하는 것임을 알 수 있다. 또한 3문단에서 ⓑ '권위주의 성격을 가진 사람'은 타인이 나약한 것을 참지 못하고, 타인에게 가혹하고 의심이 많음을 알 수 있다. 그러므로 이 둘의 공통점은 '약한 존재에 대해 부정적 태도를 보인다.'이다.

오답 풀이 ① 좌절의 원인을 공격하려 하는 것은 ⓐ만의 특징이고, ⓑ와는 관련이 없다.

② 외부의 자극과 관련이 있는 것은 ⓐ이고, ⓑ는 관련이 없다.

③ 자기 자신의 나약함을 참지 못하는 것은 ⓑ이고, ⓐ와는 관련이 없다.

④ 자신의 신념에 대한 확신이 강한 것은 ⓑ이다.

3 1문단에서 편견은 선천적으로 타고나는 것이 아니라 주로 학습의 결과로 발생한다고 하였다(ㄱ). 또한 3문단에서 개인적인 원인인 성격 때문에 편견을 가질 수 있다고 하였고, 4문단에서 집단적인 원인인 사회 규범에 대한 동조로 인하여 편견이 발생하기도 한다고 하였다(ㄴ).

오답 풀이 ㄷ. 이 글 전반에서 편견은 부정적인 것으로 설명하고 있으며, 원인에 따라 긍정적 편견과 부정적 편견으로 구분하고 있지 않다.

ㄹ. 1문단에서 편견은 자신이 아닌, 타인에 대한 부정적인 인식임을 알 수 있다.

수능독해 특강 체크 주제별로 알아보는 **한자 성어**

충, 효와 관련된 **한자 성어** | 본문 108~109쪽 |

01 위국충절 02 충군애국 03 견마지심 04 진충보국 05 반의지희 06 풍수지탄 07 ㉢ 08 ㉡ 09 ㉠ 10 ㉤ 11 ㉣ 12 일편단심

01~06

지	사	지	위	구	고	식	지	계
진	충	보	국	와	신	상	담	륵
위	편	삼	충	군	애	국	지	사
마	가	편	절	모	복	검	음	하
마	출	산	각	주	당	기	견	담
간	반	포	보	은	구	호	마	상
산	포	의	비	수	풍	수	지	탄
형	지	무	지	이	월	세	심	인
박	효	중	가	희	락	어	사	연

12 국어 시간에 '나의 꿈은 무엇인가?'에 대해 발표할 준비는 다 했냐는 예지의 질문에, 정국이는 자신은 진작 꿈을 정했으며 초등학교 때도 발표를 했었다고 말하고 있다. 따라서 빈칸에 들어갈 한자 성어는 한 조각의 붉은 마음이라는 뜻으로, 진심에서 우러나오는 변치 아니하는 마음을 이르는 말인 '일편단심'이 적절하다.

13일차 01 인문 주제어_역사

1단계 문맥으로 어휘 확인하기 | 본문 110쪽 |

(1) 동맹 (2) 문자 (3) 문화권, 교류 (4) 도입 (5) 기록 (6) 식민지 (7) 제도 (8) 정복

2단계 문제로 어휘 익히기 | 본문 111쪽 |

1 (1) ㉢ (2) ㉠ (3) ㉡ 2 (1) 동맹 (2) 도입 (3) 기록
3 (1) 식민지 (2) 교류 (3) 제도 4 ③

4 '문자'는 인간의 언어를 적는 데 사용하는 시각적인 기호 체계를 말한다. 인간은 시간적·공간적 제약이 있는 음성 언어의 한계를 극복하기 위하여 오랫동안 보존할 수 있고, 멀리 전달할 수 있는 문자 언어를 만들어 내었다.

오답 풀이 ❶ '기록'은 주로 후일에 남길 목적으로 어떤 사실을 적음. 또는 그런 글을 뜻한다.
❷ '도입'은 기술, 방법, 물자 따위를 끌어 들임을 뜻한다.
❹ '제도'는 관습이나 도덕, 법률 따위의 규범이나 사회 구조의 체계를 뜻한다.
❺ '문화권'은 공통된 특징을 보이는 어떤 문화가 지리적으로 분포하는 범위를 뜻한다.

13일차 02 인문 주제어_역사

1단계 문맥으로 어휘 확인하기 | 본문 112쪽 |

(1) 쇠퇴 (2) 군림 (3) 재건 (4) 건국 (5) 종묘 (6) 즉위, 개혁 (7) 반정, 축출, 묘호

2단계 문제로 어휘 익히기 | 본문 113쪽 |

1 (1) ㉠ (2) ㉢ (3) ㉡ 2 (1) 쇠퇴 (2) 재건 (3) 개혁
3 (1) 건국 (2) 즉위 (3) 축출 (4) 묘호 4 ①

4 두 문장의 빈칸에 공통적으로 들어갈 단어는 '군림'이다. '군림'은 첫 번째 문장에서는 '어떤 분야에서 절대적인 세력을 가지고 남을 압도함을 비유적으로 이르는 말'의 뜻으로, 두 번째 문장에서는 '임금으로서 나라를 거느려 다스림'의 뜻으로 사용되었다.

오답 풀이 ❷ '쇠퇴'는 '기세나 상태가 쇠하여 전보다 못하여 감'이라는 뜻이다.
❸ '재건'은 '허물어진 건물이나 조직 따위를 다시 일으켜 세움' 또는 '없어지거나 쇠퇴한 이념이나 사상 따위를 다시 일으켜 세움'이라는 뜻이다.
❹ '즉위'는 '임금이 될 사람이 예식을 치른 뒤 임금의 자리에 오름'이라는 뜻이다.
❺ '축출'은 '쫓아내거나 몰아냄'이라는 뜻이다.

3단계 독해로 어휘 다지기 | 본문 114~115쪽 |

1 ③ 2 ⑤ 3 ⑤

[조선 국왕의 묘호]

■ 해제 이 글은 임금이 죽은 후에 신주를 모시는 종묘의 사당에 붙인 칭호인 묘호에 대해 설명한 글이다. 묘호의 개념과 묘호를 붙이는 기준을 먼저 밝힌 후, 조선의 역대 임금들의 묘호가 개정된 사례, 왕이었으나 묘호를 받지 못한 사례, 사후에 왕으로 추존되어 묘호를 받은 사례 등을 제시하여 독자가 묘호에 대해 쉽게 이해할 수 있도록 하고 있다.

■ 주제 묘호의 개념과 다양한 관련 사례

■ 특징
- 도입부에서 대상의 개념을 풀이하고, 그 배경을 설명함
- 대상과 관련된 다양하고 구체적인 사례를 제시하여 독자의 이해를 도움

■ 구성

1문단 묘호의 개념
2문단 묘호에 '조'와 '종'을 붙이는 원칙
3문단 묘호에 '조'와 '종'을 붙이는 다른 경우
4문단 묘호를 후에 개정한 사례
5문단 왕이었으나 묘호를 받지 못한 사례
6문단 사후에 왕으로 추존되어 묘호를 받은 사례

독해 체크

1 묘호 2 1 개념 2 조, 종 3 조, 종 4 개정 5 왕 6 추존 3 묘호

1 ㉠ '반정'은 '옳지 못한 임금을 폐위하고 새 임금을 세워 나라를 바로잡음. 또는 그런 일'이라는 의미로, 왕이 바뀐 ③의 '반정'과 그 의미가 가장 유사하다.

오답 풀이 ❶ '난리를 진압하여 태평한 세상을 만듦'이라는 뜻이다.
❷ '본래의 바른 상태로 돌아감. 또는 그 상태로 돌아가게 함'이라는 뜻이다.
❹ '반발하거나 싫어하는 마음'이라는 뜻이다.
❺ '화산암이나 반심성암(半深成巖)에서, 작은 알갱이 모양 결정의 집합 속이나 유리질 속에 흩어져 있는 반점 모양의 비교적 큰 결정'이라는 뜻이다.

2 1문단에서 묘호의 개념을 소개하고 있으며, 4~6문단에서 묘호를 후에 개정한 사례, 왕이었으나 묘호를 받지 못한 사례, 사후에 왕으로 추존되어 묘호를 받은 사례 등을 제시하고 있다.

오답 풀이 ❶ '통시적 관점'이란 한 대상의 변천 과정 등을 시간의 흐름에 따라 살피는 것을 말한다. 이 글은 묘호의 개념과 원칙, 관련 사례 등을 설명하고 있을 뿐, 시간의 흐름에 따라 내용을 전개하고 있지 않다.
❷ 이 글에 전문가의 말을 인용한 부분은 나타나 있지 않다.
❸ 이 글은 기존의 이론에 대해 반론을 제시하고 있지 않으며, 대상을 비교하고 있지도 않다.
❹ 이 글은 통념을 제시하고 있지 않으며, 문헌 역시 제시하고 있지 않다.

3 5문단의 '연산군과 광해군은 반정으로 축출되고 죽은 후 종묘에 들어가지 못하였기 때문에 당연히 묘호가 없습니다.'로 볼 때, 연산군과 광해군은 묘호를 빼앗긴 것이 아니라 종묘에 들어가지 못하여 애초에 묘호를 받지 못한 것이다.

오답 풀이 ❶ 2문단의 '원칙적으로 창업 개국한 왕과 그의 4대조(四代祖)까지만 '할아비 조(祖)'를 붙이고'로 볼 때, 태조는 조선을 건국한 왕이기 때문에 묘호에 '조(祖)'가 붙은 것이다.
❷ 3문단의 '공이 많은지 덕이 많은지 판단하는 것은 그야말로 주관적인 것이므로 묘호를 정할 때의 의논에 좌우되기 마련입니다.'로 볼 때, 묘호를 붙이는 과정은 제도에 따라 합리적으로 이루어지지는 않았다.
❸ 1문단의 '태조, 태종, 세종, 세조, 성종, 선조와 같은 호칭은 사실 왕들의 이름이 아닙니다. 이는 임금들이 죽은 후에 신주를 모시는 종묘의 사당에 붙인 칭호이기 때문에 묘호라고 합니다.'로 볼 때, 묘호는 왕의 이름이 아니라 왕의 사후에 신주를 모시는 종묘의 사당에 붙인 칭호임을 알 수 있다.
❹ 1문단의 '임금들이 죽은 후에 신주를 모시는 종묘의 사당에 붙인 칭호이기 때문에 묘호라고 합니다.'로 볼 때, 생전에 왕으로 즉위하지 않았던 덕종에게 묘호가 주어졌다는 것은 그가 사후에 종묘에 모셔졌음을 의미한다.

14일차 01 사회 주제어 _ 사회 문화

1단계 문맥으로 어휘 확인하기 | 본문 116쪽 |

(1) 복지 (2) 안전망 (3) 산업화, 도시화(도시화, 산업화) (4) 자유 경쟁, 빈부 격차 (5) 사회 변동 (6) 재분배 (7) 가속화

2단계 문제로 어휘 익히기 | 본문 117쪽 |

1 (1) ㉡ (2) ㉠ (3) ㉢ 2 (1) 사회 변동 (2) 자유 경쟁 (3) 빈부 격차 3 (1) 안전망 (2) 복지 (3) 가속화 4 ⑤

4 '안전망'은 빌딩같이 높은 곳에서 일하는 사람의 안전이나 그 밑을 지나는 사람의 안전을 위하여 치는 그물을 의미하는 말로, 이 글의 내용처럼 사회적 위험으로부터 국민을 보호하는 제도적 장치를 일컬어 '사회 안전망'이라고 한다.

오답 풀이 ❶ '복지'는 '행복한 삶', '좋은 건강, 윤택한 생활, 안락한 환경이 어우러져 행복을 누릴 수 있는 상태가 보장되는 것'이라는 뜻이다.
❷ '가속화'는 '속도를 더하게 됨. 또는 그렇게 함'이라는 뜻이다.
❸ '도시화'는 '도시의 문화 형태가 도시 이외의 지역으로 발전·확대됨. 또는 그렇게 만듦'이라는 뜻이다.
❹ '산업화'는 '산업의 형태가 됨. 또는 그렇게 되게 함'이라는 뜻이다.

14일차 02 사회 주제어 _ 사회 문화

1단계 문맥으로 어휘 확인하기 | 본문 118쪽 |

(1) 권익 (2) 신장 (3) 불평등 (4) 공정 (5) 침범 (6) 보장 (7) 배려 (8) 기부 (9) 사회적 약자

2단계 문제로 어휘 익히기 | 본문 119쪽 |

1 (1) ㉠ (2) ㉢ (3) ㉡ 2 (1) 기부 (2) 불평등 (3) 약자 3 (1) 공정 (2) 신장 (3) 보장 4 ③

4 '배려'는 도와주거나 보살펴 주려고 마음을 씀을 의미하는 말로, 이 글의 내용처럼 사회 제도의 도움이나 보살핌이 필요한 계층을 일컬어 '사회적 배려 대상자'라고 한다.

오답 풀이 ❶ '권익'은 '권리와 그에 따르는 이익'이라는 뜻이다.
❷ '기부'는 '자선 사업이나 공공사업을 돕기 위하여 돈이나 물건 따위를 대가 없이 내놓음'이라는 뜻이다.
❹ '보장'은 '어떤 일이 어려움 없이 이루어지도록 조건을 마련하여 보증하거나 보호함'이라는 뜻이다.
❺ '불평등'은 '차별이 있어 고르지 아니함'이라는 뜻이다.

3단계 독해로 어휘 다지기 | 본문 120~121쪽 |

1 ② 2 ③ 3 ①

[정의로운 사회에 대한 노직과 롤스의 견해]

■ **해제** 이 글은 정의로운 사회에 대해 서로 다른 견해를 보인 철학자 노직과 롤스의 입장에 대해 제시하고 있다. 노직은 개인의 모든 자유가 보장되는 것을 정의로운 사회로 여기고 개인의 소유에 대한 국가의 개입을 부정적으로 인식하지만, 자발적 기부에 대해서는 인정하였다. 한편, 롤스는 개인의 자유를 중시한다는 점에서는 노직과 입장이 같지만, 사회적 약자를 배려하는 사회가 정의롭다고 여기고 국가의 개입인 복지를 통해 불평등을 보완해야 한다고 보는 점에서 차이가 있다.

■ **주제** 정의로운 사회에 대한 노직과 롤스의 견해 차이

■ **특징** • 정의로운 사회에 대해 상반된 견해를 보이는 두 철학자의 입장을 비교하여 설명함
• 롤스의 주장이 소수의 권익과 복지 국가에 대한 이론 수립에 미친 영향을 제시함

■ **구성**

1문단 '정의로운 사회란 무엇일까?'라는 논제 제시
↓
2문단 정의로운 사회에 대한 노직의 견해
↓
3문단 정의로운 사회에 대한 롤스의 견해
↓
4문단 노직의 견해와 롤스의 견해의 공통점과 차이점

독해 체크

1 정의　2 **1** 논제 **2** 노직 **3** 롤스 **4** 공통점, 차이점
3 견해

1 ㉠ '공정하고'는 '공평하고 올바르고'라는 뜻이므로, '이치에 맞아 올바르고 마땅하고'라는 뜻의 '정당하고'와 바꾸어 쓰는 것이 가장 자연스럽다.

오답 풀이 ❶ '당연하고'는 '일의 앞뒤 사정을 놓고 볼 때 마땅히 그러하고'의 의미이다.
❸ '슬기롭고'는 '사리를 바르게 판단하고 일을 잘 처리해 내는 재능이 있고'의 의미이다.
❹ '만족스럽고'는 '매우 만족할 만한 데가 있고'의 의미이다.
❺ '안정적이고'는 '바뀌어 달라지지 아니하고 일정한 상태를 유지하게 되고'의 의미이다.

2 이 글은 1문단에서 논제('정의로운 사회란 무엇일까?')를 제시하고, 2문단과 3문단에서 논제에 대한 노직과 놀스의 견해를 각각 서술한 뒤, 4문단에서 노직의 견해와 롤스의 견해의 공통점과 차이점을 언급하고 있다. 따라서 이 글은 하나의 논점에 대한 두 견해를 소개하면서 비교하고 있다고 볼 수 있다.

오답 풀이 ❶ 이 글은 논제에 대한 노직과 롤스의 견해를 서술하고 있을 뿐, 예상되는 반론을 반박하여 글쓴이의 주장을 강화하고 있지 않다.
❷ 이 글은 '정의로운 사회란 무엇일까?'라는 하나의 논제에 대해서만 이야기하고 있으며, 새로운 문제를 제기하고 있지 않다.
❹ 롤스의 주장이 지닌 의의를 밝히고는 있으나, 노직이 주장한 견해의 장점은 제시되어 있지 않다. 또한 두 견해를 절충하고 있지도 않다.
❺ 이론이 등장한 시대적 상황은 물론, 구체적인 자료 역시 제시되어 있지 않다.

3 2문단에서 노직은 '빈부 격차를 해소하기 위한 사람들의 자발적 기부에 대해서는 인정한다.'라고 하였으므로, 노직이 기부하는 행동 자체를 반대할 것이라고는 볼 수 없다.

오답 풀이 ❷ 2문단에서 노직은 '국가의 간섭에 의한 재분배 시도에 대해서는 강력하게 반대한다.'라고 하였으므로, 노직이 복지법 제정에 반대할 것으로 볼 수 있다.
❸, ❹ 3문단의 '자발적 기부나 사회적 제도를 통해 사회적 약자의 처지를 최대한 배려하는 것이 사회 전체로 볼 때 공정하고 정의로운 것이기 때문이다.'로 볼 때, 롤스가 복지법의 제정이나 ○○○ 선수의 기부에 대해 정의롭다고 여길 것임을 알 수 있다.
❺ 4문단의 '노직과 롤스는 이윤 추구나 자유 경쟁 등을 허용한다는 면에서는 공통점을 보인다.'로 볼 때, 두 사람 모두 ○○○ 선수가 자유 경쟁을 통해 경제적 이익을 얻은 것은 인정할 것이다.

수능독해 특강 체크 주제별로 알아보는 속담

협동과 관련된 속담 | 본문 124~125쪽 |

01 ㉣　02 ㉤　03 ㉠　04 ㉥　05 ㉡　06 ㉢
07 세 사람만 우겨 대면 없는 호랑이도 만들어 낼 수 있다
08 백지장, ㉠　09 손, ㉣　10 도둑질, ㉡　11 밥, ㉢
12 공중에 나는 기러기도 길잡이는 한 놈이 한다

07 밑줄 친 내용은 전혀 사실이 아닌 내용임에도 여러 사람 사이에서 소문이 나자 마치 사실처럼 여겨진 사례이다. 이에 해당하는 속담으로는 여럿이 떠들어 소문내면 사실이 아닌 것도 사실처럼 됨을 비유적으로 이르는 말인 '세 사람만 우겨 대면 없는 호랑이도 만들어 낼 수 있다'가 적절하다.

12 예지는 공모전을 준비하는 정국이 친구들과 의견을 모으지 못해 고민이라는 이야기를 듣고 정국에게 길잡이가 되어 보는 건 어떤지 조언하고 있다. 따라서 빈칸에는 무슨 일을 하든지 오직 한 사람의 지휘자가 이끌고 나가야지 여러 사람들이 제각기 나서서 길잡이 노릇을 하려고 해서는 안 된다는 말인 '공중에 나는 기러기도 길잡이는 한 놈이 한다'가 적절하다.

15일차 01 사회 주제어_경제

1단계 문맥으로 어휘 확인하기 | 본문 126쪽 |

(1) 시장 (2) 수익, 흑자 (3) 독과점 (4) 창출 (5) 수요, 공급 (6) 적자

2단계 문제로 어휘 익히기 | 본문 127쪽 |

1 (1) ㉡ (2) ㉠ (3) ㉢ 2 (1) 독과점 (2) 수요 (3) 수익
3 (1) 공급 (2) 흑자 (3) 창출 4 ④

4 '결손액'은 지출이 수입보다 많아 생긴 계산상의 손실 금액을 의미한다. 이와 바꾸어 쓸 수 있는 단어는 지출이 수입보다 많아서 생기는 결손액을 의미하는 '적자'이다.

오답 풀이 ❶ '공급'은 교환하거나 판매하기 위하여 시장에 재화나 노동을 제공하는 일, 또는 그 제공된 상품의 양을 의미한다.
❷ '수요'는 어떤 재화나 노동을 일정한 가격으로 사려고 하는 욕구를 의미한다.
❸ '수익'은 기업이 경제 활동의 대가로서 얻은 경제 가치를 의미한다.
❺ '흑자'는 수입이 지출보다 많아 잉여 이익이 생기는 일을 의미한다.

15일차 02 사회 주제어_경제

1단계 문맥으로 어휘 확인하기 | 본문 128쪽 |

(1) 투자 (2) 분업, 절감 (3) 할애 (4) 기회비용 (5) 증대 (6) 비약적 (7) 벤치마킹 (8) 생산비, 간접 비용

2단계 문제로 어휘 익히기 | 본문 129쪽 |

1 (1) ㉠ (2) ㉢ (3) ㉡ 2 (1) 투자 (2) 비약적 (3) 분업
3 (1) 벤치마킹 (2) 기회비용 4 ①

4 ㉠ '생산비'는 물질적 재화를 생산하는 데 드는 비용을 통틀어 이르는 말이다. '기회비용'은 한 품목의 생산이 다른 품목의 생산 기회를 놓치게 한다는 관점에서, 어떤 품목의 생산 비용을 그것 때문에 생산을 포기한 품목의 가격으로 계산한 것을 의미하므로, ㉠과 바꾸어 쓰기에 적절하지 않다.

오답 풀이 ❷ '절감하기'는 '아끼어 줄이기'를 의미하므로, ㉡의 '줄이기'와 바꾸어 쓸 수 있다.
❸ '투자하는'은 '이익을 얻기 위하여 어떤 일이나 사업에 자본을 대거나 시간이나 정성을 쏟는'을 의미하므로, ㉢의 '쓰는'과 바꾸어 쓸 수 있다.
❹ '비약적으로'는 '지위나 수준 따위가 갑자기 빠른 속도로 높아지거나 향상되게'를 의미하므로, ㉣의 '눈에 띄게'와 바꾸어 쓸 수 있다.
❺ '증대하였다'는 '양이 많아지거나 규모가 커졌다.' 또는 '양을 늘리거나 규모를 크게 하였다.'를 의미하므로, ㉤의 '늘었다'와 바꾸어 쓸 수 있다.

3단계 독해로 어휘 다지기 | 본문 130~131쪽 |

1 ⑤ 2 ④ 3 ①

[블루 오션]

■ **해제** 솔레이유의 성공 사례를 바탕으로 레드 오션과 블루 오션의 개념과 특징을 대조하여 설명하고, 블루 오션을 창출해야 하는 이유와 블루 오션을 창출하기 위한 요건을 안내하는 글이다.

■ **주제** 블루 오션의 개념과 특징 및 블루 오션 창출의 필요성

■ **특징**
- 설명하는 내용과 관련된 사례를 제시하여 독자의 흥미를 유발함
- 대조의 설명 방식을 활용하고, 주요 용어의 의미를 정의하여 독자의 이해를 도움

■ **구성**

1문단 솔레이유의 성공
↓
2문단 레드 오션과 블루 오션의 개념과 특징
↓
3문단 레드 오션의 한계 및 블루 오션 창출의 이유와 요건
↓
4문단 블루 오션 창출의 촉구

독해 체크

1 블루 오션 2 **1** 솔레이유 **2** 레드 오션 **3** 한계, 창출 **4** 블루 오션 3 블루 오션

1 ㉤ '절감'은 아끼어 줄임을 의미하지만, ⑤의 '절감'은 절실히 느낌을 의미한다. 따라서 ⑤는 ㉤을 활용하여 만든 문장에 해당하지 않는다.

오답 풀이 ❶ ㉠ '시장'과 ①의 '시장'은 모두 상품으로서의 재화와 서비스의 거래가 이루어지는 추상적인 영역을 의미한다.
❷ ㉡ '수익'과 ②의 '수익'은 모두 기업이 경제 활동의 대가로서 얻은 경제 가치를 의미한다.
❸ ㉢ '창출'과 ③의 '창출'은 모두 전에 없던 것을 처음으로 생각하여 지어내거나 만들어 냄을 의미한다.
❹ ㉣ '공급'과 ④의 '공급'은 모두 교환하거나 판매하기 위하여 시장에 재화나 노동을 제공하는 일, 또는 그 제공된 상품의 양을 의미한다.

2 ⓐ '레드 오션'에서 기업은 기존의 수요를 제거하는 것이 아니라, 기존 수요에서 보다 큰 점유율을 얻고자 한다. 반면에 ⓑ '블루 오션'에서 기업은 새로운 수요를 창출하고자 한다.

오답 풀이 ❶, ❷ 2문단에서 ⓐ '레드 오션'은 존재하는 모든 산업을 뜻하며 이미 세상에 알려진 시장 공간인 반면에, ⓑ '블루 오션'은 현재 존재하지 않는 모든 산업을 나타내는 미지의 시장 공간이라고 하였다.

❸ 2문단에서 ⓐ '레드 오션'에서는 산업 간의 경계선이 명확하게 그어져 있는 반면에, ⓑ '블루 오션'은 기존 산업의 경계선 밖에서 완전히 새롭게 창출되거나 기존 산업을 확장하여 만들기도 한다고 하였다.

❺ 2문단에서 ⓐ '레드 오션'에서는 시장 참가자 수가 늘어남에 따라 수익과 성장에 대한 기대치가 낮아지는 반면에, ⓑ '블루 오션'은 새로운 수요 창출과 고수익 성장을 향한 기회로 정의된다고 하였다.

3 4문단에서 '블루 오션이란 용어는 분명 새로운 것이지만 블루 오션 자체가 과거에 존재하지 않았던 것은 아니다.'라고 하였다. 따라서 블루 오션은 21세기에 새롭게 등장한 경영 전략이라는 반응은 적절하지 않다.

오답 풀이 ❷ 솔레이유의 사례처럼 레드 오션도 패러다임 전환을 통해 블루 오션으로 전환될 수 있다.

❸, ❹ 블루 오션도 시간이 지나면 경쟁 기업이 생겨나게 되고, 점차 경쟁이 심해지면서 레드 오션으로 바뀔 수 있다. 따라서 변화하는 시대의 흐름을 읽지 못하면 블루 오션도 외면당할 수 있다.

❺ 블루 오션은 경쟁 기업이 없기 때문에 초기에는 해당 영역의 시장을 독차지할 수 있다.

16일차 01 사회 주제어 _법률

1단계 문맥으로 어휘 확인하기 | 본문 132쪽 |

(1) 민감 (2) 개입 (3) 사회 보장 (4) 공공복리 (5) 기본권, 침해 (6) 탄핵, 합의, 철회

2단계 문제로 어휘 익히기 | 본문 133쪽 |

1 (1) ㉢ (2) ㉠ (3) ㉡ 2 (1) 민감 (2) 합의 (3) 침해
3 (1) 개입 (2) 철회 4 ⑤

4 사회적 위험으로부터 국민을 보호하고 국민의 삶의 질을 유지, 향상시키기 위해 제공되는 사회 보험, 공공 부조, 사회 복지 서비스 및 관련 복지 제도를 통틀어 이르는 말은 '사회 보장'이다.

오답 풀이 ❶ '탄핵'은 보통의 징계 절차를 거쳐 관직을 빼앗을 수 없거나 검찰 기관에 의한 소추가 곤란한 대통령·국무 위원·법관 등의 고위 공무원을 국회에서 의견을 정하여 자격을 빼앗거나 처벌하는 일을 뜻한다.

❷ '합의'는 둘 이상의 당사자의 의사가 일치함. 또는 그런 일을 뜻한다.

❸ '기본권'은 국민이 누릴 수 있는 기본적인 권리를 뜻한다.

❹ '공공복리'는 사회 구성원 전체에 두루 관계되는 복지나 이익을 뜻한다.

16일차 02 사회 주제어 _법률

1단계 문맥으로 어휘 확인하기 | 본문 134쪽 |

(1) 형법 (2) 형벌 (3) 피고인 (4) 고소 (5) 관습법
(6) 무죄, 유죄 (7) 대등 (8) 민사, 형사

2단계 문제로 어휘 익히기 | 본문 135쪽 |

1 (1) ㉠ (2) ㉡ (3) ㉢ 2 (1) 대등 (2) 고소 (3) 피고인
3 (1) 민사 재판 (2) 형사 재판 (3) 무죄 4 ②

4 '벌금'은 범죄를 저지른 책임을 물어 일정 금액의 돈을 납부하는, 일종의 처벌에 해당한다. 이와 가장 관련 있는 단어는 국가가 범죄를 저지른 사람에게 범죄의 책임을 전제로 부과하는, 법률상의 처벌이나 금지를 의미하는 '형벌'이다.

오답 풀이 ❶ '유죄'는 잘못이나 죄가 있음을 의미한다.

❸ '형법'은 범죄와 형벌에 관한 법률 체계로, 어떤 행위가 처벌되고 그 처벌은 어느 정도이며 어떤 종류의 것인가를 규정하는 것이다.

❹ '관습법'은 사회생활에서 습관이나 관행이 굳어져서 법의 효력을 갖게 된 것을 의미한다.

❺ '민사 재판'은 개인 사이의 경제적·신분적 생활 관계에 관한 사건을 다루는 재판을 의미한다.

3단계 독해로 어휘 다지기 | 본문 136~137쪽 |

1 ⑤ 2 ④ 3 ②

[법의 적용]

■ **해제** 이 글은 '법률적 삼단 논법'을 바탕으로, 추상적인 규정인 법이 구체적인 사건에 어떻게 적용되는가에 대해 예를 들어 설명한 글이다. 사건에 적용할 수 있는 적당한 법 규정을 찾아내기 어려운 이유와, 이로 인해 판결에 차이가 생기는 형사 재판과 민사 재판을 설명하고 있다.

■ **주제** 법을 사건에 적용하는 과정과, 적당한 법 규정이 없을 경우 형사 재판과 민사 재판의 판결

■ 특징 • '법률적 삼단 논법'의 개념을, 노트북 컴퓨터의 절도 사건을 예로 들어 설명함
• 적당한 법 규정이 없을 경우, 형사 재판과 민사 재판에서의 판결의 차이를 이해하기 쉽게 설명함

■ 구성

1문단 '법률적 삼단 논법'의 개념
↓
2문단 '법률적 삼단 논법'을 통한 법 적용의 예
↓
3문단 사건에 적용할 수 있는 적당한 법 규정을 찾아내기 어려운 이유
↓
4문단 적당한 법 규정이 없을 경우, 형사 재판에서의 판결
↓
5문단 적당한 법 규정이 없을 경우, 민사 재판에서의 판결

감상 체크

1 법　2 1 삼단 논법 2 적용 3 사건 4 형사 5 민사
3 법, 판결

1 ㉠은 범죄 사실을 법률 수사 기관에 신고하여 법적 처리를 구한다는 의미로, 이와 같은 의미로 쓰인 것은 ⑤이다.

오답 풀이 ❶ 옛 둥우리라는 뜻으로, 낡은 옛집을 이르는 말이다.
❷ 높은 곳을 의미하는 말이다.
❸ 볶은 깨, 참기름 따위에서 나는 맛이나 냄새와 같다는 의미이다.
❹ 어이가 없거나 마지못하여 짓는 웃음이라는 의미이다.

2 ⓐ와 ⓑ가 서로 다른 주장을 하게 된 것은 B의 행위에 대한 해석이 달랐기 때문이다. ⓐ는 B가 A의 노트북 컴퓨터를 훔쳐 간 것으로 판단한 반면, ⓑ는 B가 A의 노트북 컴퓨터를 잠시 빌려 간 것이라고 판단하였다. 즉, 현실의 구체적인 사건에 해당하는 소전제를 서로 다르게 본 것이다.

오답 풀이 ❶, ❷ ⓐ와 ⓑ는 모두 법률적 삼단 논법을 사용하였다.
❸ ⓐ와 ⓑ 모두 동일한 법 규정을 세운 뒤 사건을 대응시키고 있으므로 대전제는 같게 보고 있다.
❺ ⓐ는 자신이 세운 대전제인 '절도죄를 규정한 형법 규정'을, A의 노트북을 몰래 가져가서 사용한 B의 사건에 적용한 뒤 B가 형벌을 받아야 한다는 결론을 내리고 있다.

3 민사 재판에 대해 설명하고 있는 5문단의 '법 규정 찾기에 실패해도 관습법이나 건전한 상식을 기준으로 판결을 내리는 것이다.'를 통해 확인할 수 있다.

오답 풀이 ❶ 4문단의 '국가와 국민이라는 관계를 기반으로 하는 형법에서는'을 통해 확인할 수 있다.
❸ 3문단에서는 어떤 사건에 적용할 수 있는 적당한 법 규정을 찾아내기 어려운 이유에 대해 '기존의 법 규정도 수시로 개정되고, 새로운 법 규정도 계속 만들어지고 있기 때문이다.'라고 하였다. 이를 통해 어떤 사건이 발생하였을 때 적용할 수 있는 법 규정은 시간이 지나면 바뀔 수도 있음을 알 수 있다.
❹ 4문단의 '형사 재판에서는 어떠한 사건에 적용할 수 있는 적당한 법 규정이 발견되지 않으면 법관은 법 규정의 적용을 포기하고 피고인에게 무죄를 선고해야 한다.'를 통해 확인할 수 있다.
❺ 5문단에서는 '기본적으로 대등한 두 당사자를 대상으로 하는 민사 재판에서는 ~ 손해와 이익을 공평하게 조정하려고 노력한다.'라고 하였다. 따라서 대등한 두 당사자를 대상으로 손해와 이익을 공평하게 조정하는 것은 형사 재판이 아닌, 민사 재판임을 알 수 있다.

수능독해 특강 체크 주제별로 알아보는 한자 성어

학문, 노력과 관련된 한자 성어 | 본문 140~141쪽 |

01 불철주야　02 우공이산　03 주경야독　04 분골쇄신
05 절차탁마　06 형설지공　07 ㉣　08 ㉠　09 ㉤
10 ㉢　11 ㉡　12 칠전팔기

01~06

장	삼	이	사	전	대	문	규	능
난	제	부	우	수	불	석	권	한
형	설	지	공	자	강	불	식	비
난	상	불	이	불	철	주	야	어
제	가	식	산	형	위	경	간	등
칠	상	부	팔	분	편	야	절	화
불	로	장	생	후	골	독	차	가
전	절	차	탁	마	삼	쇄	탁	친
미	우	공	지	혜	절	기	신	과

12 정국이는 기타 연습을 하면서 여러 번 실패해도 한 곡은 반드시 완주하고 싶다고 말하고 있다. 이와 같은 태도는 일곱 번 넘어지고 여덟 번 일어난다는 뜻으로, 여러 번 실패하여도 굴하지 아니하고 꾸준히 노력함을 이르는 말인 '칠전팔기(七顚八起)'의 자세로 볼 수 있다.

17일차 01 과학 주제어 _ 과학 일반

1단계 문맥으로 어휘 확인하기 | 본문 142쪽 |

(1) 분포 (2) 실험 (3) 조사 (4) 사례 (5) 통계 (6) 표본 (7) 가설 (8) 검증

2단계 문제로 어휘 익히기 | 본문 143쪽 |

1 (1) ㉢ (2) ㉠ (3) ㉡ (4) ㉣ 2 (1) 검증 (2) 실험 (3) 가설 (4) 조사 3 (1) 통계 (2) 분포 4 ⑤

4 두 문장의 빈칸에 공통적으로 들어갈 단어는 '표본'이다. '표본'은 첫 번째 문장에서는 '본보기로 삼을 만한 것'의 뜻으로, 두 번째 문장에서는 '여러 통계 자료를 포함하는 집단 속에서 그 일부를 뽑아내어 조사한 결과로써 본디의 집단의 성질을 추측할 수 있는 통계 자료'의 뜻으로 사용되었다.

오답 풀이 ❶ '가설'은 어떤 사실을 설명하거나 어떤 이론 체계를 연역하기 위하여 설정한 가정을 뜻한다.
❷ '검증'은 검사하여 증명함을 뜻한다.
❸ '사례'는 어떤 일이 전에 실제로 일어난 예를 뜻한다.
❹ '통계'는 어떤 현상을 종합적으로 한눈에 알아보기 쉽게 일정한 체계에 따라 숫자로 나타냄을 뜻한다.

17일차 02 과학 주제어 _ 지구 과학

1단계 문맥으로 어휘 확인하기 | 본문 144쪽 |

(1) 분화구 (2) 화산대 (3) 지진대 (4) 풍화 작용 (5) 지질학 (6) 지표, 침식 (7) 지각 (8) 암석 (9) 화산 활동

2단계 문제로 어휘 익히기 | 본문 145쪽 |

1 (1) ㉡ (2) ㉠ (3) ㉣ (4) ㉢ 2 (1) 지질학 (2) 지각 (3) 분화구 3 (1) 암석 (2) 지진대 4 ④

4 제시된 글은 지표를 구성하는 암석이 햇빛, 공기, 물, 생물 따위의 작용으로 점차로 파괴되거나 분해되는 일을 의미하는 '풍화 작용'에 대한 설명이다.

오답 풀이 ❶ '지각'은 지구의 바깥쪽을 차지하는 부분을 뜻한다.
❷ '분화구'는 화산체의 일부에 열려 있는 용암과 화산 가스 따위의 분출구를 뜻한다.
❸ '지진대'는 지진이 자주 일어나거나 일어나기 쉬운 지역을 뜻한다.
❺ '화산 활동'은 땅속 깊은 곳에 있는 마그마가 지표 또는 지표 가까이에서 일으키는 여러 가지 작용을 뜻한다.

3단계 독해로 어휘 다지기 | 본문 146~147쪽 |

1 ② 2 ⑤ 3 ⑤

[지구의 충돌구]

■ **해제** 이 글은 지구 표면에 있는 충돌구의 수가 달에 비해 적은 원인을 설명하고 있다. 소행성이나 혜성이 지구로 떨어질 때 이를 튕겨 내거나 마찰을 통해 크기나 속도를 줄이는 대기의 역할과, 충돌체가 바다로 떨어질 경우 충격을 완화하는 바닷물의 역할을 제시하였고, 보다 핵심적인 이유로 충돌구를 사라지게 하는 여러 지질 활동 중에서도 판의 이동을 제시하고 있다.

■ **주제** 지구의 충돌구의 수가 달에 비해 적은 이유

■ **특징** • 질문을 통해 독자의 호기심을 유발함
• 특정 현상을 제시하고 그 원인을 다양한 측면에서 분석하여 설명함

■ **구성**

1문단 달에 비해 충돌구의 수가 훨씬 적은 지구
↓
2문단 지구의 충돌구 수가 적은 이유 ①: 대기
↓
3문단 지구의 충돌구 수가 적은 이유 ②: 바다
↓
4문단 지구의 충돌구 수가 적은 이유 ③: 지질 활동
↓
5문단 지구 표면의 충돌구를 사라지게 하는 판의 이동
↓
6문단 바다 밑바닥의 충돌구를 사라지게 하는 판의 이동

독해 체크

1 충돌구 2 **1** 달 **2** 대기 **3** 바다 **4** 지질 활동 **5** 지구 표면 **6** 바다 밑바닥 3 적은

1 ㉡ '지질학'은 지구와 그 주위의 지구형 행성을 연구하는 학문이다. 지표상에서 일어나는 자연 및 인문 현상을 지역적 관점에서 연구하는 학문은 '지리학'이다.

오답 풀이 ❶ '분화구'의 사전적 의미로 적절하다.
❸ '풍화 작용'의 사전적 의미로 적절하다.
❹ '화산 활동'의 사전적 의미로 적절하다.
❺ '지각'의 사전적 의미로 적절하다.

2 소행성이나 혜성 등이 태양계 행성과 충돌하는 빈도수가 감소하였다는 내용은 이 글에 제시되어 있지 않다. 또한 소행성이나 혜성 등이 태양계 행성과 충돌하는 빈도수가 감소하는 것은 태양계 행성 전체에 영향을 미치는 것이지 지구에만 영향을 미치는 것은 아니므로, 이를 달에 비해 지구에 있는 충돌구의 수가 적은 원인으로 보기 어렵다.

오답 풀이 ❶, ❸ 4문단에서 지구에서 충돌구를 사라지게 하는 지질 활동으로는 비, 바람 등에 의한 풍화 작용, 화산 활동 등이 있다고 하였다.

❷ 6문단에서 해양 지각은 판의 이동에 따라 서서히 이동을 하다 대륙을 만나 맨틀 속으로 사라지므로, 바다 밑바닥에 충돌구가 만들어진다 하더라도 시간이 흐르면 충돌구는 이 해양 지각과 함께 사라지게 된다고 하였다.

❹ 2문단에서 크기가 크지 않은 소행성이나 혜성이 지구 대기권에 수평에 가까운 각도로 접근할 경우에는 지구의 대기권에 진입조차 하지 못하고 튕겨져 나가며, 소행성이나 혜성이 매우 크거나 단단해서 대기권에 진입하더라도 대기와의 마찰로 인해 타 버리거나 속도가 줄어 지구 표면에 생기는 충돌구의 수나 크기는 감소한다고 하였다.

3 3문단에서 바다에 떨어진 소행성이나 혜성은 바다 밑바닥에 그 흔적을 미미하게 남길 수 있다고 하였으며, 6문단에서 바다의 밑바닥에 생긴 충돌구 역시 판의 이동에 의해 사라진다고 하였다. 이를 통해 지구의 충돌구는 지구 표면에만 존재하는 것이 아니라, 바다 밑바닥에도 존재함을 알 수 있다.

오답 풀이 ❶ 2문단에서 지구의 대기권에 진입한 소행성이나 혜성은 대기와의 마찰로 인해 타 버리거나 속도가 줄어 지구 표면에 생기는 충돌구의 수나 크기가 감소한다고 하였으므로, 지구보다 충돌구의 수가 많은 달은 지구보다 대기권의 마찰력이 작을 것이라고 반응할 수 있다.

❷ 2문단에서 지구의 대기권에 진입한 소행성이나 혜성은 대기와의 마찰로 인해 타 버리거나 속도가 줄어 지구 표면에 생기는 충돌구의 수나 크기가 감소한다고 하였으므로, 지구에 대기층이 없었다면 지구의 충돌구가 더 많아졌을 것이라고 반응할 수 있다.

❸ 4문단에서 풍화 작용이나 화산 활동, 판의 이동 등의 지질 활동에 의해서 충돌구가 사라진다고 하였으므로, 이러한 지질 활동이 더 활발해진다면 사라지는 충돌구의 수가 늘어나 지구의 충돌구 수는 점점 줄어들 것이라고 반응할 수 있다.

❹ 5문단에서 판의 이동으로 인한 지질 활동은 오랜 시간이 지나면서 대륙의 모양을 변화시키는데, 이 과정에서 많은 수의 충돌구가 사라진다고 하였다. 또한 6문단에서 해양 지각은 판의 이동에 따라 서서히 이동하다가 약 2억 년을 넘지 않는 시간 내에 사라지는데, 이때 해저의 충돌구 역시 함께 사라지게 된다고 하였다. 따라서 판의 이동으로 인해 충돌구가 사라지는 것은 아주 긴 시간이 소요되는 일일 것이라고 반응할 수 있다.

18일차 01 과학 주제어 _ 물리

1단계 문맥으로 어휘 확인하기 | 본문 148쪽 |

(1) 측정 (2) 작용 (3) 비교 (4) 상쇄 (5) 대조 (6) 함량 (7) 상반 (8) 반작용

2단계 문제로 어휘 익히기 | 본문 149쪽 |

1 (1) ㉡ (2) ㉠ (3) ㉢ 2 (1) 대조 (2) 측정 (3) 비교 3 (1) 상반 (2) 상쇄 (3) 함량 4 ⑤

4 두 문장의 빈칸에 공통적으로 들어갈 단어는 '반작용'이다. 첫 번째 문장에서는 '어떤 움직임에 대하여 그것을 거스르는 반대의 움직임이 생겨남. 또는 그 움직임'의 뜻으로 쓰였고, 두 번째 문장에서는 '물체 A가 물체 B에 힘을 작용시킬 때, B가 똑같은 크기의 반대 방향의 힘을 A에 미치는 작용'의 뜻으로 쓰였다.

오답 풀이 ❶ '대조'는 서로 달라서 대비가 됨을 뜻한다.

❷ '상반'은 서로 반대되거나 어긋남을 뜻한다.

❸ '상쇄'는 상반되는 것이 서로 영향을 주어 효과가 없어지는 일을 뜻한다.

❹ '작용'은 어떠한 현상을 일으키거나 영향을 미침을 뜻한다.

18일차 02 과학 주제어 _ 물리

1단계 문맥으로 어휘 확인하기 | 본문 150쪽 |

(1) 중력 (2) 유선형 (3) 이륙, 착륙 (4) 부력 (5) 압력 (6) 유체 (7) 양력

2단계 문제로 어휘 익히기 | 본문 151쪽 |

1 (1) ㉣ (2) ㉢ (3) ㉡ (4) ㉠ 2 (1) 이륙 (2) 유선형 (3) 유체 3 (1) 착륙 (2) 중력 (3) 양력 4 ②

4 두 문장의 빈칸에 공통적으로 들어갈 단어는 '압력'이다. 첫 번째 문장에서는 '권력이나 세력에 의하여 타인을 자기 의지에 따르게 하는 힘'의 뜻으로 쓰였고, 두 번째 문장에서는 '두 물체가 접촉면을 경계로 하여 서로 그 면에 수직으로 누르는 단위 면적에서의 힘의 단위'의 뜻으로 쓰였다.

오답 풀이 ❶ '부력'은 기체나 액체 속에 있는 물체가 그 물체에 작용하는 압력에 의하여 중력에 반하여 위로 뜨려는 힘을 뜻한다.

❸ '양력'은 유체 속을 운동하는 물체에 운동 방향과 수직 방향으로 작용하는 힘을 뜻한다.

❹ '중력'은 지구 위의 물체가 지구로부터 받는 힘을 뜻한다.

❺ '만유인력'은 질량을 가지고 있는 모든 물체가 서로 잡아당기는 힘을 뜻한다.

3단계 독해로 어휘 다지기 | 본문 152~153쪽 |

1 ② 2 ② 3 ③

[헬리콥터의 비행 원리]

■ **해제** 이 글은 헬리콥터가 공중으로 뜨는 원리를 비행기와 비교하여 설명하고 있다. 또한 헬리콥터의 비행 원리에 따른 문제를 해결하기 위해 적용된 과학 원리를 제시하며, 과학 원리에 관심을 가지고 생활 주변에서 이를 탐구해 보기를 당부하고 있다.

■ **주제** 헬리콥터의 비행 원리와 발전 과정

■ 특징 • 비행기와 비교하여 헬리콥터가 뜨는 원리를 설명함
• 독자들이 실제로 해 볼 수 있는 간단한 실험 사례를 제시하여 독자들의 이해를 도움
• 독자들에게 일상생활에서 과학적 원리에 관심을 갖고 탐구해 보기를 당부함

■ 구성

1문단 비행기가 뜨는 원리

2문단 헬리콥터가 뜨는 원리

3문단 헬리콥터 본체의 회전력을 상쇄시키는 방안

4문단 불안정한 꼬리 프로펠러 대신 공기의 회전력을 이용한 헬리콥터 제작

5문단 과학 원리에 대한 관심 당부

독해 체크

1 헬리콥터 2 1 비행기 2 헬리콥터 3 본체, 회전력 4 꼬리 프로펠러 5 과학 원리 3 비행 원리

1 ㉡ '양력'은 유체 속을 운동하는 물체에 운동 방향과 수직 방향으로 작용하는 힘을 뜻한다. 이는 1문단의 '비행기가 앞으로 전진하게 되면, 공기의 흐름이 위와 아래로 갈라지게 된다. ~ 비행기를 상대적으로 압력이 약한 위쪽으로 떠오르게 하는 힘이 만들어지는데, 이것이 바로 양력이다.'를 통해서도 확인할 수 있다.

오답 풀이 ❶ '유체'는 기체와 액체를 아울러 이르는 말이다.
❸ '유선형'은 물이나 공기의 저항을 최소한으로 하기 위하여 앞부분을 곡선으로 만들고, 뒤쪽으로 갈수록 뾰족하게 한 형태를 뜻한다. 소라의 껍데기처럼 빙빙 비틀려 돌아간 모양을 뜻하는 단어는 '나선형'이다.
❹ '이륙'은 비행기 따위가 날기 위하여 땅에서 떠오름을 뜻한다. 비행기 따위가 공중에서 활주로나 판판한 곳에 내림을 뜻하는 단어는 '착륙'이다.
❺ '상쇄'는 상반되는 것이 서로 영향을 주어 효과가 없어지는 일을 뜻한다.

2 [A]에서는 수직으로 서 있는 꼬리 프로펠러(ⓒ)가 본체(ⓑ)의 회전력을 상쇄시키는 역할을 한다고 설명하고 있다. 그러나 중앙 프로펠러(ⓐ)의 회전력이 꼬리 프로펠러(ⓒ)의 회전력을 상쇄시킨다고 판단할 만한 근거는 이 글에 나타나 있지 않다.

오답 풀이 ❶, ❸ [A]에서 중앙 프로펠러(ⓐ)가 회전하게 되면, 헬리콥터의 본체(ⓑ)는 그 반대 방향으로 회전을 하게 된다고 하였다.
❹, ❺ [A]에서 이고르 시코르스키는 뒷부분에 꼬리 프로펠러(ⓒ)를 수직으로 장착하여 중앙 프로펠러(ⓐ)가 회전할 때 본체(ⓑ)가 그 반대 방향으로 회전하게 되는 문제를 해결하였다면서, 수직으로 서 있는 꼬리 프로펠러(ⓒ)가 본체(ⓑ)의 회전력을 상쇄시키는 역할을 한다고 하였다.

3 4문단에서 '코안다 효과'는 흐르는 유체에 휘어진 물체를 놓으면 유체도 따라 휘면서 흐르는 것으로, 이를 이용한 공기의 회전력이 꼬리 프로펠러 대신 본체의 회전력을 상쇄시키는 역할을 한다고 하였다. ㉯ '헬리콥터'의 이륙은 코안다 효과가 아니라, 회전 날개의 각도를 달리하여 만드는 양력으로 설명할 수 있다.

오답 풀이 ❶ 1문단에서 ㉮ '비행기'가 뜨는 작용을 설명하는 베르누이의 원리는 익히 알려져 있다고 하였다. 이어서 베르누이의 원리를 제시하고, 이를 바탕으로 ㉮ '비행기'가 뜨는 원리를 설명하고 있다.
❷ 1문단에서 ㉮ '비행기'는 날개의 윗면이 곡면이고 아랫면은 평면인 반원형에 가깝다고 하였으며, 2문단에서 ㉯ '헬리콥터'의 회전하는 날개는 윗면과 아랫면이 똑같이 생겼다고 하였다.
❹ 2문단에서 ㉯ '헬리콥터'는 중앙 프로펠러의 날개 각도를 기울여 회전시킴으로써 프로펠러 위와 아래의 압력 차로 양력을 만들어 내므로, ㉮ '비행기'처럼 전진하지 않고도 날개 자체의 회전으로 수직 이륙이 가능하다고 하였다.
❺ 2문단에서 ㉮ '비행기'의 유선형 날개가 양력을 만든다고 하였고, ㉯ '헬리콥터'는 중앙 프로펠러의 날개 각도를 기울여 회전시킴으로써 양력을 만든다고 하였다. 이를 통해 ㉮ '비행기'와 ㉯ '헬리콥터' 모두 양력을 이용하여 이륙함을 알 수 있다.

수능독해 특강 체크 주제별로 알아보는 속담

생활과 관련된 속담 | 본문 156~157쪽 |

01 ㉢ 02 ㉤ 03 ㉣ 04 ㉡ 05 ㉠ 06 개똥도 약에 쓰려면 없다(까마귀 똥도 약에 쓰려면 오백 냥이라) 07 우물, ㉠ 08 도끼, ㉢ 09 소금, ㉣ 10 바가지, ㉡ 11 〈가로〉 ❷ 구더기 ❹ 귀걸이 〈세로〉 ❶ 고기 ❷ 구슬 ❸ 날이

06 평소에는 집 안 여기저기에서 보일 정도로 많던 나무젓가락이 막상 현수가 다리를 만들어 보려고 찾으니 보이지 않았다. 이와 같은 상황을 나타내는 속담으로는 평소에 흔하던 것도 막상 긴하게 쓰려고 구하면 없다는 말인 '개똥도 약에 쓰려면 없다(까마귀 똥도 약에 쓰려면 오백 냥이라)'가 적절하다.

11

19일차 01 기술 주제어 _ 전기/전자

1단계 문맥으로 어휘 확인하기 | 본문 158쪽 |

(1) 소모 (2) 사양 (3) 성능 (4) 회로 (5) 전력 (6) 용도 (7) 설계 (8) 데이터 (9) 시제품

2단계 문제로 어휘 익히기 | 본문 159쪽 |

1 (1) ㉢ (2) ㉡ (3) ㉠ 2 (1) 데이터 (2) 회로 (3) 시제품
3 (1) 전력 (2) 성능 (3) 소모 4 ②

4 두 문장의 빈칸에 공통적으로 들어갈 알맞은 말은 '설계'이다. '설계'는 첫 번째 문장에서는 건축·토목·기계 제작 따위에서, 그 목적에 따라 실제적인 계획을 세워 도면 따위로 명시하는 일이라는 뜻으로, 두 번째 문장에서는 계획을 세움, 또는 그 계획이라는 뜻으로 쓰였다.

오답 풀이 ❶ '사양'은 설계 구조 또는 만드는 물품에 관해 요구되는 특정 형상·구조·치수·성분·정밀도·성능·제조법·시험 방법 등의 규정을 뜻한다.
❸ '용도'는 쓰이는 길 또는 쓰이는 곳을 뜻한다.
❹ '데이터'는 이론을 세우는 데 기초가 되는 사실 또는 바탕이 되는 자료나 관찰이나 실험, 조사로 얻은 사실이나 정보, 혹은 컴퓨터가 처리할 수 있는 문자, 숫자, 소리, 그림 따위의 형태로 된 정보를 뜻한다.
❺ '시제품'은 시험 삼아 만들어 본 제품을 뜻한다.

19일차 02 기술 주제어 _ 기계/소재

1단계 문맥으로 어휘 확인하기 | 본문 160쪽 |

(1) 향상 (2) 정교 (3) 장착 (4) 전망 (5) 입자 (6) 실용화 (7) 인공적 (8) 낙관적 (9) 고분자

2단계 문제로 어휘 익히기 | 본문 161쪽 |

1 (1) ㉠ (2) ㉡ 2 (1) 전망 (2) 정교 (3) 실용화 3 (1) 장착 (2) 향상 (3) 낙관적 4 ⑤

4 '열을 가하거나 화학 첨가물을 넣는 등'이라는 내용으로 미루어 짐작해 볼 때, 빈칸에는 자연에서 이루어진 것이 아닌, 사람의 힘으로 만든 것이라는 의미의 '인공적'이 들어가야 적절하다.

오답 풀이 ❶ '입자'는 물질을 구성하는 미세한 크기의 물체 또는 물질의 일부로서, 구성하는 물질과 같은 종류의 매우 작은 물체를 뜻한다.
❷ '고분자'는 화합물 가운데 분자량이 대략 1만 이상인 분자 또는 화학 결합으로 거의 무한 개수의 원자가 결합하여 있는 분자를 뜻한다.
❸ '낙관적'은 인생이나 사물을 밝고 희망적인 것으로 보는 것 또는 앞으로의 일 따위가 잘되어 갈 것으로 여기는 것을 뜻한다.
❹ '실용화'는 실제로 쓰거나 쓰게 함을 뜻한다.

3단계 독해로 어휘 다지기 | 본문 162~163쪽 |

1 ③ 2 ① 3 ②

[HDD를 대체하는 고속의 보조 기억 장치 SSD]

■ **해제** 이 글은 HDD의 속도 한계를 설명하고, 그것을 대체할 수 있는 SSD의 장점에 대해 설명하고 있다. SSD는 반도체를 이용하여 데이터를 저장하기 때문에 자기 디스크를 쓰는 HDD보다 데이터 처리 속도가 빠르다. 이러한 SSD는 크게 램 기반 SSD와 플래시 메모리 기반 SSD로 나눌 수 있다. 램 기반의 SSD는 데이터 처리 속도는 매우 빠르지만, 전원이 꺼지면 저장 데이터가 모두 사라지는 램의 단점을 안고 있다. 그렇기에 전원이 꺼져도 기록된 데이터가 지워지지 않는 플래시 메모리 기반 SSD가 주로 쓰인다.

■ **주제** HDD를 대체하는 보조 기억 장치 SSD

■ **특징**
- 컴퓨터를 구성하는 핵심 장치, SSD의 구성 등을 개별적인 요소나 성질로 나누어 설명하는 분석의 방법으로 제시함
- HDD의 속도, 소음, 전력 소모량 면에서의 단점을 설명하고, 그것을 대체할 수 있는 SSD의 장점을 설명함

■ **구성**

1문단 컴퓨터를 구성하는 핵심 장치
↓
2문단 HDD의 단점
↓
3문단 SSD의 장점
↓
4문단 SSD의 구성과 종류
↓
5문단 램 기반 SSD의 장단점
↓
6문단 플래시 메모리 기반 SSD가 일반화된 이유

독해 체크

1 SSD 2 ❶ 컴퓨터 ❷ 단점 ❸ 장점 ❹ SSD ❺ 램 ❻ 플래시 메모리 3 HDD, SSD

1 ㉠을 포함한 문장은 램 기반 SSD를 부착한 컴퓨터의 빠른 속도에 대해 설명하고 있다. 따라서 문맥상 ㉠에 들어갈 말로 가장 적절한 것은 '의복, 기구, 장비 따위에 장치를 부착한'이라는 뜻을 지닌 '장착한'이다.

오답 풀이 ❶ '설계한'은 계획을 세운, 건축·토목·기계 제작 따위에서 그 목적에 따라 실제적인 계획을 세워 도면 따위로 명시한이라는 뜻이다.
❷ '소모한'은 써서 없앤이라는 뜻이다.
❹ '전망한'은 넓고 먼 곳을 멀리 바라본, 앞날을 헤아려 내다본이라는 뜻이다.

❺ '정교한'은 솜씨나 기술 따위가 정밀하고 교묘한, 내용이나 구성 따위가 정확하고 치밀한이라는 뜻이다.

2 HDD에 대해 주로 다루고 있는 2문단에서 HDD의 단점(느린 처리 속도, 심한 소음, 높은 전력 소모량 등)에 대해 설명하고 있지만, HDD가 발전해 온 과정에 대해서는 언급하고 있지 않다.

오답 풀이 ❷ 2문단에서 CPU와 램은 반도체 재질이기 때문에 고속으로 동작이 가능하다는 점에서 공통된다는 것을 확인할 수 있다.
❸ 3문단에서 HDD와 SSD는 용도나 외관, 설치 방법 등은 유사하지만, HDD가 자기 디스크를 사용하는 것과 달리 SSD는 반도체를 이용해 데이터를 저장한다는 차이가 있음을 확인할 수 있다.
❹ 2문단의 'CPU나 램은 내부의 ~ 고속으로 동작이 가능하다. 그러나 HDD는 ~ 반도체의 처리 속도를 따라갈 수 없다.'에서 확인할 수 있다.
❺ 5문단에서 램 기반 SSD는 컴퓨터의 전원을 끈 상태에서도 SSD에 계속해서 전원을 공급해 주는 전용 전지가 반드시 필요한 탓에 램 기반 SSD는 많이 쓰이지 않는다고 하였다.

3 2문단의 'HDD는 원형의 자기 디스크를 물리적으로 회전시키며 데이터를 읽거나 저장하기 때문에 자기 디스크를 아무리 빨리 회전시킨다 해도 반도체의 처리 속도를 따라갈 수 없다. ~ 이 때문에 CPU와 램의 동작 속도가 하루가 다르게 향상되고 있는 반면, HDD의 동작 속도는 그렇지 못했다.'를 통해 HDD는 자기 디스크를 회전시키는 데이터 처리 방식의 한계 때문에 동작 속도가 향상되지 못했음을 확인할 수 있다.

오답 풀이 ❶ 3문단에서 'SSD의 용도나 외관, 설치 방법 등은 HDD와 유사하다.'라고 하였다.
❸ 2문단에서 HDD에 대해 '디스크의 회전 속도가 빨라질수록 소음이 심해지고 전력 소모량이 급속도로 높아지는 단점이 있다.'라고 하였다. 따라서 자기 디스크가 회전하면서 큰 소음을 내는 것은 SSD가 아니라 HDD이다.
❹ 6문단에서 '플래시 메모리 기반 SSD를 장착한 컴퓨터는 램 기반 SSD를 장착한 컴퓨터보다 느리긴 하지만 HDD를 장착한 동급 사양의 컴퓨터보다 최소 2~3배 이상 빠른 부팅 속도와 프로그램 실행 속도를 기대할 수 있다.'라고 하였다. 따라서 운영 체제를 빠르게 쓰고 싶다면 HDD가 아니라 SSD를 보조 기억 장치로 쓰는 것이 낫다.
❺ 3문단에서 SSD에 대해 '물리적으로 움직이는 부품이 없기 때문에 작동 소음이 작고 전력 소모가 적다.'라고 하였다. 따라서 자기 디스크를 움직여 데이터를 읽는 것은 전력 소모가 크다고 볼 수 있다.

20일차 01 예술 주제어 _ 미술

1단계 문맥으로 어휘 확인하기 | 본문 164쪽 |

(1) 수묵화 (2) 자화상 (3) 표출 (4) 수려 (5) 원근법
(6) 산수화 (7) 농담 (8) 초상화

2단계 문제로 어휘 익히기 | 본문 165쪽 |

1 (1) ㉢ (2) ㉠ (3) ㉡ 2 (1) 농담 (2) 산수화 (3) 원근법
3 (1) 표출 (2) 초상화 4 ⑤

4 '자기 자신을 종이에 옅은 채색으로 그린 그림', '자신의 얼굴을 묘사하여' 등으로 볼 때, 빈칸에는 스스로 그린 자기의 초상화를 뜻하는 '자화상'이 들어가는 것이 가장 적절하다.

오답 풀이 ❶ '농담'은 색깔이나 명암 따위의 짙음과 옅음 또는 그런 정도를 뜻한다.
❷ '산수화'는 동양화에서, 산과 물이 어우러진 자연의 아름다움을 그린 그림을 뜻한다.
❸ '수묵화'는 먹으로 짙고 엷음을 이용하여 그린 그림을 뜻한다.
❹ '원근법'은 일정한 시점에서 본 물체와 공간을 눈으로 보는 것과 같이 멀고 가까움을 느낄 수 있도록 평면 위에 표현하는 방법을 뜻한다.

20일차 02 예술 주제어 _ 건축

1단계 문맥으로 어휘 확인하기 | 본문 166쪽 |

(1) 공모전 (2) 독창성 (3) 질감 (4) 균형감 (5) 환기
(6) 비례 (7) 채광 (8) 역동감 (9) 공공 미술 (10) 고안

2단계 문제로 어휘 익히기 | 본문 167쪽 |

1 (1) ㉣ (2) ㉡ (3) ㉢ (4) ㉠ 2 (1) 공모전 (2) 균형감
(3) 독창성 3 (1) 고안 (2) 비례 (3) 역동감 4 ⑤

4 이 글은 거리, 공원, 광장 따위의 일반에게 공개된 장소에 설치하거나 전시하는 미술인 '공공 미술'에 대한 설명이다.

오답 풀이 ❶ '비례'는 표현된 물상의 각 부분 상호 간 또는 전체와 부분 간이 양적으로 일정한 관계가 됨 또는 그런 관계를 뜻한다.
❷ '질감'은 재료가 가지는 성질의 차이에서 받는 느낌을 뜻한다.
❸ '채광'은 창문 따위를 내어 햇빛을 비롯한 광선을 받아 들임을 뜻한다.
❹ '공모전'은 공개 모집한 작품의 전시회를 뜻한다.

3단계 독해로 어휘 다지기 | 본문 168~169쪽 |

1 ⑤ 2 ④ 3 ②

[스페인은 가우디다]
■ **해제** 이 글은 가우디의 건축물에 대해 소개하고 있다. 근대 건축의 대표적인 인물인 가우디가 설계한 창의적이고 합리적인 건축물을 자연 모방, 기술성, 예술성과 같은 특징들을 예로 들어 설명하고 있는 글이다.

■ 주제 가우디의 창의적이고 합리적인 건축물들

■ 특징 • 가우디의 건축물에 담긴 특징을 설명하고, 이를 뒷받침하는 다양한 사례를 함께 제시함
• 그림 자료를 글 안에 삽입하여 독자가 내용을 더욱 쉽게 이해할 수 있도록 함

■ 구성

1문단 창의적인 건축가 가우디

2문단 블록 모퉁이에 지어진 집의 문제점

3문단 가우디가 자유로운 형태로 디자인한 카사밀라

4문단 자연에서 모티프를 따 온 가우디의 여러 건축물들

5문단 기술력과 창의성을 모두 갖춘 가우디의 건축물

독해 체크

1 가우디 2 1 창의적 2 블록 모퉁이 3 카사밀라 4 자연 5 기술력 3 건축물

1 '고안하여'는 '연구하여 새로운 안을 생각해 내어'라는 의미이다. 이와 바꾸어 쓰기에 가장 적절한 것은 '어떤 방안, 물건 따위를 처음으로 생각해 내어'라는 의미를 지닌 '창안하여'이다.

오답 풀이 ❶ '고민하여'는 '마음속으로 괴로워하고 애를 태워'라는 의미이다.
❷ '사용하여'는 '일정한 목적이나 기능에 맞게 써', '사람을 다루어 이용하여'라는 의미이다.
❸ '응용하여'는 '어떤 이론이나 이미 얻은 지식을 구체적인 개개의 사례나 다른 분야의 일에 적용하여 이용해'라는 의미이다.
❹ '적발하여'는 '숨겨져 있는 일이나 드러나지 아니한 것을 들추어내어'라는 의미이다.

2 5문단의 내용으로 미루어 볼 때, 가우디는 ⓑ '다중 현수선 모형'을 통해 중력까지 치밀하게 계산한 건축 모형을 만들 수 있었으며, 그 결과 날렵하고 균형 잡힌 건축물인 ⓐ '사그라다 파밀리아 성당'을 설계할 수 있었음을 알 수 있다.

오답 풀이 ❶ 숲의 모양을 본떠 생생함이 느껴진다는 ⓐ '사그라다 파밀리아 성당'의 특징은, 4문단에서 사그라다 파밀리아 성당의 기둥에 플라타너스 나무의 모습을 덧입혔다고 한 것과 관련이 있다.
❷ 거대한 조각이 주는 웅장함이 느껴진다는 ⓐ '사그라다 파밀리아 성당'의 특징은 5문단에서 기술력과 창의성의 결합체인 사그라다 파밀리아 성당은 거대한 조각품과 같은 예술성을 보여 준다고 한 것과 관련이 있다.
❸ ⓐ '사그라다 파밀리아 성당'에서 수학적 직선으로 이루어진 역동성이 느껴진다는 것은, 4문단의 '이와 같은 가우디의 건축물들은 ~ 대부분 직선이 없고 포물선과 나선 등 수학적인 곡선이 주를 이룬다.'로 볼 때 적절한 내용이 아니다.
❺ ⓐ '사그리아 파밀리아 성당'에서 철근 콘크리트 자재를 사용한 견고함이 느껴지는지 여부는 지문을 통해 파악할 수 없다.

3 2문단에 '블록의 높이는 모든 건물에 빛이 45도로 내리쬘 수 있도록 6층 높이 이하로 제한했다.'라는 내용이 나오기는 하나, 이는 가우디가 아니라 '에이샴플라(도시 계획 공모전)'에 따라 바르셀로나에서 결정한 것이다.

오답 풀이 ❶ 2문단에서 '도심 주택에 어느 정도 채광과 환기가 이루어졌지만 블록 모퉁이에 지어진 집은 햇빛과 바람이 잘 들지 않았다.'라고 한 것으로 볼 때, 적절한 이해이다.
❸ 3문단에서 '그는 지붕을 햇빛 방향에 따라 비스듬하게 설계하고 옥상 난간을 반투명 철망으로 만들어 주택 안으로 빛과 바람이 최대한 들어올 수 있게 하였다.'라고 한 것으로 볼 때, 적절한 이해이다.
❹ 3문단에서 "카사밀라(밀라의 집)'는 바위로 이루어진 몬세라트 산의 모양을 본떠 내부도 직각으로 이루어진 부분이 하나도 없다.'라고 한 것으로 볼 때, 적절한 이해이다.
❺ 3문단에서 '수직과 수평에 근거한 고전적인 건축의 엄격함을 벗어던지고, 자유로운 형태로 건물을 디자인함으로써 역동감과 활기가 느껴지는 자연스러운 건물을 설계했다.'라고 한 것으로 볼 때, 적절한 이해이다.

수능독해 특강 체크 주제별로 알아보는 관용 표현

의복과 관련된 관용 표현 | 본문 172~173쪽 |

01 ㉣ 02 ㉠ 03 ㉤ 04 ㉡ 05 ㉢ 06 허리띠 07 안경 08 가방끈, 길다 09 지갑, 얇다 10 가면, 벗다 11 옷깃, 여미다 12 소매를 걷고

01~05

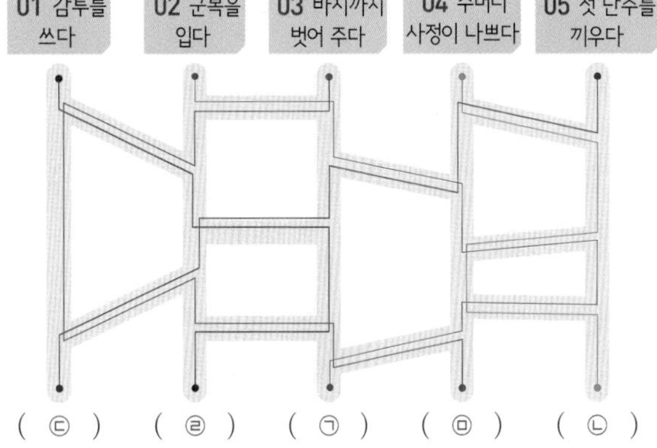

12 제시된 상황에서 정국이는 유기견을 돌보는 봉사 활동에 참여하는 것은 물론, 더 많은 사람들이 참여할 수 있도록 전단지를 붙이고 SNS로 홍보를 하는 등 봉사 활동에 적극적으로 임하고 있다. 따라서 빈칸에는 '어떤 일에 아주 적극적인 태도를 취하다.'라는 의미의 관용 표현 '소매를 걷다'가 들어가는 것이 적절하다.

me
mo

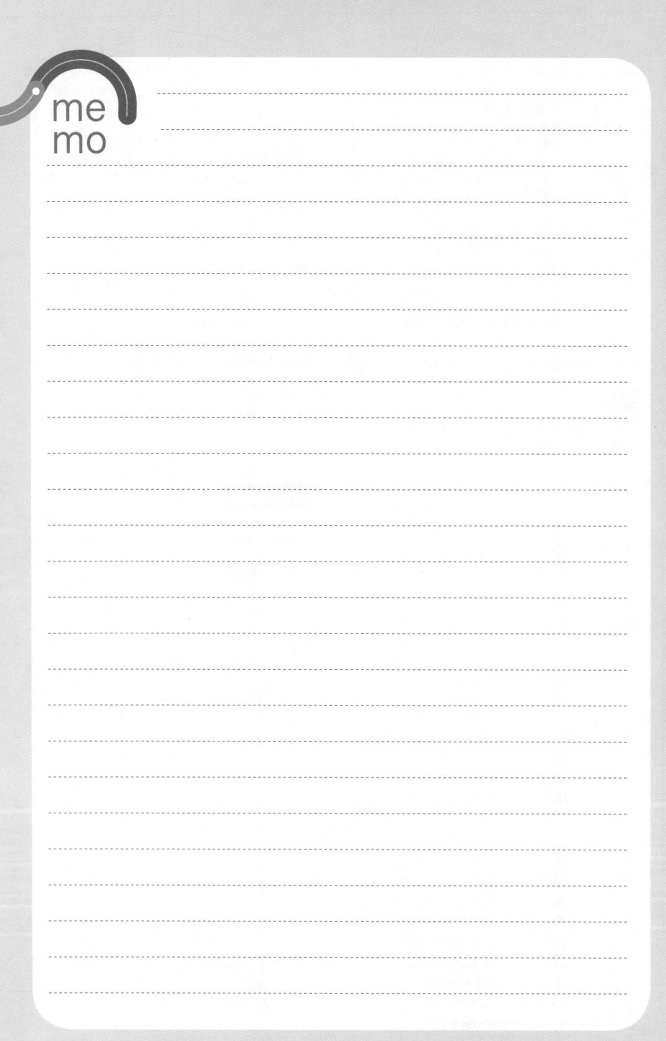